EEN VITALE EN AANTREKKELIJKE GEMEENTE

voor Prof. Dr. J. Firet

J. Hendriks

EEN VITALE EN AANTREKKELIJKE GEMEENTE

MODEL EN METHODE VAN GEMEENTEOPBOUW

Derde druk

UITGEVERSMAATSCHAPPIJ J. H. KOK — KAMPEN

PUBLIKATIE NO. 17

INSTITUUT VOOR PRAKTISCHE THEOLOGIE
AAN DE VRIJE UNIVERSITEIT

Het instituut heeft als doel het verrichten van onderzoek op het terrein van de praktische theologie met behulp van sociaal-wetenschappelijke methoden.
Dit onderzoek betreft met name vragen ten aanzien van de struktuur van de gemeente en het funktioneren van de kerk in haar verschillende diensten.

Hoogleraar-Directeur: Dr. G. Heitink

Dagelijkse leiding: Dr. J. Hendriks

Sekretariaat: De Boelelaan 1105, 1081 HV Amsterdam
telefoon 020-548 26 35

CIP

Tweede druk 1991
Derde druk 1992
Omslagontwerp Henk Blekkenhorst
ISBN 90 242 5453 1
NUGI 632

Woord vooraf

,,Wat ik u wil vertellen is dat er in de tijd waarin wij leven, nog vele krachten en mogelijkheden binnen organisaties liggen — en ik denk aan zowel ondernemingen als overheidsdiensten, stichtingen, instellingen, verenigingen, enz. (...) — die tot nu toe onvoldoende, althans niet systematisch, werden gebruikt in het belang van de doelstellingen van die organisaties en de maatschappij waartoe zij behoren en waarvan zij deel uitmaken.
Ik wil dit aspekt van die nog niet gebruikte krachten belichten, omdat er tegenwoordig in zoveel gevallen waarin een organisatie niet goed meer funktioneert, (...) allerlei argumenten en verklaringen worden geëtaleerd die praktisch allemaal te maken hebben met eksterne faktoren''.

A. Twijnstra

in: Maatschappelijk Management. Ontwikkelingen van de organisatiekunde in een veranderende samenleving, Alphen aan den Rijn 1979,2.

De plaats van het christelijk geloof en van de kerk is in de laatste decennia ingrijpend veranderd. Sociale en kulturele processen hebben daarbij een grote rol gespeeld. Het proces van maatschappelijke differentiëring bijvoorbeeld heeft er toe geleid dat de kerk aan de rand van de samenleving terecht is gekomen. Allerlei kulturele processen hebben diepgaande invloed uitgeoefend, vooral ook doordat daardoor de plausibiliteit van het christelijk geloof werd aangetast. Bij individuele christenen leidt dit nogal eens tot diepgaande twijfel die tot uiting komt in uitspraken als ''t wil er bij mij niet meer in'. Bij kerken zijn die processen uitgemond in onzekerheid over de vragen 'wie zijn we nou eigenlijk?' en 'wat is onze roeping?'; kortom in een identiteitskrisis.
De kerken, waarmee ik nu vooral de lokale gemeente en de plaatselijke parochie bedoel, reageren heel verschillend op de nieuwe situatie. Sommige sluiten zich af van de vragen die de moderne ontwikkelingen stellen en proberen in het oude spoor door te gaan. En op plaatsen waar de plausibliteitsstruktuur nog grotendeels intakt is, of in ieder geval lijkt te zijn, slagen zij daar ook in meerdere of mindere mate in. Andere kerken vernieuwen zich radikaal, niet zelden na een krisis. Zij zijn herkenbaar aan een nieuw engagement met de samenleving, aan nieuwe vormen van leiding en aan een nieuwe manier van omgaan met elkaar. Vele andere kerken verkeren in een zekere malaise stemming; zij voelen zich bedreigd, zien de toekomst zorgelijk tegemoet en richten bijna al hun energie op overleven en voortbestaan. Op hen is van toepassing de typering van Bonhoeffer: ,,een kerk in staat van zelfverdediging, geen durf om zich in te zetten voor anderen''.

Kerken reageren dus verschillend en dat betekent dat we moeten oppassen voor te gemakkelijke generalisaties. Toch meen ik te mogen zeggen dat het overheersende beeld er één is van stagnatie met als symptomen: teruglopend ledental, verminderde participatie, afnemend plezier in het meedoen, weinig moed om doelen te stellen die het eigen voortbestaan overstijgen, de neiging van sommige leidinggevenden hun post te verlaten en onvermogen om tot een beleid te komen.
Dat is een situatie waarin we niet mogen berusten. En daarom komt de vraag op hoe we in deze voor de kerk zo turbulente tijd kunnen werken aan de opbouw van de gemeente tot een aantrekkelijke en vitale gemeente. Dat is een gemeente waarin mensen meedoen met vreugde en met effekt en zich inzetten voor de bedoelingen van de gemeente.
Daarover gaat dit boek. Het handelt dus niet over de faktoren die de stagnatie veroorzaken, maar over *de faktoren die van belang zijn voor de vitalisering van de gemeente*. Het gaat mij daarbij niet alleen om het beschrijven van deze faktoren maar ook om de vraag hoe bij de opbouw van de gemeente met deze faktoren rekening gehouden kan worden.

Twee vragen staan in dit boek centraal:
Welke faktoren bevorderen de opbloei van een aantrekkelijke en vitale gemeente?
Hoe kunnen we op basis hiervan een beleid ontwikkelen?
Van harte hoop ik hiermee de praktijk van de christelijke gemeente te dienen. Met die intentie is dit boek geschreven.

In deze publikatie staat de gemeente centraal. Daarmee heb ik zowel de rooms-katholieke parochie als de plaatselijke gereformeerde kerk of hervormde gemeente op het oog. Ik zal dat niet voortdurend herhalen en ook niet steeds schrijven 'gemeente/parochie' en 'kerkeraad/parochieraad'. Ik gebruik als regel de woorden gemeente en kerkeraad en laat het aan de lezers over die woorden te vertalen naar de eigen situatie toe.
De volgende opmerking is min of meer van dezelfde orde. Als ik spreek van ambtsdrager en pastor, dan gaat het in beide gevallen om iemand die een vrouw of man kan zijn. Om het vermoeiende 'hij/zij' te vermijden, schrijf ik willekeurig nu eens 'zij', dan weer 'hij'.
In deze geest zal ik ook omgaan met het woord 'pastor'. Hoewel het mij bekend is dat dit begrip manlijk is zal ik niettemin ombekommerd zinnen gebruiken als: 'de pastor heeft haar eigen rol'.

Bij het schrijven van een boek is het gelukkig doorgaans zo dat een aantal mensen die onderneming van harte aanmoedigen. Dat heb ik ook ervaren, met name van kollega's en van vakgenoten buiten de eigen direkte werkkring. In het bijzonder wil ik hier noemen Dr. G. Heitink, Drs. W. Ploos van Amstel en Drs. S. Stoppels. Zij hebben het manuskript grondig doorgelezen en mij vele suggesties gedaan. Mijn bijzondere dank gaat ook uit naar de heer G. Verheule die de tekstverwerker bediende, dat, gelukkig, kritisch deed en altijd weer bereid bleek veranderingen aan te brengen.

Dit boek draag ik op aan professor doctor J. Firet. Het is voor een sociale wetenschapper die zich, zoals ik, op het terrein van de praktische theologie beweegt, onontbeerlijk samen te werken met een theoloog die het vak grondig beheerst en die op beslissende momenten hulp en inspiratie biedt. Die heb ik in werkelijk royale mate van hem ontvangen, in het bijzonder in de periode 1971-1987. Hoewel sinds dat laatste jaar aan een regelmatige samenwerking een einde is gekomen zal de lezer ontdekken dat ik in dit boek sleutelbegrippen aan hem ontleen. Ik hoop dat ik dit met effekt deed; ik deed het in ieder geval met vreugde.

Jan Hendriks

Inhoud

DEEL III
EEN WEG OM TOT VITALISERING TE KOMEN

DEEL IV
BIJLAGEN

DEEL I

VITALISERING: MOTIEF EN ZIN

1. Dat het vuurtje branden blijft

Dit boek gaat over gemeenteopbouw. In het bijzonder over de opbouw van een gemeente waar mensen met vreugde aan meedoen, en waarin dat meedoen effekt heeft voor henzelf én voor het realiseren van de bedoelingen van de gemeente. Een dergelijke gemeente noemen we een vitale gemeente.
Onder welke voorwaarden zou dat verwezenlijkt kunnen worden?
En: is er een begaanbare weg die hier naar leidt?
De eerste vraag handelt over de punten waarop het beleid gericht zal moeten worden; de tweede gaat over de vraag hoe een beleid op die punten tot ontwikkeling kan komen. Dat zijn de kernvragen die aan de orde komen. We zullen deze in dit inleidende hoofdstuk wat verder uitwerken en ook stilstaan bij enkele andere vragen, zoals die naar relevantie, intentie en het mogelijke perspektief van gemeenteopbouw als zodanig.

1.1. Relevantie en intentie

relevantie De deelname aan de gemeente is sterk verminderd. We zullen die stelling niet uitvoerig onderbouwen, want de feiten zijn bekend en ook herhaaldelijk samengevat: er doen steeds minder mensen mee en van de mensen die wel meedoen is er een groeiend aantal dat er weinig aan beleeft.
Dit is natuurlijk een al te simpele schets, want de situatie is in werkelijkheid veel komplekser. Het is immers duidelijk dat we de mensen niet eenvoudig kunnen indelen in mensen die meedoen en die niet meedoen. De variatie is groter, de overgang vloeiend en de situatie wisselend, én in het leven van individuen — de deelname voltrekt zich bij menigeen in een golfbeweging — én in de ontwikkeling van de gemeenten; immers ook bij menige gemeente zien we grote variaties in de participatie in de tijd.
Niettemin is de overheersende trend dat de deelname terugloopt en de betrokkenheid vermindert. In de gemeenten van de grote steden doorgaans wat sneller dan in de dorpen, in het ene kerkgenootschap wat meer dan in het andere, maar de verschijnselen zijn overal merkbaar.
Dit is een reden tot zorg, want daarmee staat het geloven zelf op het spel: voor geloof hebben we een gemeente, een kerk in welke vorm dan ook nodig. Dat is sociaalwetenschappelijk en theologisch volstrekt evident.

> Een sociaal-wetenschappelijk grondgegeven is dat ideeën, ook geloofsvoorstellingen, slechts kunnen blijven bestaan als er een sociale struktuur (een 'groep') is die deze draagt. Daarzonder vervluchtigen die ideeën. Daarom hebben we om te geloven een gemeente in één of andere vorm nodig, zeker in

een gesekulariseerde kultuur, waarin, buiten de kerk, verwijzingen naar God schaars zijn. Zeker, er zijn wel mensen die geloven zonder dat zij meedoen in een gemeente, zoals er ook mensen in de kerk zijn die niet geloven maar wel meedoen, maar zij zijn de uitzonderingen op de regel. Zo liggen de verhoudingen in ieder geval in Nederland (Felling c.a., 1981, 69). Dit verband wordt nog duidelijker als we de ontwikkeling in de tijd zien. Op grond van allerlei onderzoekingen kan Dekker terecht stellen ,,dat zeker op den duur kerkelijkheid zonder godsdienstigheid, maar ook gelovigheid zonder kerkelijkheid, moeilijk te handhaven is'' (1987,175). Hij spreekt in dit verband zelfs van ,,een min of meer wetmatige ontwikkeling''.
Maar ook theologisch gezien is participatie aan een gemeenschap nodig. Immers in de christelijke traditie betekent geloven deelhebben aan het 'verbondsgebeuren' van God, in Christus, met de mens. Met de mens als individu, maar als individu dat in relatie staat tot anderen. Dit ,,deelhebben aan het verbondsgebeuren kan door mensen in hun totaliteit alleen worden beleefd in een gemeenschap waarin zij elkaar steunen en door elkaar verrijkt worden'' (Berkhof,1973,357).
Om deel te hebben aan het geloof en de gaven van het geloof is deelname aan een gemeenschap nodig. Dat stelt ook Firet. Zo schrijft hij over de Pinkstergebeurtenis uit Handelingen 2, met betrekking tot het gegeven dat **allen** vervuld werden met de Heilige Geest: ,,Men moet dit niet in de eerste plaats zo verstaan, dat allen hoofd-voor-hoofd de Geest ontvangen: de gemeente, het lichaam van Christus ontvangt de Heilige Geest en de enkeling in de gemeente ontvangt de Heilige Geest krachtens zijn toebehoren tot en in verbondenheid met het geheel'' (1974,161e.v.).

De teneur is duidelijk: deelhebben aan het geloof veronderstelt deelname aan een gemeente. Bij gemeente hoeven we niet per sé te denken aan de ons bekende gemeente, maar aan alle vormen waarin mensen in Zijn Naam samenkomen, eventueel slechts met twee of drie. Dat samenkomen is fundamenteel.
Tegen die achtergrond is de verminderde deelname en de afnemende betrokkenheid zorgwekkend. Daarom is het van belang dat we ons bezig houden met de problematiek van de participatie en in het bijzonder met de vraag hoe we de gemeente zó vorm kunnen geven dat mensen hier met vreugde en met effekt aan kunnen deelnemen. Daaraan ontleent deze studie haar relevantie.

Het mag uit deze publikatie blijken dat we niet meegaan in het momenteel gangbare anti-institutionele denken, waarin de 'gewone' gemeente geheel of gedeeltelijk wordt afgeschreven. We dienen in ieder geval goed te bedenken dat alle nieuwe vormen van gemeente-zijn, van basisgemeente tot inloophuis, zijn ontstaan uit 'gewone' gemeenten; daaraan ontlenen zij hun grondgedachten en daaruit rekruteren zij hun leden, in ieder geval de overgrote meerderheid daarvan.

invalspoort We concentreren ons dus op de vormgeving van de plaatselijke gemeente. Nu kan de vraag opkomen of die toespitsing verantwoord is daar de deelname aan de gemeente niet alleen beïnvloed wordt door de **vormgeving van de gemeente**, maar ook door twee andere komplekse faktoren: ontwikkelingen in **samenleving en kultuur** — zoals sociale differentiatie en kultureel pluralisme — en de **dispositie van individuen** die weer beïnvloed wordt door faktoren als beroep, woonplaats, levensloop.
Alle drie komplekse faktoren spelen een rol bij de participatie aan de gemeente, maar wij nemen als invalspoort de vormgeving van de gemeente. Dat betekent niet dat we de andere buiten beschouwing laten, maar wel dat we die slechts aan de orde stellen in de kontekst van de vormgeving van de gemeente.
De vormgeving van de gemeente is dus de invalspoort voor onze studie naar de participatie. En daartoe is des te meer aanleiding omdat deze invalspoort enerzijds betrekkelijk weinig aandacht heeft gekregen, terwijl zij anderzijds veelbelovend lijkt (Hoge,1981,67). Uit het schaarse onderzoek dat op dit terrein is verricht blijkt namelijk het belang van bepaalde faktoren, zoals een positieve relatie met de pastor, vriendschap met kerkleden, het 'aanbod' van de gemeente (Hoge, 1981, 62e.v.).
Een zeer belangrijk aspekt van de vormgeving van de gemeente is de wijze waarop met pluraliteit wordt omgegaan. Duidelijk is in ieder geval dat het niet-kreatief omgaan daarmee gemakkelijk leidt tot destruktieve konfliktprocessen die onvermijdelijk leiden tot minder plezier in het meedoen, afnemende deelname en verminderde betrokkenheid (Hartman, 1976, Huisman, 1980, Hendriks/Stoppels,1986). Dit is voor ons een reden om ons niet maar alleen bezig te houden met de opbouw van een vitale gemeente, maar met de opbouw daarvan in een situatie die gekenmerkt wordt door pluraliteit. En dat geldt voor de meeste gemeenten.

intentie De verminderde participatie aan 'de wereld van kerk en geloof' is een reden tot zorg; voor individuele mensen — 'zonder geloof vaart niemand wel' — èn voor de samenleving, althans als de gemeente trouw is aan haar roeping een zoutend zout te zijn.
Die zorg wordt naar mijn mening goed onder woorden gebracht door een pastor die al jaren werkt in een oude en arme stadswijk in Amsterdam. Als hem gevraagd wordt wat hem op de been houdt en wat hij eigenlijk hoopt, antwoordt hij: ,,...dat het vuurtje branden blijft.'' En hij vervolgt: ,,40.000 mensen wonen hier. Laten er enkele honderden zijn die iets weten van evangelie, van kerk. De rest, wat weet die er van, wat denkt die er aan... Ik denk dat er veel goede dingen (in deze wijk) gebeuren. Heel veel eigenlijk. Maar het vuurtje, dat wij toch hebben gekregen, dat dat door blijft gaan... Ook al is het dan een klein groepje... Dat je op die manier toch iets kunt betekenen voor dit soort buurten.''
Vanuit dat motief zetten velen zich in, in Amsterdam en elders: voor het voortbestaan van de kerk; een kerk die van werkelijke betekenis is voor mensen en voor het menselijk samenleven. Dus niet voor een nostalgisch vuurtje, maar voor een vuurtje

dat verlicht en verwarmt. Daar gaat het om, dat dát vuurtje branden blijft.
Onze intentie is daaraan een bijdrage te leveren. Dat hopen we op twee manieren te doen, waarmee de opzet van dit boek tevens in grote lijnen gegeven is.
Ten eerste door ons af te vragen aan welke voorwaarden een gemeente moet voldoen, willen mensen hier met vreugde aan meedoen, en waarin dat meedoen betekenis heeft voor henzelf en voor het realiseren van de bedoelingen van de gemeente.
Ten tweede door een weg te beschrijven waarlangs we, mogelijk, die voorwaarden zouden kunnen realiseren.
We zullen in dit hoofdstuk deze twee elementen nader beschrijven, maar we zullen eerst een paar voorvragen aan de orde stellen, zoals deze: Heeft het zin naar een vitale gemeente te streven of is ons streven gedoemd te mislukken? Zit er wel perspektief in? En heeft het wel zin om een boekje over een 'vitale gemeente' open te doen? Is er al niet heel veel literatuur over en waarom dan nog weer een boek? Wat is dan het bijzondere van juist dit boek?

1.2. Het perspektief

We kunnen ons natuurlijk afvragen of het streven naar een vitale gemeente wel enig perspektief heeft. Heeft het überhaupt zin over gemeenteopbouw te spreken of kunnen we ons maar beter bezinnen op een ordelijke terugtocht? Kunnen we er wel iets aan toe of af doen? Is het trouwens wel mensenwerk? Over deze en dergelijke vragen willen we graag drie opmerkingen maken.

Ten eerste Duidelijk moet zijn dat de opbouw van de gemeente, en daaronder valt vanzelfsprekend ook het streven naar een vitale gemeente, tenslotte niet het werk van mensen is, maar van God. Daarom is het ook goed dat een verhandeling over gemeenteopbouw begint met te herinneren aan de tekst: ,,Als de Here het huis niet bouwt, tevergeefs zwoegen de bouwlieden daaraan'' (Ps. 127:1) (Van Kessel, 1989,9). Het is noodzakelijk dat we elkaar er aan herinneren dat niet wij, maar dat het Jezus Christus is die Zijn gemeente bouwt (Mt. 16:18) en op wie de gemeente gebouwd wordt (Ef. 2:20,22). Maar wat betekent een dergelijke uitspraak?
Er zijn in dit opzicht twee ekstreme reakties mogelijk. De ene is dat wij deze uitspraak wel nazeggen, maar er vervolgens niets mee doen. Het credo funktioneert niet, want na dit 'vrome' begin gaan we over tot handelen alsof God niet aanwezig is. Mühlen noemt dit praktisch atheïsme. Daarmee bedoelt hij dat wij (theologen en andere gemeenteleden) het nauwelijks voor mogelijk houden en er ook niet mee rekenen dat God op dezelfde manier onder ons aanwezig wil zijn als in de eerste gemeenten (Mühlen, 1976,60).
De andere ekstreme reaktie is dat wij uit het credo dat Jezus zijn gemeente bouwt afleiden dat voor de mensen blijkbaar geen taak is weggelegd.
Stoppels typeert beide reakties raak: in de eerste reaktie 'lost de Geest op', in de tweede 'lost de Geest het op' (1990).
De waarheid lijkt, althans naar het oordeel van vele theologen, anders te zijn. Daarbij

denken wij bijvoorbeeld aan Möller, die vasthoudt aan het uitgangspunt dat Jezus Zijn gemeente bouwt, maar tegelijkertijd mensen een taak geeft, vooral bij het opruimen van barrières die het werk van God dreigen te belemmeren (1987). Anders en boeiender is de typering door Veenhof van de rol van de mens als medewerker van God. Wij werken mee met God, wij zijn zijn medewerkers. Daarvoor beroept hij zich op I Kor. 3:9. Het luistert hier nauw: wij zijn medewerkers van God, God is geen medewerker van ons (1987,50). Maar we zijn medewerker. Om te voorkomen dat het medewerker-zijn terecht komt in de sfeer van het werknemer-zijn, voert hij de notie van de vriendschap in. ,,De medewerker van God is (binnen de door God geïnitieerde verbondsrelatie) ook de vriend van God'' (51).
Ook Firet vermijdt beide ekstreme posities. Over de verhouding tussen het handelen van God en het handelen van de mens in het pastoraal optreden merkt hij op: ,,De Geest maakt het met bewustheid en overleg optreden *niet overbodig*. Hij maakt dat *mogelijk*, doordat Hij daartoe de mens de vrijheid en verantwoordelijkheid geeft'' (1974, 175).
Hoe het ook precies zij, duidelijk is in ieder geval dat God de Gemeente bouwt èn dat een taak voor mensen is weggelegd. Als we ons dat realiseren dan kan het 'vrome begin' ons brengen tot het besef van onze grenzen; maar dit werkt dan niet frustrerend, maar verruimend. Een illustratie kan dat verduidelijken. Het verhaal gaat dat toen Johannes XXIII paus was geworden, hij de avond van die eerste dag de slaap niet kon vatten vanwege alle problemen van de kerk die op hem afkwamen. Hij deed die nacht geen oog dicht, stond 's morgens maar vroeg op en ging aan het werk. Die avond ging hij vroeg naar bed, maar hij lag er nog niet in of het getob begon al weer en dat ging door tot hij tot bezinning kwam en woorden zei van deze strekking: ,,Here God, het is uw kerk, ik ga slapen.''. En dat was een zeer bijbelse gedachte; immers niet wij dragen Hem, maar Hij draagt ons (Jes. 46: 1-4). En dat geeft perspektief.

Ten tweede Als we ons afvragen of het werken aan de ontwikkeling van een vitale gemeente zin heeft moeten we ons er voor hoeden de ernst van de situatie waarin de gemeente verkeert te overdrijven. En we overdrijven als we de feiten — waaraan we vooral niets moeten afdoen — zien als *noodzakelijke* feiten; en allerlei ontwikkelingen (zoals vermindering van de deelname en afnemende innerlijke betrokkenheid) als *onvermijdelijke* ontwikkelingen. Dat is een onjuiste manier van tegen de feiten aankijken waaraan ook wetenschappers zich nogal eens schuldig maken en waarmee zij mensen een slechte dienst bewijzen. Het is niet alleen een onjuiste manier, maar ook een uiterst verlammende manier. Immers als de feiten en ontwikkelingen onontkoombaar zijn, dan valt ons ook niets anders te doen dan afwachten en kan er dus ook van een beleid geen sprake zijn.
Daarom is het goed te beseffen dat het weliswaar gaat om harde feiten — waaraan we, nogmaals, niets moeten afdoen — maar tevens om niet meer dan sociale feiten, dat wil zeggen feiten die door ons mensen geschapen zijn en die we dus ook veranderen kunnen. Dat is allerminst eenvoudig — want eenmaal geschapen worden die produk-

ten van menselijke interaktie een deel van de menselijke kultuur, dus van de wereld buiten ons, waarvan een dwingende invloed op ons uitgaat — maar verandering is in principe mogelijk. Er is een verschil tussen natuurkundige feiten en sociale feiten; bijvoorbeeld tussen een maansverduistering en de Gods-verduistering. De eerste overkomt ons, de tweede halen wij mensen samen over ons heen, waarbij onze manier van redeneren een grote rol speelt. Nu gaat het er ons slechts om te stellen dat we op de juiste manier tegen de feiten aan moeten kijken om ons niet ekstra te laten ontmoedigen. Dat zal ook moeten doorklinken in de wijze waarop wij de feiten formuleren; duidelijk zal moeten worden dat het om sociale feiten gaat.

> Hierop is ook gewezen door Argyris die stelt dat deze nieuwe wijze van tegen de feiten aankijken ook konsekwenties moet hebben voor de wijze waarop sociale wetenschappen onderzoeksresultaten presenteren. Doen of suggereren alsof feiten noodzakelijk en onontkoombaar zijn werkt bevestiging van de bestaande situatie in de hand, daar die voorstelling het zicht op mogelijke, maar misschien nog nergens gerealiseerde alternatieven belemmert. Zij die zo handelen doen daarmee bepaald geen recht aan de plicht van de wetenschap tot een kritische houding ten opzichte van het bestaande (Argyris, 1972, 106).

Ten derde Het is duidelijk dat de vermindering van de participatie in verband staat met tal van ontwikkelingen in de samenleving. In het voorgaande noemden wij reeds enkele. Tegen die achtergrond kan de vraag opkomen of die faktoren niet zo machtig zijn dat al onze pogingen tot opbouw van de gemeente tot mislukken gedoemd zijn. Velen beantwoorden die vraag bevestigend. En dat niet zonder argumenten. Maar aan de andere kant moeten we ons ook realiseren dat dit mede komt doordat we de mogelijkheden die er binnen de gemeente zijn onvoldoende hebben benut. Wat Twijnstra in zijn oratie opmerkt over stagnerende organisaties als zodanig geldt naar mijn mening ook voor die bijzondere organisatie die we gemeente noemen. ,,Wat ik u wil vertellen is dat er in de tijd waarin wij leven, nog vele krachten en mogelijkheden binnen organisaties liggen — en ik denk aan zowel ondernemingen als overheidsdiensten, stichtingen, instellingen, verenigingen, enz. (...) — die tot nu toe onvoldoende, althans niet systematisch, worden gebruikt in het belang van de doelstellingen van die organisaties en de maatschappij waartoe zij behoren en waarvan zij deel uitmaken. Ik wil dit aspekt van die nog niet gebruikte krachten belichten, omdat er tegenwoordig in zoveel gevallen waarin een organisatie niet goed meer funktioneert, (...) allerlei argumenten en verklaringen worden geëtaleerd die praktisch allemaal te maken hebben met eksterne faktoren'' (1979,2).
Alsof het voor de kerk geschreven is! Een van de belangrijkste van die onvoldoende benutte krachten in de organisatie is het serieus nemen van mensen;dat betekent primair hen zien als subjekt, niet als objekt. We praten wel veel over het gemeentelid als subjekt èn in de (praktische) theologie èn in allerlei meer populaire verhandelingen, maar is dit gezichtspunt ook een centraal uitgangspunt bij allerlei pogingen tot

gemeenteopbouw? Stempelt dat uitgangspunt de wijze van leiding-geven, de manier waarop doelen worden geformuleerd, de vormgeving van de gemeente, de keuze van de onderwerpen en de manier waarop deze aan de orde komen? Wordt er werkelijk rekening gehouden met vragen, problemen en behoeften van mensen?
Er zijn allerlei krachten in de samenleving die de deelname aan de gemeente sterk negatief beïnvloeden, maar Twijnstra heeft gelijk als hij zegt dat er ook in de organisatie zelf, ook in de gemeente, nog allerlei bronnen zijn die nog onvoldoende zijn benut ,,in het belang van de doelstellingenvan die organisatie''. En ook dat geeft perspektief. We zijn met andere woorden niet machteloos als we die krachten en mogelijkheden opsporen en gebruiken voor de opbouw van een vitale gemeente. Daaraan willen we een bijdrage leveren.

1.3. Het eigene van dit boek

Onze bedoeling is, zo zeiden we, een bijdrage te leveren aan de opbouw van de gemeente tot een vitale gemeente. Maar is daarvoor een boek nodig? En wat is dan het eigene van dit boek?
Er is alle aanleiding die vraag te stellen want er zijn met name de laatste decennia veel publikaties over de kerk verschenen. Zie ik het wel, dan zijn ze overwegend in twee kategorieën onder te verdelen: beschrijvingen van de gemeente en dromen over de gemeente.
Tot de eerste kategorie reken ik allerlei publikaties waarin beschreven wordt wat de plaats van de kerk in de samenleving is, hoe die is veranderd en met welke faktoren dit samenhangt. In verband met onze thematiek valt vooral te denken aan de vele publikaties over de vermindering van het aantal kerkleden en over het teruglopen van de participatie aan de 'wereld van kerk en geloof'. Die publikaties beperken zich vaak niet tot het beschrijven van de situatie maar zij pogen die doorgaans ook te verklaren. Er zijn inmiddels ook allerlei samenvattende studies verschenen. Die studies geven veel informatie die ons kan helpen te begrijpen waarom de kerk, en ook de plaatselijke gemeente, voor velen haar aantrekkelijkheid heeft verloren (wat blijkt uit verminderde deelname en geringere betrokkenheid). Maar zij bieden vaak weinig konkrete aanknopingspunten voor een beleid om tot verandering te komen. Dat is met de aard van dit type onderzoek gegeven. Het is immers niet zo dat uit de beschrijving en verklaring van (een deel van) de werkelijkheid — bijvoorbeeld de werkelijkheid van de verminderde deelname aan de gemeente — rechtstreeks richtlijnen voor het handelen, voor een beleid, zijn af te leiden. We kunnen dit verduidelijken met een gedachte van Galtung, de man die zich zo intensief met de vredesproblematiek bezighoudt. Hij stelde dat onderzoek dat relevant wil zijn voor een beleid van vrede en veiligheid, uiteindelijk niet gericht moet zijn op het vinden van wetten die het ontstaan en de ontwikkeling van konflikten verklaren, maar op het ontdekken van de voorwaarden waaronder die wetten als het ware buiten werking worden gesteld. Hieruit worden twee zaken duidelijk:
— onderzoek naar de verklaring van verschijnselen is van belang;

— uit dergelijke verklaringen zijn niet rechtstreeks verklaringen voor het handelen af te leiden.
Dat laatste vraagt om een apart type onderzoek waarbij het vinden van suggesties voor het handelen niet slechts aan de orde komt aan het einde van een studie, maar al centraal staat aan het begin, bij het formuleren van de vraagstelling. En zo'n studie beogen wij.
Vandaar dat onze vraag *niet* luidt: 'Hoe komt het dat de vitaliteit van de gemeente geringer wordt?', maar: 'Aan welke voorwaarden moet worden voldaan om een vitale gemeente te worden?' Het gaat, anders gezegd, dus niet om de faktoren die de stagnatie verklaren, maar om de faktoren die de vitaliteit beïnvloeden.
Naast publikaties die de feitelijkheid van de gemeente beschrijven en analyseren zijn er andere die vooral de dromen over de gemeente verwoorden. Ze schetsen droombeelden van een gemeente die een werkelijke gemeenschap is, van betekenis voor mensen èn voor het menselijk samenleven. Een kerk waarin mensen zich thuis voelen, bemoedigd worden en ontdekken wat het betekent de bondgenoot te zijn van ''wees en weduw' en ontheemde''. Een kerk derhalve waar mensen meedoen met plezier en met effekt voor zichzelf en voor de bedoelingen van de gemeente. Dromen kortom van een vitale kerk.
In die dromen verschijnt de kerk — om met de titels van enkele boeken te spreken — als schuilplaats, vindplaats van heil, een huis om in te wonen, kerk van onderen, kerk voor anderen, vrijplaats voor vervolgden, gemeente als gemeenschap.
Die dromen zijn van grote betekenis, zij houden het heimwee wakker en zijn vaak inspirerend, hoewel zij ook ontmoedigend kunnen werken, als zij te mooi zijn om waar te kunnen worden.
Ook voor deze publikaties geldt — evenals voor die waarin de situatie van de kerk wordt geanalyseerd — dat hieruit niet direkt richtlijnen voor een beleid kunnen worden afgeleid. Dat komt doordat de droom van een vitale gemeente op zichzelf niet iets zegt over de verwezenlijking van die droom. En daarop wordt vaak niet of slechts zijdelings ingegaan met als gevolg dat het proces dreigt te blijven steken in prachtige vergezichten.
De situatie is derhalve als volgt: er is veel literatuur waarin de feitelijkheid wordt geschetst van een kerk die voor velen haar aantrekkelijkheid verliest en waarin dat proces wordt geanalyseerd; ook is er veel literatuur waarin de droom van een vitale kerk wordt verwoord. Maar er is weinig systematische aandacht voor de vraag onder welke voorwaarden die vitale gemeente in de huidige situatie er kan komen. Deze vraag staat in dit boek centraal.
Gevisualiseerd krijgen we zo het volgende beeld:

Schema 1: Aandachtspunten in de literatuur over de gemeente

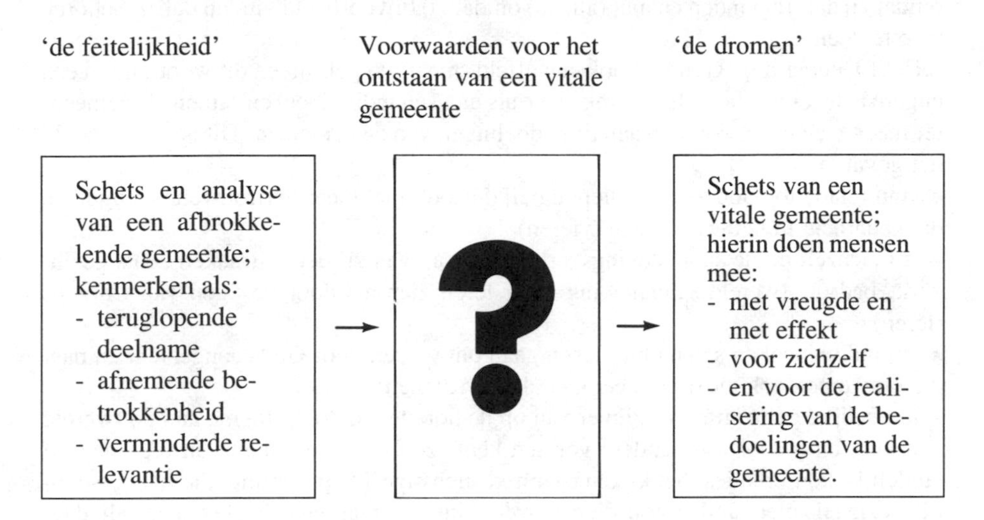

Dit schema is uiteraard wel overdreven. Natuurlijk is er wel nagedacht over voorwaarden om tot een andere gemeente te komen, maar literatuur hierover is schaars, bespreekt de voorwaarden slechts in tweede instantie — vaak in een apart (slot)-hoofdstuk met titels als 'implikaties voor het beleid' — en beperkt zich doorgaans tot het bespreken van één of meer voorwaarden zonder dat die in hun onderlinge verband worden geschetst. In dit boek staan die voorwaarden centraal. Zij worden bovendien geschetst als een samenhangend geheel. Daarin schuilt het eigene van dit boek. Of we er in geslaagd zijn is uiteraard een geheel andere vraag.

1.4. De vragen

We kunnen nu de vragen die we in het begin van dit hoofdstuk al noemden duidelijker stellen. Onze intentie is een bijdrage te leveren aan de opbouw van een vitale gemeente. Wij zullen dat op twee manieren doen, namelijk door:
– een schets te geven van de faktoren die de vitaliteit beïnvloeden;
– een weg te beschrijven om tot vitalisering te komen;

faktoren die de vitaliteit van de gemeente beïnvloeden De centrale vraag luidt: **welke faktoren zijn van belang voor de vitaliteit van de gemeente en hoe kunnen deze zó vorm worden gegeven dat ze de vitaliteit van de gemeente optimaal bevorderen?** Onder een vitale gemeente verstaan we een gemeente waaraan mensen meedoen met vreugde èn met effekt voor zichzelf en voor de gemeente. Zoals in het voorgaande al is gezegd zullen wij ons in het bijzonder richten op de plurale gemeente.
Vijf elementen uit deze vraagstelling moeten worden verduidelijkt:

-**vreugde** (plezier, blijdschap). Van vreugde is sprake als mensen meedoen (ook) omdat zij dat fijn vinden en niet (alleen) omdat zij bijvoorbeeld vinden dat zij behoren mee te doen.
-**effekt** Uiteraard is 'vreugde' ook een effekt, maar wij gebruiken dit woord nu in een engere betekenis. Van effekt spreken we als mensen individueel en samen als gemeente, meer gaan beantwoorden aan de bedoelingen van de gemeente. Dit is bijvoorbeeld het geval indien:
• hun relatie tot God zich verdiept en zij dus ook met meer vertrouwen, vreugde en dankbaarheid in het leven staan (vieren)
• zij zichzelf en de samenlevingsverbanden waarvan zij deel uitmaken zoals gezin, kerk, bedrijf, (wereld)samenleving meer leren zien als door de ogen van Christus (leren)
• zij individueel en samen hun leven gaan ontwerpen voor Gods aangezicht en naar die ontwerpen ook meer en meer gaan leven (dienen).
-**plaatselijke gemeente** We zijn er van op de hoogte dat de deelname aan de 'wereld van kerk en geloof' ook andere vormen kent, zoals het bezoeken van regionale of landelijke konferenties, het kijken naar godsdienstige TV-programma's, het persoonlijk bezig zijn met 'God en godsdienst' in de 'binnenkamer' en in het leven van alledag, het samenkomen van twee of drie in Zijn naam los van elk breder institutioneel kader, het deelnemen aan allerlei religieuze bewegingen die eventueel tegen de gevestigde kerk en gemeente ingaan. Zo is er nog wel meer te noemen. Maar in deze publikatie beperken wij ons tot de lokale gemeente, eenvoudig omdat wij ons moeten beperken. En gegeven die noodzaak ligt concentratie op de lokale gemeente voor de hand, temeer daar dit kader voor de meeste mensen het belangrijkste middel is om mee te doen aan de 'wereld van kerk en geloof'
-**plurale gemeente** Een plurale gemeente is een gemeente waarbinnen meer of minder diepgaande verschillen van mening bestaan die niet met elkaar te verzoenen lijken te zijn over zaken waarbij centrale waarden en/of doelstellingen in het geding zijn. Dat kan bijvoorbeeld het geval zijn als het gaat over kinderkommunie, de aard van de prediking en de kerkdienst, de oekumene, e.d.
-**meedoen** In het meedoen onderscheiden we met Van Nijen drie gradaties:
• aanwezig zijn;
• deelnemen aan kommunikatie- en interaktieprocessen;
• aandacht hebben voor het plezier en het effekt van deelname van anderen.
Hiermee korresponderen de rollen van lid, deelnemer en medewerker.

Een weg om tot vitalisering te komen Na de schets van de voor vitalisering relevante faktoren zullen we een weg beschrijven om tot vitalisering van de gemeente te komen. Er zijn uiteraard meerdere wegen, maar wij beperken ons tot de beschrijving van één, elders beproefde weg, namelijk die van de 'door empirisch onderzoek geleide ontwikkeling' (Survey-Guided-Development). We kiezen voor deze weg omdat we hier veel van verwachten en omdat wij nationaal en internationaal samenwerken en gezamenlijk besloten hebben deze weg te beproeven.

Wij zullen die weg — waarin veel hobbels en valkuilen zitten — in hoofdstuk 10 beschrijven, maar hier noemen wij alvast de vijf belangrijkste étappes er van. Dit is nodig omdat anders de opbouw van dit boek niet te begrijpen is.
1. Gemeenschappelijk beraad in de gemeente en tussen gemeente en onderzoekers over de voorwaarden waaraan een gemeente moet voldoen om een meer vitale gemeente te worden. Het betreft hier dus beraad over de vraag wat schuil gaat achter het vraagteken in Schema 1. Een grondig beraad is nodig omdat het voor het ontwikkelen van een beleid noodzakelijk is tot een gemeenschappelijke, dat is gedeelde visie te komen.
2. Onderzoek naar de mate waarin in de gemeente deze voorwaarden reeds gerealiseerd zijn. Met het oog daarop worden visitatieformulieren ontworpen, waarmee de stand van zaken als het ware kan worden opgenomen.
3. Beraad in de gemeente over de resultaten van het onderzoek. Wat blijkt uit het onderzoek? Welke zijn de sterke punten? En welke de zwakke? Aan welke aspekten moet gewerkt worden en welke prioriteiten moeten worden gesteld? Hoe zullen deze worden uitgevoerd en door wie?
4. Uitvoering van de plannen.
5. Evaluatie van het proces met als belangrijke vragen: Zijn we meer aan de voorwaarden gaan beantwoorden? Heeft dit iets opgeleverd in termen van vreugde en effekt? Die vragen kunnen uiteraard alleen beantwoord worden op grond van nieuw onderzoek (in de zin van étappe 2). Dat kan ook aanleiding zijn tot verdere stappen en het stellen van nieuwe prioriteiten, waarmee als het ware een tweede ronde ingaat. Dit maakt nog eens duidelijk dat het proces van opbouw van de gemeente tot een meer vitale gemeente niet een eenmalig proces is, maar een doorgaand proces van geleidelijke ontwikkeling.

1.5. Het praktisch theologisch karakter

Zoals gezegd beoogt dit boek een bijdrage te leveren aan de opbouw van de gemeente, maar ook, zo voegen we daar nu aan toe, aan de theorievorming op het terrein van de gemeenteopbouw. Het is van belang hier even stil te staan bij de stand van zaken met betrekking tot de gemeenteopbouw, daar anders de struktuur van dit boek niet duidelijk wordt.
Gemeenteopbouw of oikodomiek (Firet, 1986, 590) is de jongste loot aan de zelf nog jonge boom van de moderne praktische theologie. Dat komt mede doordat de 'founding fathers' primair aandacht moesten geven aan pastoraat en katechetiek en andere aspekten van de taak van de pastores. Het is veelzeggend dat enkele decennia geleden in de protestantse wereld nog niet gesproken werd van praktische theologie, maar van ambtelijke vakken. Dat illustreert dat de aandacht niet primair uitging naar gemeente en gemeenteopbouw, maar naar de uitoefening van het ambt van pastor (zie Firet,1986,588). En dat laatste gold evenzeer voor de rooms-katholieke kerk (vgl. Van der Ven,1985,14).
Daarnaast zullen ook andere faktoren een rol gespeeld hebben. Frappant is in ieder geval dat een vergelijkbare ontwikkeling zich ook heeft voorgedaan in de andragologie. Deze discipline werd aanvankelijk gekenmerkt door een sterke preokkupatie met

individuen en door een verwaarlozing van het opbouwwerk (Van de Leur,1980). Dat kwam onder meer doordat het niet eenvoudig bleek het opbouwwerk te integreren binnen een denkkader dat naar zijn oorsprong en strekking zo zeer in het teken stond van opvoeding en vorming.

Hoe het ook zij, deze ontwikkeling heeft er toe geleid dat de gemeenteopbouw achterloopt bij andere disciplines van de praktische theologie zoals pastoraat en godsdienstpedagogiek, met name wat betreft de integratie van optieken en aandachtsvelden in één theorie. De gemeenteopbouw heeft stellig de intentie tot zo'n theorie te komen en is daarnaar ook op weg, maar dit is nog niet gerealiseerd. Gemeenteopbouw bevindt zich nog min of meer in de eerste fase van zijn ontwikkeling waarvoor kenmerkend is dat allerlei aspekten en optieken naast elkaar aan de orde komen. Wij zien dat vooral in de volgende twee omstandigheden.

Ten eerste wijzen wij hier op de geringe integratie van **de normatieve** en **de empirische benadering** in het denken over de gemeente en over gemeenteopbouw. Het normatieve gezichtspunt komt in het kader van de praktische theologie als handelingswetenschap vooral aan de orde in de vraag naar de legitimiteit; het empirische gezichtspunt vooral in de vraag naar de effektiviteit.

De geringe integratie blijkt in de tweede plaats uit het feit dat diverse auteurs zich doorgaans niet bezig houden met het systeem **gemeente als geheel**, maar met één of **enkele aspekten** daarvan. Sterk schematisch gesteld betekent dit dat de één, doorgaans de (systematisch-)theoloog, zich vooral bezig houdt met doelen, identiteit en wezen van de gemeente, terwijl de ander, vaak de opbouwwerker, zich vooral bezig houdt met processen en strukturen.

Kombineren we beide punten in een schema dan ontstaat een matrix met vier cellen:

Schema 2: Aandachtspunten en optieken in de studie van de gemeente(opbouw)

aspekt waarnaar men kijkt / optiek vanwaaruit men kijkt	doel, identiteit, wezen	struktuur, proces
normatief (vanuit de legitimiteit)	1	2
empirisch (vanuit de effektiviteit)	3	4

De meeste publikaties horen, zie ik het wel, tot de cellen 1 en 4.
In cel 1 vallen vele, zo niet de meeste publikaties van de ekklesiologie. Daarin gaat het immers in hoofdzaak over doel, wezen en identiteit van de kerk, zonder dat er veel aandacht is voor processen en strukturen en zonder dat de empirie duidelijk aan de orde wordt gesteld (vgl. Berkhof,1973,340 en Van der Ven,1984,52). Kenmerkend is ook dat dergelijke studies redeneren vanuit de optiek van de normativiteit. Een typisch voorbeeld hiervan is het boek van Dulles 'Models of the church', met de welluidende ondertitel 'A critical assessment of the church *in all its aspects*' (curs. J.H.). Ik vind dit typerend omdat ondanks die toevoeging het boek alleen gaat over identiteitsconcepties met betrekking tot de kerk, waarbij elk model geanalyseerd wordt vanuit deze drie vragen: Wat bindt de leden aan deze kerk?; op wie is de kerk gericht?; wat wordt als het centrale doel van de kerk gezien?
In cel 4 behoren de publikaties over de opbouw van de gemeente waarin vooral aandacht wordt besteed aan processen en strukturen. Daarbij worden deze met name bestudeerd vanuit de optiek van de effektiviteit. Een voorbeeld daarvan is het voortreffelijke boek van Adam en Schmidt, 'Gemeindeberatung'.
Heel algemeen gesteld geldt dat de benadering van cel 1 vooral gevolgd wordt door (systematisch-)theologen en die van cel 4 vooral door opbouwwerkers. Er is dus een zekere vorm van werkverdeling. Die zien we ook niet zelden optreden in konferenties en soms ook in publikaties. Een typisch voorbeeld van dat laatste is een rapport over kerksluiting in een grote stad, dat ik onlangs las. Het bestaat eigenlijk uit twee hoofdstukken. In hoofdstuk 1, geschreven door een predikant, worden prachtige vergezichten getekend van de funkties van de kerk in de stad. Een schildering die in ieder geval dit met het nieuwe Jeruzalem gemeen heeft dat 'geen oog het heeft gezien'. En vervolgens hoofdstuk 2, samengesteld door mensen uit het bedrijfsleven; de grote ontnuchtering, met als teneur: en nu terzake. En daarmee wordt dan niet gedoeld op 'de zaak' van hoofdstuk 1, maar op geld, goed en efficiency in financieel en ekonomisch opzicht. Hoofdstuk 1 van dit rapport hoort thuis in cel 1; hoofdstuk 2 in cel 4. Beide zijn gesloten en beroeren elkaar niet.
De theologie beperkt zich tot het beschrijven van abstrakte doelen, gaat niet in op de realiteit van alledag, levert niet een normatieve schets van processen en strukturen en wordt daarmee geïsoleerd en 'kalt gestellt' en bevordert zo het praktisch atheïsme.
Zo gaat het natuurlijk niet altijd. Er zijn ook aanzetten waarin nadrukkelijk de kerk in al haar aspekten theologisch wordt doordacht. Een voorbeeld daarvan is het werk van Dietterich bij wie niet alleen de doelen theologisch geladen zijn, maar evenzeer processen van leiding-geven, struktuurvormen, besluitvormingsprocessen en dergelijke (1976). En het is misschien juist hieraan te danken dat hij bij kerkelijk opbouwwerkers in Nederland zoveel invloed heeft.
Het streven in de gemeenteopbouw gaat in de richting van integratie van de verschillende aspekten en optieken. Dat komt goed tot uiting in de definitie die Firet geeft van gemeenteopbouw (oikodomiek): ,,De theologische theorie omtrent het op gang brengen en begeleiden van processen die gericht zijn op het funktioneren van de gemeente
- in een bepaalde situatie

- overeenkomstig haar mogelijkheden
- en naar haar roeping

en van processen die gericht zijn op de vorming van aan dat funktioneren adequate strukturen'' (Firet, 1986, 590). In deze definitie komen alle elementen uit ons Schema 2 tot hun recht: de roeping van de gemeente, èn processen en strukturen; er wordt rekening gehouden met de empirie (de elementen: 'in een bepaalde situatie' en 'overeenkomstig haar mogelijkheden'); en er is sprake van een normatieve benadering, niet alleen als het gaat over de roeping van de gemeente, maar ook als hij spreekt van 'adequate strukturen'. Bij dat alles is het duidelijk dat het Firet niet gaat om een optelsom van deze gezichtspunten, maar om een integratie daarvan. Dat wordt direkt al duidelijk uit de aanhef van de definitie: 'de theologische theorie'.

Het doel is daarmee duidelijk aangegeven, maar het is nog niet bereikt. Zoals gezegd is het in feite zo dat theologen, voorzover zij met de gemeente bezig zijn, dat vooral doen vanuit cel 1 en opbouwwerkers vooral vanuit cel 4. De laatsten worden soms ook door kerkelijke ambtsdragers min of meer in die rol gedrukt. Zij worden daarmee tot 'Het Delft' van de oikodomiek.

Een en ander heeft tot gevolg dat wij in theologische publikaties voor onze probleemstelling weinig kunnen vinden en vooral te rade zullen moeten gaan bij de sociale wetenschappen, in het bijzonder bij de organisatie-sociologie en de organisatie-ontwikkeling (OO). Daar is des te meer reden toe, omdat juist deze disciplines zich intensief hebben bezig gehouden met de vraag hoe organisaties zo vorm gegeven kunnen worden dat mensen er met plezier aan meedoen en zich meer inzetten voor de doelen van de organisatie. En dat is ook onze vraag, maar dan toegespitst op de gemeente. Nu is het duidelijk dat wij niet kunnen volstaan met het weergeven van de resultaten van sociale wetenschappen en wel om twee redenen.

Ten eerste heeft de organisatie-sociologie evenals de OO haar onderzoek veelal gedaan in het kader van utilitaire organisaties; de kerk daarentegen behoort tot de normatieve organisaties. Het is uiteraard de vraag of de konklusies die voor het eerste type gelden ook opgaan voor het tweede. Wij mogen dat niet zonder meer aannemen en mede daaraan ontleent onze studie haar relevantie voor de organisatie-sociologie en de OO.

Ten tweede. Wat in de praktijk effektief blijkt te zijn — en dat is de overheersende optiek in met name de OO — behoeft theologisch gezien nog niet legitiem te zijn. Dat betekent dat we niet kunnen volstaan met het vermelden van sociaal-wetenschappelijke gegevens, maar ons tevens moeten afvragen of deze theologisch gezien ook legitiem zijn. Als bijvoorbeeld zou blijken dat mensen vooral met plezier en effekt meedoen als de organisatie of groep homogeen is wat betreft 'sociale status', — hetgeen in kringen van de zogenaamde 'church growth movement' nogal eens gesteld wordt — dan levert dat nog geen kriterium op voor gemeenteopbouw. Immers voor ons verstaan van gemeente-zijn is fundamenteel de gedachte dat voor het behoren tot de gemeente maar één geldig kriterium is: wel of niet van Christus zijn.

Het gaat derhalve niet alleen om effektiviteit, maar ook om legitimiteit. Dit bepaalt in sterke mate de opzet van dit boek, met name wat betreft Deel II. Daarin komt de vraag aan de orde welke faktoren de vitaliteit van de gemeente beïnvloeden. Bij de beantwoording van die vraag zullen wij eerst vermelden wat vanuit de sociale wetenschappen daarover gezegd kan worden, daarna zullen wij pogen die gegevens theologisch te evalueren en dienstbaar te maken aan de optimalisering van de praxis van de gemeente. Deze opzet wordt dus niet ingegeven door onze opvattingen over de verhouding van sociale wetenschappen en theologie, maar door de stand van zaken op het terrein van de (praktische) theologie, met name wat de discipline gemeenteopbouw betreft. Overigens betekent dit niet dat daarmee de studie aan theologisch gehalte verliest. Immers de relatie tussen zogenaamde empirische en theologische gegevens is dialektisch van aard. En dat impliceert dat we dit proces van voortdurende dialoog evengoed kunnen starten aan de ene als aan de andere kant.

1.6. Indeling van dit boek

Na deze inleiding volgen twee delen waarin de beide vragen achtereenvolgens aan de orde komen.
Deel II gaat over de faktoren die de vitaliteit van de gemeente beïnvloeden. Daarin wordt de nadruk gelegd op de betekenis van vijf faktoren: klimaat, leiding, struktuur, doelen en taken en identiteitsconceptie. Dit deel omvat acht hoofdstukken. In het eerste daarvan, hoofdstuk 2, wordt verantwoord hoe we aan deze faktoren zijn gekomen. Het is een verantwoording. Wie daar niet in geïnteresseerd is kan dit hoofdstuk zonder bezwaar overslaan.
In de hoofdstukken 3 tot en met 8 worden de vijf faktoren achtereenvolgens uitgewerkt. De faktor struktuur wordt gesplitst: het eerste handelt over de relaties tussen individuen, het tweede over de relaties tussen groepen. In het afsluitende hoofdstuk 9 wordt een samenvatting gegeven, maar de nadruk hierin ligt op de samenhang van de vijf faktoren. Beklemtoond wordt dat zij een systeem vormen. Dit hoofdstuk wordt afgesloten met een paar praktijkvoorbeelden, waaruit de betekenis moge blijken van de vijf faktoren voor de vitalisering van de gemeente.
In deel III is aan de orde de vraag hoe we tot een beleid voor deze vijf faktoren kunnen komen. Hoewel er meerdere wegen zijn beperken we ons tot het beschrijven van één mogelijke weg die in paragraaf 1.4 is aangeduid als de 'door onderzoek geleide ontwikkeling' (Survey-Guided Development). De fasen van dit proces worden beschreven en er is aandacht voor het subjekt van dit proces. Een centraal element in dit deel is een visitatieformulier waarin de vijf faktoren worden geoperationaliseerd. Hiermede kan worden vastgesteld hoe in een gemeente de situatie is met betrekking tot deze faktoren.

DEEL II

FAKTOREN DIE DE VITALITEIT VAN DE GEMEENTE BEÏNVLOEDEN

2. Inleiding en verantwoording

2.1. Op zoek naar bruikbare inzichten

Laat ik voor een goed begrip van de inhoud van dit deel de bedoeling zoals ik die in hoofdstuk 1 formuleerde nog even kort mogen samenvatten: we beogen een bijdrage te leveren aan de vitalisering van de gemeente. Dat doen we niet door de oorzaken van de verminderde vitaliteit te beschrijven. Ook niet door een ideaalbeeld te schetsen van een vitale gemeente. Wel door de faktoren te schetsen die invloed hebben op de vitalisering van de gemeente en waarop het beleid dus gericht zal dienen te zijn. Welke zijn dat? Daarover gaat dit deel.

Omdat over deze thematiek in de theologie weinig is gezegd, (zie hoofdstuk 1), start ik bij de sociale wetenschappen. Dat doe ik overigens met vreze en beven, met name omdat de relaties tussen sociale wetenschappen en theologie en kerk, niet altijd vruchtbaar zijn. Dat komt doordat gegevens uit de sociale wetenschappen door sommigen wel worden gezien als misschien interessant, maar niet als essentieel omdat over de kerk nu eenmaal vanuit die gezichtshoek niets wezenlijks gezegd kan worden. Een dergelijke houding leidt uiteraard tot depreciatie van sociaal-wetenschappelijke gegevens. Ook het omgekeerde komt voor, in die zin dat gegevens uit de sociaal-wetenschappelijke hoek als bijna onaantastbaar worden gezien. En dat leidt gemakkelijk tot een weinig kritische instelling. De enig vruchtbare houding lijkt te zijn welwillend te luisteren naar wat in de sociale wetenschappen is ontdekt over vitalisering van organisaties en dit te onderzoeken op bruikbare inzichten voor de vitalisering van de gemeente. Ik meen die gevonden te hebben en vat deze samen in twee konklusies die in dit deel worden onderbouwd:

1. *Er zijn vijf faktoren die van grote betekenis zijn voor de vitalisering van de gemeente*: klimaat, leiding, struktuur, doelen en taken en tenslotte identiteitsconceptie.
2. *Deze vijf faktoren hangen nauw met elkaar samen*; er is sprake van interdependentie. En dus vraagt vitalisering om een beleid waarin met alle vijf faktoren rekening wordt gehouden.

Het aksent in dit deel II ligt op de beschrijving van deze vijf faktoren en op hun onderlinge samenhang. Centraal daarin staat de vraag hoe we deze faktoren zó vorm kunnen geven dat daardoor de vitalisering wordt gediend. Beschreven wordt dus niet hoe zij momenteel feitelijk funktioneren, maar hoe zij zouden moeten funktioneren. Daarin zit een risiko.

2.2. *Werkelijkheid en ideaal*

Het risiko hierbij is dat de schets van deze faktoren gezien wordt als misschien wel heel ideaal, maar tegelijk ook als heel ver van de realiteit verwijderd, en daardoor misschien zelfs als onhaalbaar. Te mooi om ooit waar te worden. En als er zó tegen aangekeken wordt, wordt het ontwikkelen van een beleid eerder afgeremd dan gestimuleerd.
Daarom haast ik mij te zeggen dat in de realiteit de wijze waarop die vijf faktoren zijn ingevuld ergens tussen 'zeer ongunstig' en 'zeer gunstig' in zit. Ik ben mij daar uiteraard van bewust, maar ik zal dit niet voortdurend herhalen, hoewel die gedachte steeds impliciet in de beschrijving van de faktoren aanwezig is. Maar expliciet zal ik mij — ook om de omvang van dit boek beperkt te houden — beperken tot de meest gunstige vormgeving van deze faktoren. Die schets kan daardoor naar ik hoop worden tot een oriëntatiepunt voor het ontwikkelen van een beleid dat er op gericht is de voorwaarden te scheppen voor vitalisering van de gemeente.
Alleen in de samenvatting (hoofdstuk 9) wijk ik hier van af en geef ik van elke faktor zowel de ongunstigste als de gunstigste 'vulling'. Dat is noodzakelijk want die samenvatting is bedoeld als basis voor het ontwikkelen van 'visitatieformulieren' waarmee de feitelijke stand van zaken en de gewenste situatie kunnen worden geregistreerd.

2.3. *Herkomst van de vijf faktoren*

Voordat we de vijf faktoren en hun onderlinge samenhang beschrijven zullen wij eerst kort verantwoorden hoe we aan deze faktoren zijn gekomen. Om al te grote doublures met de volgende hoofdstukken te voorkomen beperken wij ons hier tot een algemene schets. Het gaat nu dus slechts om de herkomst, niet om de inhoud van de faktoren; die komt aan de orde in de volgende zes hoofdstukken.

de faktoren In het denken over organisaties is de vraag hoe zij beter kunnen funktioneren — dat betekent ook met meer effekt — uiteraard altijd aan de orde geweest. De wetenschappelijke doordenking dateert evenwel eerst van het begin van deze eeuw toen gepoogd werd een organisatiekunde te ontwikkelen. Grondleggers daarvan zijn onder meer Fayol en Taylor die een systeem ontwierpen dat bekend is geworden als 'scientific management', ook wel als 'klassieke organisatieleer'. Hierin wordt de verbetering van de organisatie vooral gezocht in een scherpe herdefiniëring van *de taken* met het oog op het efficiënter realiseren van de bedoelingen van de organisatie. Deze werden op wetenschappelijk verantwoorde wijze geanalyseerd, uiteengelegd in samenstellende delen die vervolgens op technisch rationele wijze weer op elkaar werden afgestemd. De centrale vraag was hoe die taken, verantwoordelijkheden, bevoegdheden en de middelen gegroepeerd moesten worden om de organisatie zo efficiënt mogelijk te laten funktioneren. Kortom de hoofdthema's waren *doelen/taken* en *struktuur*. Er werd dus een sterke nadruk gelegd op de formele organisatie.

Overigens moeten we niet alleen in de verleden tijd spreken want de klassieke organisatieleer is nog altijd sterk bepalend voor de stijl van bedrijfsvoering in vele leidinggevende funkties. Bij de meeste auteurs uit deze richting komt ,,een typische ingenieursvisie om de hoek kijken. Zij zien de menselijke organisatie als een 'machine' die — mits goed gekonstrueerd en goed onderhouden — ook goed zal draaien, zodra men het apparaat met behulp van de vereiste energie in beweging zet'' (Lammers,1981,81). En die energie kan bijvoorbeeld opgewekt worden door goede instruktie en door het geven van 'loon naar werken'.
Wie mocht menen dat dit alles toch wel exclusief voor de industriële wereld geldt, vergist zich. Eenzelfde benadering treffen we namelijk ook wel aan in de kerk, bijvoorbeeld bij pogingen om de gemeente meer te betrekken op haar doelstelling. Een typisch voorbeeld daarvan is het Pastoraal Plan Binnenstad Amsterdam (1969); ook daar een wetenschappelijk verantwoorde beschrijving en analyse van de taken, ook daar een scherpe herdefiniëring van de taken en koördinering daarvan met de bedoeling de gemeente zo efficiënt mogelijk te laten funktioneren. Ik noem dit voorbeeld overigens niet omdat dit het enige zou zijn, maar omdat dit projekt zo voortreffelijk beschreven is. Maar dat terzijde.
Al spoedig ontstond als reaktie op deze eenzijdig 'zakelijke' benadering een stroming die vooral de nadruk legde op de 'menselijke faktor' en die bekendheid verwierf als de 'human relations'-beweging. Een belangrijke stimulans hiervoor was het beroemde onderzoek van Mayo bij de Hawthorne-fabrieken van Western Electric, waaruit bleek dat de effektiviteit van het werk niet alleen bepaald werd door de struktuur, maar ook door de kultuur. In het kader van de 'human relations'-beweging, met haar sterke aksent op en waardering voor de kleine groep, werd bijvoorbeeld gewezen op de *normen* die door de werkgroepen zelf ontwikkeld bleken te worden en die soms haaks stonden op normen van de formele organisatie. De normen van die werkgroepen hadden bijvoorbeeld betrekking op de vraag welke inzet van de leden verwacht mag worden. En zij werden door de groep gehandhaafd. Iemand die bijvoorbeeld harder werkte dan de norm van de groep toestond werd nadrukkelijk tot de orde geroepen en gebrandmerkt met wat we nu 'uitslover' noemen.
Ook het *klimaat* bleek invloed te hebben, zowel op het effekt van de organisatie als op het plezier waarmee gewerkt werd. Was het klimaat goed dan had dat een positief effekt: de leden van deze groepen hielpen elkaar spontaan een handje, korrigeerden elkaars tekortkomingen, regelden onder elkaar de problemen die ontstonden door ziekte, enz. Was het klimaat slecht, dan leidde dit tot allerlei negatieve gevolgen: moeizame besluitvorming, weinig bereidheid elkaar te helpen (''t is mijn taak niet'), tijdverlies door allerlei konflikten over relatieve kleinigheden, veel absentie, weinig inzet. Kortom, het klimaat had grote invloed op het welbevinden van mensen (het plezier in het werk) en op de prestaties.
De aandacht voor de 'menselijke faktor' verbreedde zich in het zogenaamde 'revisionisme'. In tegenstelling tot de 'human relations'-beweging had zij ook aandacht voor de struktuur en de organisatie als geheel. Een typische vertegenwoordiger van deze stroming is Likert. Wij noemen juist hem, ook omdat hij indirekt — vooral via het

werk van Dietterich waarin hij als het ware naar de kerk toe vertaald werd — in het kerkelijk opbouwwerk in Nederland een grote rol speelt. Likert is eveneens gericht op de vitalisering van organisaties. Kriteria zijn daarbij voor hem betere prestaties en meer plezier in het werk. De belangrijkste voorwaarden om die doelen te bereiken zijn bij hem *leiding*, *klimaat* en *struktuur* die door hem op een heel bijzondere wijze worden gevuld, maar daarover later meer.

> Volstrekt duidelijk is hij hierover niet. Soms zegt hij dat de eigenlijke faktoren (hij spreekt zelfs van 'causal variables') leiding en struktuur zijn (1976,47), elders noemt hij als zodanig leiding en klimaat(1976,73), weer op een andere plaats verschijnen alle drie (1967,137). De verklaring moet waarschijnlijk hierin worden gezocht dat struktuur en klimaat (daarbij gaat het in hoofdzaak om kommunikatie- en interaktieprocessen) heel nauw samenhangen. Met Argyris kan zelfs gezegd worden dat het hierbij in wezen om dezelfde verschijnselen gaat. De struktuur van een organisatie is: de processen van de organisatie gezien ,,in a stable state''; de processen zijn: de struktuur gezien ,,in fluid state'' (1969,8).

Likerts theorie komt kort gezegd hierop neer: het karakter van de leiding, van de struktuur en van het klimaat (causal variables) hebben grote invloed op de processen in de organisatie en op de binding aan de organisatie (intervening variables) en dat resulteert weer in het zich welbevinden van de deelnemers en in een grotere opbrengst (end-result variables) (1967,137).

De theorie is verder uitgewerkt door zijn leerlingen, met name door Bowers en Franklin. Zij definiëren enkele begrippen anders en scherper en leggen de relaties tussen de faktoren ook enigszins anders (1977,32), maar zij komen niet tot nieuwe faktoren en daar zijn we in deze inleiding vooral in geïnteresseerd.

Een belangrijke aanvulling op deze benadering levert Ouchi die sterk het belang onderstreept van *doelen* en *identiteit* (hij noemt dat laatste element zelf meestal 'de filosofie van de organisatie') voor de vitalisering van organisaties. Zijn stelling is dat die vormen van leiderschap en van klimaat die als zodanig een positieve invloed hebben op het effekt van en het plezier in het werk, alleen mogelijk zijn als het doel van de organisatie aan bepaalde kenmerken voldoet. Open kommunikatie bijvoorbeeld — en dat is een centraal aspekt van een stimulerend klimaat — is alleen mogelijk als men gemeenschappelijke doelstellingen heeft. Kortom de elementen van leiding en klimaat/struktuur zoals die door Likert c.s. gepropageerd worden zijn niet 'los verkrijgbaar'.

Opvallend in de revionistische benadering is de geringe aandacht voor de inhoud van de taak en de doelen, hoewel er uitzonderingen zijn (bijv. Herzberg). Voorzover er over gesproken wordt gebeurt dit als regel in procestermen. Zo wordt er bijvoorbeeld op gewezen dat het voor een vitale organisatie van belang is dat de leden van de organisatie (of van de werkgroep) betrokken worden bij de vaststelling van taken en doelen. Maar de inhoud daarvan blijft als regel buiten beschouwing.

Illustratief hiervoor zijn de gedachten van Bowers en Franklin die voor ons des te belangrijker zijn omdat zij veel veldonderzoek doen. Ook door hen wordt nauwelijks

aandacht besteed aan taken en doelen naar hun inhoudelijke zijde. Zij motiveren dit door te stellen dat de inhoud daarvan weliswaar niet onbelangrijk is, maar dat het hier niet gaat om onafhankelijke variabelen. Integendeel: taken/doelen zijn afhankelijk van de aard van de leiding en zijn daarom te typeren als ,,intervening variables, on the grounds that these issues are largely decided or determined by the organization's management system, not put in place independently of it'' (1977,22). Des te interessanter is het dat hun onderzoeksresultaten dit weerspreken, wat hen leidt tot de ingehouden konklusie: ,,Task characteristics and the corresponding behaviors are probably important'' (50). Maar zij honoreren deze niet door hiervoor nu ook een plaats in te ruimen in hun 'survey of organizations'. De aandacht voor dit thema blijft daarin minimaal (1977,68).
En dat stempelt hen tot typische vertegenwoordigers van het revisionisme, en daarachter van de 'human relations'-beweging, want daarin staat centraal de aandacht voor kommunikatie- en interaktieprocessen, waaronder processen van leiding-geven. Eén van hen brengt die benadering als volgt onder woorden: ,,Ik beweer niet, dat aandacht voor menselijke processen de *enige* mogelijkheid is de doelmatigheid van organisaties te verhogen. Het is duidelijk dat in de meeste organisaties verbeteringen mogelijk zijn in produktie-, financieel en marketing-beleid en in andere sectoren. Wat ik wel beweer, is, dat de verschillende functies van een organisatie altijd in nauw verband staan met menselijke interacties, zodat de organisatie nooit los kan worden gezien van de menselijke processen die zich er in afspelen. Zolang organisaties zijn samengesteld uit mensen, zullen zich processen tussen hen voltrekken. Het is daarom voor de hand liggend dat hoe beter deze processen worden begrepen en gediagnostiseerd, des te groter de kansen zullen zijn oplossingen voor technische problemen te vinden, die door de leden van de organisatie worden aanvaard en toegepast'' (Schein,1978,9).
Anders is dit bijvoorbeeld bij De Sitter (1982). Ook hij erkent, zoals we nog zullen zien, het belang van leiding, klimaat en struktuur — die hij overigens met andere woorden aanduidt — maar het scharnierpunt ligt bij hem bij de *inhoud van de taken*, bij de kwaliteit van de arbeid. Dat betekent allerminst een terugkeer naar het 'scientific management', want het gaat hem juist niet om het beoordelen van de taken vanuit het oogpunt van technische rationaliteit, maar vanuit de vraag of de inhoud van de taak recht doet aan de mens. Belangrijk daarbij is bijvoorbeeld of de taak interessant is en of zij mogelijkheden biedt om zelf beslissingen te nemen. De inhoud van de taak heeft vergaande konsekwenties: zij roept als het ware een bepaald type leiding op — om het voorlopig maar heel simpel te zeggen: een oninteressante taak vraagt om een leiding die mensen achter de broek zit — dat vereist weer een bepaalde struktuur en is verbonden met een bepaald klimaat. Er is een funktioneel verband tussen kwaliteit van de arbeid, kwaliteit van de organisatie en de kwaliteit van de arbeidsverhoudingen.
Anderen denken in dezelfde lijn, zeker wat betreft het belang van de inhoud van de taken (bijv. Twijnstra,1979). Dat geldt ook voor de beweging Management en Arbeid Nieuwe Stijl (MANS) die zichzelf typeert als een beweging die enerzijds voortbouwt op Likert, Ouchi e.a., maar die anderzijds in de lijn van onder meer

De Sitter de zelfstandige betekenis van de taken erkent. Woordvoerders van deze beweging stellen dat de aandacht voor 'de menselijke faktor' niet alleen konsekwenties moet hebben voor de leiding en het klimaat, maar ook voor de vormgeving van de taak.
In dit verband is het interessant te wijzen op de nog prille beweging die schuil gaat achter 'Transformatie van Organisaties'. Voor ons onderwerp is vooral van belang de nadruk die zij leggen op de betekenis van *de inhoud van de doelen* voor de vitalisering van organisaties. Het gaat hen dus niet om de betekenis die we tegen kwamen bij Ouchi, maar om de inhoud van de doelen. Tenminste voor een aantal van de woordvoerders van deze beweging ligt de beslissende faktor voor de vitalisering voor de organisatie besloten in de vraag of de organisatie al dan niet inspirerende doelen heeft. Zoals De Sitter de betekenis benadrukt van de inhoud van de taken, zo beklemtonen zij het belang van de inhoud van de doelen. Het is overigens opvallend hoe weinig aandacht in de OO hieraan wordt gewijd. Dit komt waarschijnlijk doordat de OO zich voornamelijk heeft ontwikkeld met het oog op en in het kader van utilitaire organisaties.

de samenhang Het korte, uiteraard zeer globale overzicht, moge duidelijk gemaakt hebben hoe we tot de vijf faktoren zijn gekomen.
Overigens komen ze in de diverse verhandelingen helaas niet altijd onder dezelfde benamingen voor. In een enkel geval worden de faktoren gegroepeerd in enkele algemene kategorieën. Een voorbeeld daarvan is de indeling van Van de Graaf en Ten Horn die drie aanknopingspunten voor vitalisering zien: kultuur, struktuur en macht (het begrip macht komt bij andere auteurs vaak ter sprake in het kader van leiding en struktuur). Ook zijn er indelingen die meer faktoren omvatten zoals het populaire 7-S-model van Peters en Waterman. Voor ons evenwel niet bruikbaar omdat het, zoals Mastenbroek stelt, alleen van toepassing is op het bedrijfsleven en daarbinnen vooral weer op de grote internationaal georiënteerde ondernemingen (Mastenbroek,1984,3). Een andere onderzoeker, Kilmann, onderscheidt vijf faktoren. Ogenschijnlijk wijken die nogal af van de onze, maar bij nadere analyse blijkt dit toch nauwelijks het geval te zijn. Kilmann spreekt van een vijfhoekig management waarin de volgende faktoren worden onderscheiden: kultuur (een zeer algemene kategorie die onder meer onze kategorieën identiteit en klimaat omvat), leiding, struktuur (waarbij ook taken en doelen zijn ondergebracht), besluitvorming in en door groepen (valt in andere indelingen onder klimaat) en beloningssysteem, wat uiteraard vooral een belangrijk aspekt is in bedrijven.
Er is dus inderdaad nogal wat variatie in terminologie, maar letten wij op de wijze waarop de begrippen worden gevuld dan blijkt er aanmerkelijk meer overeenstemming dan verschil te bestaan. Wij hebben een duidelijke voorkeur om allerlei variabelen juist met deze vijf faktoren aan te duiden op grond van de volgende overwegingen:
1. met deze faktoren kunnen de krachten die de vitalisering van de gemeente beïnvloeden in kaart worden gebracht (dat hopen we in het vervolg duidelijk te maken)
2. de terminologie sluit aan bij begrippen die in de kerk verstaanbaar zijn

3. dezelfde begrippen worden gebruikt in onderzoek van instituten met wie het IPT samenwerkt.*

De vijf door ons onderscheiden faktoren duiken telkens weer op, zij het soms onder andere benamingen. Maar er zijn wel duidelijke verschillen wat betreft de betekenis die aan de verschillende faktoren wordt toegekend. Daarbij speelt onder meer een rol de stroming waartoe een auteur behoort. Het 'scientific management' legt naar haar aard meer nadruk op taken en struktuur, zonder overigens leiding en klimaat te vergeten; vertegenwoordigers van de 'human relations'-beweging hebben meer oog voor leiding en klimaat, zonder te ontkennen dat doelen, taken en de struktuur van invloed zijn.

Van belang is nu er op te wijzen dat er in de laatste tijd een sterke neiging is de verschillende gezichtspunten te integreren. Dat komt in ons overzicht al naar voren bij De Sitter die niet zo gemakkelijk is in te delen bij één van de hoofdrichtingen. Dat geldt ook voor MANS die ook zelf stelt dat zij er op uit is kernmomenten van het 'scientific management' en van het revisionisme te integreren.

Dit streven naar integratie hangt er mee samen dat steeds duidelijker wordt dat zonder een integrale aanpak van vitalisatie geen sprake kan zijn. Dat is bijvoorbeeld de mening van Kilmann die stelt dat als één van de vijf faktoren wordt ingevoerd zonder de andere elke poging tot het realiseren van een grote inzet en een groter effekt ,,ernstig (zal) worden belemmerd. Wat eventueel op korte termijn wordt bereikt, zal weer snel verdwijnen'' (Kilmann,z.j.,8). Daarop is ten onzent onder meer gewezen door Kastelein. Op grond van een analyse van de ontwikkelingen in het naoorlogse organisatiewerk konkludeert hij dat er een voortdurende verschuiving van dominante aandachtspunten is opgetreden. In de eerste periode ligt de nadruk op produktiviteit en efficiency (technici en ekonomen spelen de belangrijkste rol); de aandacht verschuift daarna naar strukturen en systemen (er wordt een beroep gedaan op sociologen en automatiseringsexperts); het hoofdaandachtspunt wordt dan 'vaardigheden en houdingen' (en daarmee treden de agogen op de voorgrond), vervolgens verplaatste de aandacht zich naar 'management en beleid'. Achtereenvolgens fungeren dus als hoofdaandachtspunten: de taken, de struktuur, het klimaat en de leiding. Belangrijke punten, maar stuk voor stuk deelbenaderingen terwijl een integrale visie op de organisatie-problematiek meestal ontbreekt (Kastelein,1980,60). En dat heeft negatieve konsekwenties voor de revitalisering van organisaties, maar ook voor het advieswerk want het vertrouwen in de organisatieadviseurs — in de kerk noemen we hen kerkelijke opbouwwerkers — en in de discipline OO, wordt er niet groter door. Dat betekent overigens naar mijn mening allerminst dat de verschillende aandachtspunten niet belangrijk zouden zijn. Het betekent wel dat zij meer op elkaar moeten worden betrokken in een integrale visie.

Voor de kerk geldt naar mijn mening iets dergelijks. Ook in het kerkelijk opbouwwerk zien we een verschuiving van dominante aandachtspunten. In de zestiger jaren wordt de aandacht vooral gericht op de taken en op de daarop afgestemde strukturen (het is de

* Center for Parish Development, Chicago (P. Dietterich), KTUA (P.G. van Hooijdonk), KTUU (R. van Kessel en R. Weverbergh).

periode van samenwerking van theologen en sociologen die onder meer leidt tot publikaties als 'Pastoraal Plan Binnenstad Amsterdam' en 'Kerk in Perspektief'). Echter als deze aanpak niet de verwachte resultaten oplevert, verschuift het aksent naar het klimaat en daarmee naar de wijze van omgaan met elkaar, manieren van besluitvorming en dergelijke (het heil wordt dan verwacht van de agogen). Vervolgens wordt het hoofdaandachtspunt leiding en beleid. Stuk voor stuk belangrijke gezichtspunten maar wat ontbreekt is een integrale visie waarbinnen deze faktoren hun plaats krijgen. Onze bedoeling is daaraan een bijdrage te leveren.

2.4. De bomen en het bos

De konklusie die uit het voorgaande kan worden getrokken is dat in de literatuur vooral vijf faktoren worden genoemd die van groot belang zijn voor de vitalisering van een organisatie. Deze vijf faktoren blijken onderling zó nauw samen te hangen, dat we mogen spreken van een 'systeem van 5 faktoren'.
Die samenhang geef ik weer in een figuur die de vorm heeft van de vijf van een dobbelsteen (Figuur 1).

Figuur 1: Systeem van Faktoren om tot vitalisering te komen

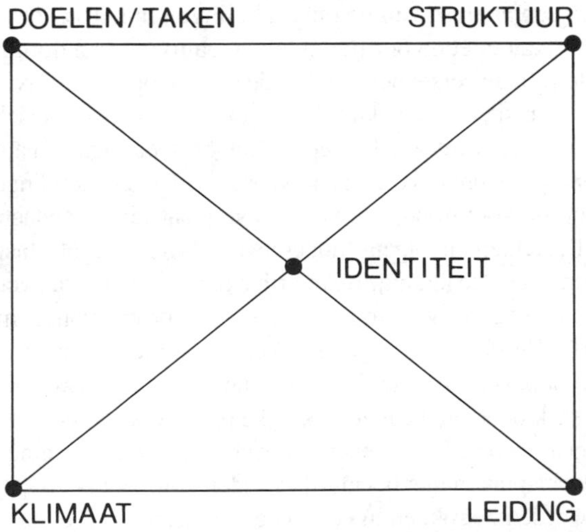

DOELEN / TAKEN
STRUKTUUR
IDENTITEIT
KLIMAAT
LEIDING

In de volgende hoofdstukken gaan wij hier dieper op in; zowel op de inhoud van elk van de faktoren als op de aard van de samenhang. Het gaat dus zowel om een studie van 'de bomen', als om een schets van 'het bos'. In de eerste nu volgende zes hoofdstukken komen 'de bomen' achtereenvolgens aan de beurt. In hoofdstuk negen ligt de nadruk op de samenhang; het handelt over het bos.

3. Een positief klimaat

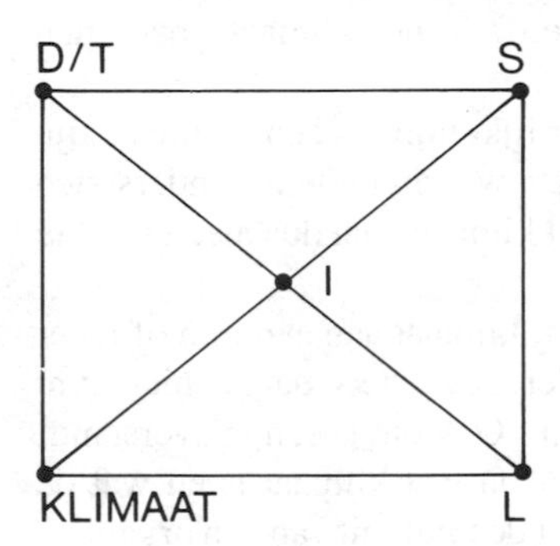

3.1. Het belang van klimaat

Organisaties — en ook de gemeente is in bepaald opzicht een organisatie — verschillen van elkaar onder meer door hun klimaat. Er zijn organisaties met een positief klimaat — waarin mensen met plezier werken — en andere waarvoor dit niet of in ieder geval minder geldt. Dat zien we ook bij kerkelijke gemeenten; het klimaat is niet overal hetzelfde.
Klimaat is voor ons onderwerp wezenlijk omdat dit in belangrijke mate bepaalt of mensen met vreugde en met effekt meedoen. Maar wat is klimaat? Het is van belang daarop in te gaan, te meer daar er tal van misverstanden over bestaan.
Zo zijn er mensen die bij klimaat denken aan iets half-zachts, aan soft-gedoe. Iets waaraan je vooral niet te veel tijd moet verspillen omdat dit ten koste gaat van de aandacht voor het eigenlijke doel — de zending — van de organisatie. En daarom: no-nonsense. Mensen die zo denken vergissen zich omdat zij niet zien dat een positief klimaat twee funkties heeft: meer mensen doen meer mee en met meer plezier, hetgeen — negatief geformuleerd — blijkt uit het feit dat mensen minder absent zijn; de (overige) doelen worden meer en beter gerealiseerd. Dat laatste betekent dat er zowel in kwantitatieve als in kwalitatieve zin meer wordt gepresteerd. Dat komt onder meer doordat in organisaties met een positief klimaat mensen meer, opener en eerlijker met elkaar communiceren (wat de kwaliteit van het werk uiteraard ten goede komt) en meer bereid zijn elkaar van dienst te zijn, in allerlei vormen (bijvoorbeeld elkaar even helpen bij de uitvoering van een taak, elkaar informatie geven die van belang is voor de goede voortgang van het werk, elkaars tekortkomingen korrigeren, bijvoorbeeld door een steekje op te vangen dat een ander laat vallen).
Een goed klimaat is dus bevorderlijk voor het plezier dat mensen aan hun participatie

beleven en voor het realiseren van de (overige) doelen; kortom voor de vitaliteit van de organisatie. En dat dit ook voor de gemeente geldt is duidelijk. In een werkgroep — bijvoorbeeld een diakonie, een kommissie vorming en toerusting, een kerkeraad — met een goed klimaat verrichten meer mensen meer werk en van betere kwaliteit dan in groepen waar het klimaat ongunstiger is. Het geldt ook voor andere typen groepen, zoals gespreksgroepen, groot-huis-bezoek-groepen, e.d. Is het klimaat goed, dan komt er meer uit.
Dit verband is al in de eerste gemeente zichtbaar. Daar lijkt immers een relatie te zijn tussen het feit dat mensen elkaar lief hebben en de mate waarin buitenstaanders zich door het evangelie laten gezeggen. Bevordering van het klimaat gaat dus niet ten koste van de (overige) doelen. Integendeel.
Er is nog een ander misverstand. Sommigen denken bij klimaat aan een min of meer mysterieuze eigenschap, die er al of niet is; in ieder geval iets dat je niet kunt bevorderen en dat dus niet voorwerp van beleid kan zijn. Ook dat is een misverstand, zoals we zullen zien. Reden te meer om ons af te vragen wat klimaat is en wat de kenmerken zijn van een positief klimaat; een klimaat dat de vitaliteit van een organisatie vergroot.

3.2. Kenmerken van een positief klimaat
opmerkingen vanuit de sociale wetenschappen

Met Bowers en Franklin definiëren we klimaat als het geheel van procedures en omgangsvormen dat kenmerkend is voor een organisatie (1977,18). Uit hun beschrijving blijkt dat zij daartoe ook rekenen de opvattingen die er in de organisatie bestaan over 'gewone' mensen in de organisatie. Zij noemen deze niet apart omdat beide elementen nauw samenhangen. Die samenhang bestaat hierin dat de opvattingen over mensen als het ware worden uitgedrukt in gedragsregels. Dit is overigens geen automatisme, want er kunnen allerlei 'storende' faktoren optreden, zoals: onvermogen om de opvattingen over 'gewone' leden te vertalen in gedragsregels, onwil om dit te doen vanwege bijvoorbeeld belangen, het ontbreken van strukturele voorwaarden en dergelijke. Dat laatste zien we bijvoorbeeld bij organisaties die op zichzelf voor inspraak en medezeggenschap zijn, maar niettemin autoritair blijven beslissen omdat zij er niet in slagen adekwate strukturen te ontwikkelen. Maar ook het omgekeerde komt voor. Zo zijn er organisaties die wel allerlei procedures en strukturen ontwerpen — bijvoorbeeld voor inspraak en medezeggenschap — maar die hiertoe niet zijn gekomen op grond van bepaalde positieve opvattingen over mensen, maar bijvoorbeeld omdat zij door de overheid hiertoe gedwongen zijn.
Het is daarom van belang bij klimaat beide aspekten aan de orde te stellen: de opvattingen over de leden en de procedures die de relaties tussen mensen regelen. Dit geheel vormt als het ware het milieu waarin de leden van de organisatie funktioneren. Klimaat is dus niet iets mistigs, iets ongrijpbaars maar het is het geheel van opvattingen en procedures. En die zijn ontstaan uit interaktie van mensen en kunnen dus ook veranderd worden, hoewel dat vaak niet eenvoudig is. Het werken aan een positief

klimaat kan daarmee tot voorwerp van beleid worden. Maar welke zijn de kenmerken van een positief klimaat? Anders gezegd, welke opvattingen over 'gewone' leden van de organisatie en welke procedures bevorderen de vitaliteit van een organisatie?

opvattingen over 'gewone' leden In de literatuur over organisatie-ontwikkeling — OO — is het een communis opinio dat voor een goed klimaat allereerst en allermeest van belang is dat mensen in de organisatie serieus worden genomen. Dat betekent tenminste dat er met hun wensen, ervaringen en mogelijkheden rekening wordt gehouden en dat zij met respekt behandeld worden. Bowers en Franklin drukken dit uit door te zeggen dat een positief klimaat gekenmerkt wordt door 'human resources primacy'. Daarvan is sprake als de organisatie beseft dat 'de mensen' het belangrijkste, het meest waardevolle 'bezit' van de organisatie zijn, en naar die opvatting handelt.
Bij 'de mensen' wordt dan niet primair gedacht aan één of andere elite, niet aan een bestuurlijke top, maar aan 'gewone'mensen; aan mensen op de werkvloer, aan 'gewone' gemeenteleden. Het gaat er natuurlijk niet in de eerste plaats om of de leiding dit vindt, maar of die 'gewone' mensen in de praktijk van alledag ervaren dat hun aanwezigheid, hun bijdrage en hun mogelijkheden gewaardeerd worden.
Deze gedachten liggen in de lijn van die van hun leermeester Likert die het subjekt-zijn van de 'gewone' organisatieleden steeds sterk benadrukt. Dat is de rode draad in zijn werk, ook in zijn laatste boek dat hij samen met zijn vrouw schreef.
'Gewone' leden worden ook daarin door hen gezien als subjekt en de leiding wordt opgeroepen daarnaar te handelen. Dat impliceert onder meer dat de 'gewone' leden niet mogen worden gezien als uitvoerders van beslissingen die elders worden genomen, maar als mensen die *meebeslissen* en delen in *de macht*. Dit meebeslissen heeft in ieder geval betrekking op de eigen taak — daaraan is geen twijfel mogelijk — maar minder duidelijk is in de opvatting van Likert of dit ook geldt voor de doelen van de organisatie. De opvatting van de mens als subjekt betekent bij hem ook dat de 'gewone' organisatieleden beschouwd worden als mensen die — eventueel met hulp van de leiding — zelf hun problemen moeten en kunnen oplossen, samen met andere betrokkenen, en die mede-*verantwoordelijk* zijn voor de gang van zaken, tenminste in de eigen afdeling en die daarop ook kunnen worden aangesproken. In verband daarmede hebben zij ook *recht op alle relevante informatie*.
Hen zien als subjekt impliceert ook *wederkerigheid*. Dat wil zeggen: erkennen dat 'gewone' mensen elkaar en de organisatie iets te bieden hebben en dat het dus ook de moeite waard is naar hen en naar elkaar te luisteren; dat betekent de moeite doen om door te dringen tot de werkelijke intentie van de ander en tevens beseffen dat het van belang is de interaktie tussen de leden aan te moedigen.
Konsekwent worden deze gedachten doorgetrokken door de beweging die in Nederland schuil gaat achter de stichting MANS: Management en Arbeid Nieuwe Stijl. Dat zij sterk de nadruk legt op de betekenis van de mens komt duidelijk tot uitdrukking in het boek waarin de ideeën worden beschreven. Dat blijkt direkt al uit de ondertitel daarvan: 'Een nieuwe benadering van werk en leiding-geven, geheel gericht op de

mens'. En ook zij denkt bij 'de mens' primair aan de 'gewone' mensen in de organisatie, want zij doen het eigenlijke werk en houden de organisatie in stand en zij bepalen tenslotte of de organisatie haar doel al of niet bereikt en wat de kwaliteit zal zijn van datgene wat de organisatie 'levert'. Dat is niet primair afhankelijk van de leiding, maar van de 'gewone' leden. Zij weten, beter dan de leiding, voor welke opgaven men komt te staan, wat er voor een goede uitvoering eigenlijk nodig is, wat er mis gaat en kan gaan. ,,Die zien de fouten, de zwakke plekken, die zien alles''.
Het ligt voor de hand dat die 'nieuwe benadering' van 'gewone' leden van de organisatie konsekwenties heeft voor de rol van de leiding. Hun eigenlijke taak wordt luisteren naar 'gewone' leden en hen vervolgens helpen hun werk te doen. ,,Het management moet zich kwetsbaar opstellen, niet beschuldigen en klagen, maar luisteren en helpen. Dát is zijn taak'' (1986,15). En die gedachte heeft weer vele andere konsekwenties waarvan we enkele hier zullen noemen, zij het slechts kort omdat zij in de volgende paragrafen nog uitgebreid aan de orde komen. Om te kunnen luisteren moet de leiding onder meer gemakkelijk bereikbaar zijn (dat heeft weer implikaties voor de struktuur van de organisatie) en moet een kommunikatie-proces op gang komen van beneden naar boven (het aksent komt te liggen op 'bottom up', in plaats van 'top down'). Die kommunikatie heeft uiteraard alleen maar zin als de inhoud korrekt is; als mensen eerlijk zijn. En dat vraagt van de leiding dat zij een groot inkasseringsvermogen heeft; vandaar in het zojuist gegeven citaat de woorden ,,kwetsbaar opstellen, niet beschuldigen en klagen''. Maar bovenal vraagt eerlijke kommunikatie dat de leden ervaren dat zij als waardevolle mensen gezien worden en dat dus op hun mening prijs gesteld wordt.

> Wat voor organisaties in het algemeen werd gezegd geldt evenzeer voor de gemeente. Als het bijvoorbeeld gaat over de missionaire of diakonale presentie van de gemeente, dan zijn de werkelijke deskundigen zij die het eigenlijke werk doen — 'gewone' gemeenteleden — en niet de koördinerende leiding ter plaatse en de specialisten uit Leusden, Leidschendam of een theologische fakulteit. Hun rol dient vooral te bestaan, niet uit het van bovenaf instrukties geven, maar uit luisteren en 'gewone' gemeenteleden helpen hun werk te doen.

Een goed klimaat manifesteert zich allereerst in het serieus nemen van 'gewone' mensen in de organisatie. Zó kunnen we dat wat tot dusver is gezegd kort samenvatten. Het serieus nemen van 'gewone' mensen is van uitermate grote betekenis. Vooral, zo betoogt Twijnstra, in onze moderne tijd, waarin veel mensen willen dat zij in en buiten de organisatie zichzelf kunnen zijn. Stagnerende organisaties zouden moeten ophouden alleen maar naar oorzaken in de samenleving te kijken, maar bedenken dat in de organisatie nog veel onbenutte krachten zijn. Een van de belangrijkste daarvan is het serieus nemen van mensen. Dat gebeurt te weinig. Het is naar zijn mening zelfs een veel voorkomende fout dat er te weinig rekening wordt gehouden met de in de individuele leden van de organisatie aanwezige capaciteiten, vooral hun kreativiteit en

inventiviteit. ,,Er schuilt een enorme krachtbron in elke organisatie die erin slaagt de latent aanwezige individuele kreatieve en inventieve capaciteiten optimaal te mobiliseren'' (1979,7). Uitgangspunt moet daarbij zijn de wens om elk individu in de organisatie te laten funktioneren op grond van de in hem of haar aanwezige en voor de organisatie bruikbare mogelijkheden. Die visie op de 'gewone' mens heeft ook bij Twijnstra konsekwenties voor de leiding, de kommunikatie en de struktuur.
In dit denken van onderaf, past ook een grotere openheid in de kommunikatie, ,,een groter gemak om over dingen te praten''. Dat vergt dan weer veranderingen in de struktuur van de organisatie, met name het scheppen van ontmoetingspunten.
Het kost weinig moeite om nog meer literatuur te noemen. Nodig is dit niet want de 'boodschap' is duidelijk: het is noodzakelijk mensen serieus te nemen. Om nog wat meer zicht te krijgen op de opvattingen over 'gewone' mensen is het van belang apart in te gaan op de vraag waarom men het van belang vindt de mensen in de organisatie serieus te nemen. Het antwoord daarop vinden we vooral in diskussies over medezeggenschap en met name ook uit de eksperimenten op dit terrein. Daaruit komen vooral twee motieven naar voren.
Het eerste is dat mensen serieus nemen noodzakelijk is voor het goed funktioneren van de organisatie. Het is in het belang van de realisering van de doelen van de organisatie rekening te houden met de behoeften van mensen, hun kennis van de organisatie te gebruiken om het handelen te verbeteren en hun capaciteiten optimaal te gebruiken. Mensen zullen zich dan meer inzetten en de beschikbare kennis en vaardigheden worden zo goed mogelijk benut. Of dit nu het belangrijkste motief is of niet, feit is in ieder geval dat verschillende auteurs die er sterk voor pleiten mensen in de organisatie serieus te nemen, op deze positieve effekten wijzen. Zo zeggen bijvoorbeeld Peters en Waterman dat zogenaamd rationeel en zakelijk zijn leidt tot verwaarlozing van de mens en uiteindelijk tot verminderde inzet en povere resultaten. Hun stelling is dan ook: 'Zacht is hard'. En dat is eigenlijk ook de boodschap van De Sitter. Ontmenselijking van de arbeid leidt tot kwaliteitsvermindering; daarentegen leidt aansluiting bij de mens en diens behoeften aan kreatief bezig zijn, aan ontwikkeling en zelfstandigheid tot grotere inzet en tot kwaliteitsverbetering (1982,82). En dat is ook de teneur van het werk van Ouchi, een andere invloedrijke auteur. Terecht zegt Bakker in zijn 'ten geleide': ,,De harde kern van zijn theorie wordt gevormd door wat we in het Westen al te gemakkelijk tot de 'softe' sektor hebben gerekend: het omgaan met mensen'' (Ouchi,1982,10).
De boodschap uit deze en dergelijke verhalen is deze: mensen serieus nemen heeft een positief effekt voor de organisatie. En die wetenschap kan er toe leiden dat de aandacht voor mensen verwordt tot een 'tool of management'. Uit de analyse van allerlei eksperimenten wordt ten minste waarschijnlijk dat dit vaak (mede) de achtergrond is van de aandacht van de leiding voor de leden. Mensen serieus nemen wordt zo tot een middel om andere doelen te realiseren: beheersbaarheid, bestuurbaarheid, efficiency en effektiviteit (Bolweg,1984,463). In overeenstemming hiermee is dat de medezeggenschap van 'gewone' organisatieleden veelal beperkt blijft tot de uitvoering van het beleid en dan nog vooral van dat van de eigen werkgroep, terwijl de vaststelling van het

beleid, dus de vaststelling van de doelen, een zaak van de leiding blijft (Scholtz, 1984,447). En dat betekent eigenlijk dat ,,leidinggevenden geen machtsvorming toelaten die de machtsverhoudingen wezenlijk aantasten'' (De Man/Koopman, 1984,478).
Het tweede motief om mensen serieus te nemen is de opvatting dat mensen subjekt zijn en als zodanig verantwoordelijk zijn, niet alleen voor hun eigen taak, maar ook voor de doelen en de funkties van de organisatie als geheel. Dat is met hun mens-zijn gegeven. Wat de organisatie doet en met welke gevolgen, gaat dus niet alleen de leiding aan, maar alle leden van de organisatie. En daarom moeten zij ook in vrijheid mee kunnen beslissen over de doelen van de organisatie en daarom moeten zij ook alle relevante informatie ontvangen èn doorgeven. Ook moeten er strukturen worden ontwikkeld waarin die medeverantwoordelijkheid gestalte kan krijgen. Hierop wordt onder meer sterk de nadruk gelegd door Van Zuthem die slechts van medezeggenschap wil spreken als die zeggenschap ook de doelen van de organisatie betreft (1984,541).
Maar er zijn ook anderen voor wie medezeggenschap over de doelen van de organisatie centraal staat. Dat geldt bijvoorbeeld voor Bowers en Franklin die stellen dat de organisatie moet uitgaan van de waardigheid van de mens in de organisatie en van de waarde van de mens voor de organisatie. Dit impliceert ook doelformulering.

> Dat is ook de kern van de 'filosofie' van een nieuwe beweging in de OO die zich tooit met de naam organisatietransformatie. Kenmerkend daarvoor is onder meer dat de mens, ook binnen een organisatie, gezien wordt als een geheel, een totaliteit die ook als geheel moet worden aangesproken. ,,Wie de mens slechts op een van zijn capaciteiten of aspekten aanspreekt, verstoort het geheel en houdt fragmentatie in stand. Het is tot nu toe niet ongebruikelijk om mensen in een bedrijf of organisatie alleen aan te spreken op het vertonen van het door die organisatie wenselijk of nuttig geachte gedrag, en management bestaat (bestond?) tot nu toe voor een niet onbelangrijk deel uit het manipuleren van dat gedrag in de door het bedrijf gewenste richting''. In de beweging van de organisatietransformatie wordt de mens daarentegen benaderd als geheel, nader als subjekt of, zoals Swarttouw het uitdrukt, als architekt in plaats van als uitvoerder (Swarttouw,1986,23).

We kunnen nu konkluderen dat het serieus nemen van mensen algemeen gezien wordt als belangrijk òf omdat dit voor de organisatie belangrijk is òf omdat het 'gewone' organisatielid als mens daar recht op heeft. Globaal genomen lijkt het zo te zijn dat de leiding van organisaties — onderzocht zijn alleen ekonomische organisaties — vooral redeneert volgens het eerste motief, terwijl wetenschappers, werknemers en hun organisaties met name op het tweede spoor zitten. Bolweg spreekt zelfs van een principiële tegenstelling (1984,463). En dat is natuurlijk niet toevallig. De aarzelingen van de leiding hebben met allerlei faktoren te maken, ook dat wordt uit de eksperimenten duidelijk, zoals: de soms diep in de traditie verankerde autoritaire rolopvatting van de leiding en daarmee in harmonie zijnde rolverwachtingen van leden;

onwil om gevestigde belangen (machtsposities) op te geven; de vrees dat ruimte maken voor 'gewone' leden een negatief effekt zal hebben op de doelrealisering; de met het voorgaande samenhangende negatieve beeldvorming over 'gewone' leden; het soms bestaande misverstand bij leden dat medezeggenschap identiek is met behartiging van de eigen belangen; onvoldoende training; de soms geringe interesse bij de leden voor medezeggenschap, met name bij bepaalde kategorieën (ouderen, vrouwen, lager opgeleiden); komplekse organisatiestrukturen die de interaktie belemmeren; de invloed van eksterne instanties die soms in toenemende mate de dienst in een organisatie uitmaken.
Juist in verband met deze weerstanden is het belangrijk nog eens te herhalen wat reeds in alle toonaarden gezegd is, namelijk dat het serieus nemen van mensen — en dat betekent ook hen zien als verantwoordelijke mensen — niet alleen ethisch gezien geboden is, maar ook pragmatisch gezien een positieve uitwerking heeft op het plezier waarmee mensen participeren en op het effekt van de participatie en als zodanig van belang is voor de vitaliteit van de organisatie. Het gaat er niet alleen om dit uitgangspunt met de mond te belijden, maar uiteraard ook om dit te vertalen in de procedures binnen de organisatie. Daarmee zijn we gekomen bij het tweede element van het klimaat.

procedures Een positief klimaat wordt niet alleen bepaald door de erkenning van de waarde en waardigheid van 'gewone' mensen, maar ook door de procedures die de wijze waarop mensen met elkaar omgaan regelen. Die zijn voor een belangrijk deel in het voorgaande reeds min of meer impliciet aan de orde geweest, maar het zal nu expliciet gebeuren. Daarbij volgen wij de indeling van Hausser, Pecorella en Wissler, daar zij een en ander het meest uitvoerig uitwerken (1977,21-34). Het gaat in het bijzonder om de volgende vier onderdelen.
a. *kommunikatieprocessen*. Een zeer belangrijk onderdeel is de verspreiding van informatie waarbij met name drie aspekten van belang zijn: de richting, de omvang en de korrektheid van de informatie.
Voor een goed klimaat is allereerst van belang dat de informatie gaat *in alle richtingen*: van boven naar beneden, van beneden naar boven, en tussen mensen en groepen op hetzelfde niveau. Bij dat laatste gaat het dus om de kommunikatie tussen de leden van een groep en tussen groepen onderling.
Daarbij gaat het er om dat de in de organisatie beschikbare kennis komt op alle plaatsen waar dat relevant is. Het hele informatiebestand moet *in zijn volle omvang* gebruikt worden.
Vanzelfsprekend is het van essentieel belang dat de informatie *korrekt* is, en dat vraagt dat mensen de waarheid durven zeggen en willen zeggen.

> Het bovenstaande lijkt zeer vanzelfsprekend, maar het blijkt in de praktijk toch niet zo eenvoudig te zijn. Dat geldt ook voor de gemeente. Uit een onderzoek van het IPT bleek bijvoorbeeld dat er in de onderzochte gemeente heel weinig kontakt was tussen de kerkeraad en allerlei groepen; van informatie van 'beneden' naar 'boven' was al helemaal weinig sprake. Kontakt

tussen de groepen was eveneens zeer gering, waardoor het ook kon gebeuren dat twee groepen min of meer gelijktijdig met hetzelfde bezig waren. De beschikbare informatie werd volstrekt niet benut.
Iets soortgelijks werd gekonstateerd voor diverse kleine groepen. De kommunikatie in leergroepen werd bijvoorbeeld gekenmerkt door gerichtheid van elk van de leden afzonderlijk op de leider; de kommunikatie liep vooral van boven naar beneden; van gesprek tussen de leden was heel weinig sprake (zie Hendriks/Rijken-Hoevens e.a.,1980).

b. *besluitvorming*. Twee aspekten zijn in het bijzonder belangrijk: het niveau waarop een besluit wordt genomen en de wijze waarop besluiten tot stand komen.
Voor een goed klimaat is allereerst van belang dat besluiten worden genomen niet op het hoogste niveau, maar op het *niveau* waarop de meeste informatie aanwezig is en voorts dat allen voor wie een besluit konsekwenties heeft daarbij betrokken worden. Het gaat derhalve om *gezamenlijke* besluitvorming van alle betrokkenen. Dit is een lange weg, maar het loont deze te volgen, want als een beslissing eenmaal tot stand gekomen is, wordt deze goed uitgevoerd; de mensen staan er achter en zij weten door hun participatie wat er precies beoogd wordt.
Er zijn verschillende manieren om tot een besluit te komen. De bekendste is wellicht het meerderheidsbesluit op grond van een stemming; dus een besluit op basis van de macht van het getal. Een vruchtbaarder methode is — naar de mening van auteurs als Schein, Likert, Bowers, Franklin, Ouchi en vele anderen — besluitvorming op grond van *konsensus*. Daaronder wordt niet verstaan eenstemmigheid, maar eensgezindheid. Likert en Likert herinneren in dit verband aan een term die de Quakers hiervoor gebruiken: 'het gevoelen van de vergadering' (the sense of the meeting). Het gaat niet om de vraag of men het inhoudelijk eens is met een besluit — dat zou overigens natuurlijk het mooist zijn — maar om een bereidheid de konklusies waartoe een groep gekomen is te aanvaarden. Voor het bereiken van die konsensus is het nodig dat er een vrije en open gedachtenwisseling plaatsvindt waarin ieders gezichtspunt en ieders zorg wordt gehoord en verstaan en waarin gepoogd wordt daaraan recht te doen bij het formuleren van een konklusie, waarop het uiteraard tenslotte moet uitlopen.
,,Van konsensus is sprake als men het eens is over het gekozen alternatief, en iedereen met een goed geweten tegen elk van de anderen kan zeggen:
1. ik geloof dat jij mijn standpunt begrijpt;
2. ik geloof dat ik het jouwe heb begrepen;
3. of ik aan deze beslissing de voorkeur geef of niet, ik zal hem steunen, want hij is op een open en eerlijke manier tot stand gekomen'' (Ouchi,1982,50).

Een illustratie uit de kerkelijke sfeer maakte ik mee op een gemeenteavond. Na een avond van diepgaand gesprek over kinderkommunie merkte een vrouw ongeveer dit op: 'Ik ben het er nog steeds volstrekt mee oneens. Maar ik heb begrepen dat er vele mensen zijn die er oprecht naar verlangen en die denken dat het voor hun kinderen veel kan betekenen. Daarom zal ik aan de kinderkommunie, waartoe we nu maar moeten besluiten, gaan meedoen, hoewel ik er tegen blijf.'

In de kerk van de reformatie vond de besluitvorming aanvankelijk ook plaats op basis van konsensus. Dit werd reeds besloten door de synode te Emden, die in 1571 werd gehouden. Jansen vat de daar vastgestelde procedure als volgt samen: ,,Liefst nam men de besluiten met gemeen accoord. Maar bleek uit de discussie verschil van gevoelen, dan werd er blijkbaar tweemaal gestemd; eerst om uit te maken wat het gevoelen van het 'meeste en beste deel' was; en nadat de scriba dit opgetekend en klaarlijk voorgelezen had nog eens, 'opdat het met gemene bewilliging bestendigt worde' (ut omnium calculis probetur). De minderheid conformeerde zich door deze aanvaarding met gemeen accoord aan het gevoelen der meerderheid'' (Jansen,1952,150). De tweede stemming ging dus niet meer over de thematiek zelf, maar over de vraag of de minderheid het kon opbrengen met de meerderheid mee te gaan. Later is deze tweede stemming in onbruik geraakt.

c. *doelformulering*. Hoewel strikt genomen het formuleren van doelen een onderdeel is van de besluitvorming wordt het vanwege de grote betekenis die het heeft apart vermeld. Voor het klimaat is het van grote betekenis wie de doelen formuleert. Er zijn in dit opzicht twee ekstreme situaties: de leiding formuleert de doelen en dropt die vervolgens en de doelen worden door de groep/de organisatie vastgesteld. Het laatste is kenmerkend voor een goed klimaat.

d. *invloed van 'gewone' leden*. Mutatis mutandis geldt hier hetzelfde als voor de doelformulering, het is een onderdeel van de besluitvorming, maar vanwege de grote betekenis wordt ook dit apart genoemd. Het gaat hier om de voor het klimaat zo belangrijke vraag of alle leden van de organisatie, ook en in het bijzonder de 'gewone' leden het gevoel hebben dat zij invloed kunnen uitoefenen op de algemene gang van zaken; dus op de zaken die een ieder raken. Hebben zij het gevoel dat hun vragen, wensen, bezwaren, problemen gehoord worden? Dat hun opvattingen bekend zijn? Dat er mee gerekend wordt?

Bij klimaat moeten we dus denken aan twee elementen die nauw met elkaar samenhangen: opvattingen in de organisatie over de mensen, met name de 'gewone' leden en allerlei procedures betreffende informatieverspreiding, besluitvorming, doelformulering en de mogelijkheid om invloed uit te oefenen. Voor een positief klimaat is kenmerkend dat mensen gezien worden als subjekt en dus betrokken worden in de informatiestroom, bij besluitvormingsprocessen en bij het formuleren van de doelen. Daarbij moet evenwel gewezen worden op het voorbehoud dat Likert steeds maakt, namelijk dat veranderingen niet abrupt kunnen worden ingevoerd of positief geformuleerd, dat geleidelijke ontwikkeling geboden is.

3.3. Het 'gewone' gemeentelid als subjekt
opmerkingen vanuit de praktische theologie

We kunnen ons natuurlijk afvragen of deze gedachten ook de gemeente iets te zeggen hebben. Zoals in hoofdstuk 1 is opgemerkt is het immers niet zo dat datgene wat in de

sociale wetenschappen als *effektief* is ontdekt, daarmee voor de gemeente ook *legitiem* zou zijn. Daarom is het van belang de konklusies die we getrokken hebben praktisch-theologisch te doorlichten. Daarbij zullen wij ons vooral concentreren op de faktor die voor het klimaat van zo grote betekenis bleek te zijn: de opvattingen over 'gewone' gemeenteleden. Hoe worden zij gezien? Daarop kan in ieder geval gezegd worden dat er tenminste een duidelijke stroming is die het subjekt-zijn van de mens benadrukt, met name op grond van de gedachte dat de mens ook, of misschien beter, juist in de relatie tot God ten volle subjekt is. God ontneemt de mens niet zijn subjekt-zijn, maar Hij herstelt de mens in zijn vrijheid en plaatst hem in verantwoordelijkheid (Firet, 1974,165). Het leiding-geven in de kerk moet daarmee in harmonie zijn en dat betekent dat de leiding in de kerk de verantwoordelijkheid van de mens niet moet overnemen, maar er juist naar moet streven haar en hem te helpen die verantwoordelijkheid op zich te nemen. En als de maatschappelijke strukturen dit bemoeilijken dan behoort het mede tot de pastorale taak van de kerk daarvoor oog te hebben. Dat is door Pasman uitgewerkt voor het bedrijfspastoraat. Het behoort tot de pastorale taak van de kerk aandacht te hebben voor de individu in het bedrijf, maar ook voor ,,de zeggenschapsstrukturen in een onderneming'' (1988,12). Daarbij gaat het om de vraag ,,in hoeverre de mens zich kan realiseren als mondige mens in vrijheid en verantwoordelijkheid''. En daarbij denkt hij niet alleen aan de verantwoordelijkheid voor de eigen specifieke taak binnen de onderneming, maar aan de verantwoordelijkheid voor het ,,gehele ondernemingsgebeuren dat zowel het beleid inhoudt als de effekten daarvan op de samenleving'' (1988,21). De vraag naar de verantwoordelijkheid van mensen wordt dan nader toegespitst in de vraag of ,,hun arbeid en de onderneming waarin zij werken, meewerkt aan of tendeert naar een rechtvaardige, houdbare en duurzame samenleving'' (37).
En wat hier is uitgewerkt voor het bedrijfsleven geldt evenzeer voor andere sektoren van de samenleving. Zo stelt bijvoorbeeld Von Meijenfeldt in een verhandeling over de bewapening: ,,De mens moet ook in staat zijn, zijn verantwoordelijkheid waar te maken. Dat is allereerst een struktureel probleem. De strukturen moeten het mogelijk maken persoonlijke capaciteiten en eigenschappen tot ontplooiing te brengen. De samenleving op allerlei niveaus en in allerlei verbanden behoort zo te zijn ingericht, dat mensen betrokken worden bij de vaststelling van de doelstellingen van het beleid dat hun situatie raakt'' (1981,68). Die verantwoordelijkheid van de mens geldt voor de hele samenleving. Dat komt goed tot uitdrukking in de conceptie van de Wereldraad van Kerken over een rechtvaardige, houdbare en duurzame samenleving, waarin mensen deelnemen aan beslissingen die de kwaliteit van het bestaan raken (,,towards a just, participatory and sustainable society''). ,,This participation must embrace every sphere of life: political (...) economic, social, cultural'' (gecit. door Plasman,34). En, zo mogen we daar wel aan toevoegen, hoeveel te meer zou dit dan niet gelden voor de gemeente. Immers juist in de gemeente — althans in de eerste christelijke gemeenten, zoals we die tegenkomen in brieven van Paulus en Petrus — wordt het subjekt-zijn van 'gewone' gemeenteleden zeer nadrukkelijk gezien als behorend tot het wezen van de gemeente. Met groot respekt wordt over hen gesproken. Strikt genomen kunnen we

zelfs stellen dat 'gewone' gemeenteleden hierin niet voorkomen, althans niet in de zin van mensen die toch iets minder zijn dan de leiding, de ambten, de priesters, wat in de term 'gewone' gemeenteleden toch een beetje doorklinkt. Immers als er 'gewone' gemeenteleden zijn, dan zijn er ook 'buitengewone'.
In die zin bestaan 'gewone' gemeenteleden in die gemeenten niet, want daarin zijn zij allen opgenomen in de meest religieus ambtelijke kategorie, die van het priesterschap. Zó worden zij ook door Petrus toegesproken: ,,Gij zijt een (...) koninklijk priesterschap'' (I Petr.2:9). Daarmee heeft hij niet een bepaalde kategorie op het oog, een elite, maar allen. Want de Geest is uitgestort ,,op *alle* vlees'' (I Petr.2:10; Hand.2:17); op jongeren en ouderen, vrouwen en mannen, zwarten en witten.
Daarmee begint, aldus Versteeg, een nieuw tijdperk, een nieuwe bedeling. Het onderscheid tussen de oude en de nieuwe bedeling op het punt van de gemeente is aan te geven met de woorden 'representatie' en 'participatie'. ,,Onder de oude bedeling werd de struktuur van het volk van God gekenmerkt door de representatie. Israël trad op namens de volken; de hogepriester namens de priesters; de priesters namens de levieten; de levieten namens de andere Israëlieten; de mannen namens de vrouwen. Onder de nieuwe bedeling wordt de struktuur van de gemeente gekenmerkt door de participatie. Niemand treedt nu meer op *namens* de ander. Ieder staat nu *naast* de ander'' (1985,20).
Die notie van het koninklijk priesterschap is in de geschiedenis van de kerk bewaard gebleven in krachtige uitdrukkingen als ,,het algemeen priesterschap van alle gelovigen'' (Luther) en ,,Christus als Gemeinde existierend'' (Bonhoeffer).
Daarmee wordt uitgedrukt dat allen op hetzelfde niveau staan. Ten diepste omdat allen door God gerechtvaardigd zijn. Daarom mogen zij er zijn, zoals ze zijn. Zo worden zij als mens, als subjekt, bevestigd. Dat wil Jezus hen ook duidelijk maken. Hij wil hen ,,laten delen in zijn godsrelatie: beaamd te zijn en steeds opnieuw te worden beaamd door God. *Jij, Je mag er zijn*, zoals over hem werd gezegd in de apostolische getuigenis: 'Deze is mijn welbeminde Zoon' '' (Schillebeeckx,1985,38).
In het verlengde daarvan behoren nu ook gemeenteleden elkaar te aanvaarden. Daar is een direkt verband tussen. Bakker en Schippers schrijven hierover: ,,Wanneer de gemeente daarom gemeente is omdat zij zich door God zonder voorbehoud aanvaard weet, kan het niet anders dan dat zij de gemeenschap is van de volstrekte aanvaarding van de ander. Zij wordt gekenmerkt door echte menselijkheid. Zo eenvoudig is het en tegelijk zo moeilijk om vindplaats van God te zijn. Een plaats waar wij elkaar herkennen en respekteren als mensen; waar ieder zichzelf mag zijn en waar ruimte is voor de ander; waar geborgenheid is en bemoediging tot nieuwe aktiviteit'' (z.j.,86).
Het elkaar aanvaarden heeft grote betekenis voor de kommunikatie, vooral ook omdat er daardoor sprake kan zijn van openheid en vertrouwelijkheid. Want deze twee elementen — elkaar aanvaarden en vertrouwelijke kommunikatie — horen bij elkaar (Schein,1978,37). En waar openheid is neemt de kwaliteit van het gemeente-zijn toe: openheid maakt een gesprekskring spannend en leerzaam, maar verhoogt ook de kwaliteit van een funktionele groep al was het alleen maar doordat alle relevante informatie ter beschikking komt.

Een wezenlijk effekt van het zó communiceren is ook dat mensen zich *geborgen weten en de gemeenschap ervaren*. Zelfs kan gesteld worden dat zo communiceren met de ander ,,zoveel (is) als een ervaring van gemeenschap'' (Heitink,1977,183).
Omdat gemeenschap een vrij onduidelijk woord is dat voor velerlei verschijnselen wordt gebruikt geven we er met Heitink de voorkeur aan hier het bijbelse woord **koinonia** te gebruiken want daarin wordt tot uitdrukking gebracht dat mensen de gemeenschap ervaren met de Heer en met elkaar.
'Gewone' gemeenteleden zijn dus priesters en als zodanig mede-verantwoordelijk voor de opbouw van de gemeente. Zij zijn daartoe geroepen en zij hebben daarvoor ook de mogelijkheden ontvangen. Allen hebben namelijk genadegaven, charismata, ontvangen waarmee zij dienstbaar kunnen zijn aan de opbouw van de gemeente. Niet aan enkelen, maar aan allen zijn die charismata geschonken. ,,Aan een ieder'' (Ef. 4:7). Ieder heeft charismata ontvangen, maar niet ieder dezelfde; 'er is verscheidenheid van gaven'. En dat maakt duidelijk dat de leden van de gemeente op elkaar zijn aangewezen en dat niemand gemist kan worden. Dat wordt geïllustreerd met het beeld van het lichaam waarin oog, oor, hand en voet elkaar nodig hebben (I Kor. 12).
Samenvattend kan nu het volgende worden gezegd: 'gewone' gemeenteleden zijn voluit subjekt en dus medeverantwoordelijk voor de gemeente; ieder heeft een specifieke waarde voor de gemeente op grond van haar of zijn bijzonder charisma, waardoor zij niet gemist kunnen worden. Het komt er nu maar op aan dat te erkennen en daarvoor ruim baan te maken. Dat betekent onder meer de mogelijkheid scheppen dat mensen invloed kunnen uitoefenen en verantwoordelijkheid kunnen dragen. Het vraagt er ook om dat bij het zoeken van medewerkers zorgvuldig rekening wordt gehouden met hun specifieke charismata.
Het formuleren van de doelen van de gemeente, dus de beleidsbepaling in de gemeente, moet dan worden gezien als een zaak van de hele gemeente. Die konsekwentie wordt door Dingemans als volgt onder woorden gebracht: ,,De plaatselijke gemeente is een *conciliaire gemeenschap*. Dat wil zeggen, dat niet de een over de ander heerst, maar dat over alle zaken overleg noodzakelijk is. Natuurlijk moeten er afspraken gemaakt worden (een orde opgesteld worden) en natuurlijk moeten er mensen opdrachten krijgen en moeten er verantwoordelijkheden worden verdeeld naar de charismata, die ieder gemeentelid geschonken zijn. Maar de 'regering' van de gemeente, de 'beleidsbepaling', de inhoud van belijden en leven wordt in de conciliaire gemeenschap bepaald. Zo zal een gemeente als regel gekozen ouderlingen, diakenen, voorgangers, voorzangers, voorzitters, beheerders etc. hebben: en er zal als regel ook een 'kerkeraad' zijn, die als '*stuur*groep' de dagelijkse gang van zaken aangeeft — maar de besluiten, de richting, de algemene gang van zaken berust bij de gemeentevergadering (...). Door de gemeentevergadering worden de 'ambtsdragers' benoemd; door de gemeentevergadering wordt de kerkeraad aangewezen en gekontroleerd. Door de gemeentevergadering wordt de gang van de eredienst bepaald; door de gemeentevergadering wordt de 'professionele voorganger', de predikant, benoemd, geïnstrueerd en begeleid'' (Dingemans,1987,82e.v.).
Maar zover is het in vele gevallen nog niet, en dat heeft te maken met tal van

weerstanden hiertegen in de gemeente die formeel wel niet veel zullen verschillen van die in andere organisaties zoals in het voorgaande beschreven: autoritaire opvattingen en verwachtingen, traditie, negatieve opvattingen over 'gewone' leden, vrees dat de doeleinden bij hen niet veilig zijn, enz. Ook in de theorievorming omtrent de gemeente zien we de tendens 'gewone' gemeenteleden wel zoveel mogelijk bij alles te betrekken, maar hen uit te sluiten van de doelformulering. Dat is bijvoorbeeld ook duidelijk geworden uit een onderzoek van Ploeger-Grotegoed naar de plaats van het 'gewone' gemeentelid in de ekklesiologie van enkele theologen. Over Glatzel merkt zij op dat hij voor het gemeentelid een grote plaats inruimt. ,,Voor de doelbepaling van gemeente-zijn en een eventueel daaruitvloeiend veranderingsproces speelt het gemeentelid echter geen rol'' (1985,96). En dat deze manier van denken niet beperkt blijft tot bijvoorbeeld de 'rechterflank' van de kerken maakt haar analyse van de 'linkse' theoloog Commissaris duidelijk. Deze neemt zijn start in een charismatische kerkopvatting, maar het werken van de Geest wordt tenslotte gebonden aan de inhoud van een doelstelling die slechts door enkele uitverkorenen opgesteld kan worden. ,,Wat begonnen is als een theologische fundering van het ambt van de gelovige, van iedere gelovige, wordt in zijn uitwerking een beschrijving van de nieuwe clerus, een groep koplopers door wie de Geest werkt'' (Ploeger-Grotegoed,1985,50). Bij 'links' en 'rechts' derhalve de vrees dat het evangelie bij 'gewone' mensen niet veilig is en dus ook geen vrij baan voor hen.
Dit lijkt mij voldoende om duidelijk te maken dat ook in de kerk het gevaar bestaat dat het gemeentelid niet als subjekt wordt gezien. En dat betekent dat het zelfs mogelijk is dat ook voor de leiding in de kerk het serieus nemen van mensen verwordt tot een 'tool of management'. En als dat het geval is dan ontstaat er een zeer ernstig probleem. Allereerst omdat de gemeente beneden haar niveau funktioneert doordat er weer scheidslijnen worden aangebracht die strijdig zijn met de nieuwe bedeling. Maar vervolgens ook omdat dit onherroepelijk tot gevolg heeft dat de vitaliteit van de gemeente vermindert. En dat is voor de gemeente een nog groter probleem dan voor andere organisaties omdat zij als normatieve organisatie ekstra kwetsbaar is.

3.4. Samenvatting

Voor een positief klimaat is kenmerkend dat 'gewone' gemeenteleden worden gezien als subjekt, als mensen die geroepen zijn in vrijheid verantwoordelijkheid te dragen. In het kader van de gemeente betekent dit dat het gemeentelid verantwoordelijk is niet alleen voor de uitvoering van het beleid, maar ook voor het formuleren van het beleid. Die gedachte is natuurlijk mee gestimuleerd door moderne ontwikkelingen in de samenleving die gericht zijn op mondigheid, medezeggenschap, demokratisering en emancipatie, maar zij is uiteindelijk gefundeerd in het theologische grondgegeven dat de Geest is uitgestort op allen. Daardoor zijn zij allen gaan behoren tot het koninklijk priesterschap waarmede allerlei oude scheidslijnen hun zin en hun rechtsgrond verliezen.
Elkaar zien als subjekt betekent in de gemeente ook elkaar aanvaarden zoals we zijn

,,niet om overwegingen te beoordelen'' (Rom. 14:1). En dat betekent openstaan voor de ander, laten blijken dat hij of zij er zijn mag. Dat is een voorwaarde voor open en vertrouwelijke kommunikatie en een basis voor de ervaring van 'koinonia'.
Dat betekent evenwel nog niet dat in de realiteit daarnaar wordt gehandeld. Er zijn immers tal van weerstanden die dit belemmeren en die slechts in de weg van de geleidelijkheid overwonnen kunnen worden. Wat dat konkreet inhoudt kan uiteraard niet in het algemeen gezegd worden daar dit afhangt van de situatie ter plaatse. Maar in ieder geval is noodzakelijk dat deze algemene fundamentele gegevens worden geoperationaliseerd in konkrete gedragsregels die onder meer bevorderen dat:

- allen worden betrokken bij de vaststelling van de doelen, dus van het beleid
- allen de informatie krijgen die zij nodig hebben en ook uitgenodigd worden in open kommunikatie alle informatie te geven
- allen betrokken worden bij de besluitvorming die hen direkt raakt en dat de besluiten zo worden genomen dat de integriteit van de persoon wordt gewaarborgd
- allen invloed kunnen uitoefenen op de algemene gang van zaken

en in meer algemene zin dat:

- allen worden aanvaard en met respekt worden behandeld.

Zo handelen beïnvloedt het klimaat positief en dat vergroot de attraktiviteit en de vitaliteit van de gemeente. Maar dit effekt is niet het eigenlijke motief; dat is gelegen in de conceptie van het algemeen priesterschap.
Het formuleren van gedragsregels/procedures is noodzakelijk maar niet voldoende. Regels vragen om *strukturen* waarbinnen zij toegepast kunnen worden, waarbij we bijvoorbeeld kunnen denken aan een verdere uitwerking van instituties als een gemeenteberaad. Maar ook vraagt deze nieuwe definitie van het 'gewone' gemeentelid om een nieuwe definitie van *de leiding*. Het gaat hier namelijk om komplementaire rollen. Een diepere bezinning op het klimaat vraagt evenzeer om een beantwoording van de vraag 'wie wij ten diepste zijn'. En dat is een centraal aspekt van *de identiteit* van de gemeente. Zo wordt duidelijk hoe zeer de door ons onderscheiden faktoren met elkaar samenhangen.

4. Een stimulerende leiding

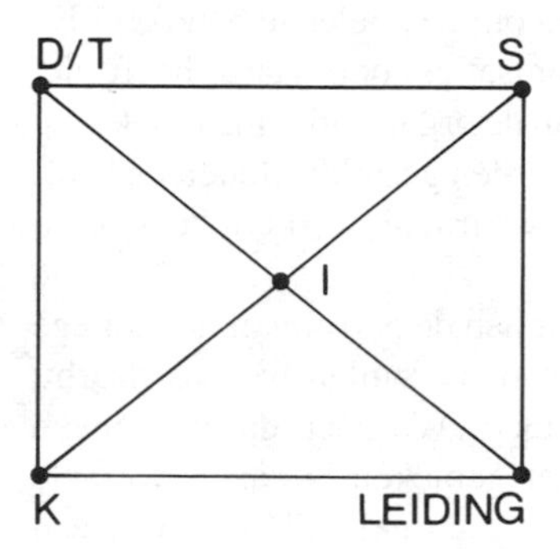

4.1. Het belang van leiding

De wijze waarop leiding wordt gegeven heeft grote invloed op de vitaliteit van de organisatie. Dat wordt algemeen erkend. Verschillende auteurs beschouwen deze faktor zelfs als de centrale faktor, in ieder geval als het belangrijkste aanknopingspunt om tot verandering te komen. In dit hoofdstuk willen we onderzoeken op welke wijze zó leiding gegeven kan worden dat mensen èn met plezier èn met effekt aan de organisatie deelnemen. In het bijzonder zullen we ons bezig houden met de vraag wat dit impliceert voor het karakter, de funkties en de stijl van de leiding.
Het belang van deze faktor kwamen we bij de bespreking van het klimaat reeds zijdelings tegen, nu staat zij centraal. We volgen de struktuur die wij ook aanbrachten in het vorige hoofdstuk en dus maken we eerst enige opmerkingen vanuit vooral de OO, en vervolgens plaatsen we daarbij enige praktisch-theologische notities.
Om misverstanden te voorkomen merken we vooraf nog op dat we bij leiding kunnen denken aan een persoon (een pastor, een gespreksleider, een voorzitter) of kollege (zoals een kerkeraad of kommissie vorming en toerusting) maar ook aan een funktie van een groep/organisatie. Onder leiding als funktie verstaan we ,,het uitvoeren van die gedragsvormen die de groep helpen in het bereiken van de gewenste resultaten'' (Remmerswaal,1975,123). In konkreto denkt hij daarbij aan die handelingen die de groep helpen bij:
- het vaststellen van de groepsdoelen
- het op weg helpen in de richting van deze doelen
- het verbeteren van de interaktie tussen de groepsleden
- het versterken van de groepskohesie
- het beschikbaar maken van hulpmiddelen.

Leiding als funktie zien maakt duidelijk dat leiding niet alleen uitgaat van degenen die hiervoor speciaal zijn aangewezen, maar ook van anderen. Dat zien we misschien het duidelijkst in kleine groepen; naast de gespreksleider of voorzitster zijn er andere leden die een belangrijke rol spelen in het proces van leiding-geven, bijvoorbeeld doordat zij de groep helpen het doel helder te krijgen, de gave hebben de goede sfeer te bewaren of over de vindingrijkheid beschikken om wegen te vinden om de doelen te bereiken. En wat voor de kleine groep geldt gaat ook op voor organisaties; ook daarin heeft niet alleen de formele leiding invloed op de ontwikkeling van de organisatie, maar ook vele andere personen en groepen. Zelfs kan met Twijnstra worden gesteld: ,,Iedereen heeft invloed op het funktioneren van de groep of organisatie waarin hij werkt of bezig is en dat is natuurlijk altijd al zo geweest'' (1979,2).
Niettemin denken we in dit hoofdstuk bij leiding primair aan de persoon of het kollege dat speciaal met het geven van leiding is belast. Met name zullen we ons daarbij concentreren op het centrale beleidsorgaan, de kerkeraad. We doen dat niet alleen omdat beperking nu eenmaal geboden is, maar omdat gebleken is dat de formele leiding een zeer grote invloed heeft op het al of niet aantrekkelijk zijn van een organisatie, niet in de laatste plaats door de wijze waarop zij omgaat met de leidinggevende capaciteiten van andere personen en groepen. Maar omdat leiding-geven niet alleen een funktie is van de formele leiding geldt veel van wat over leiding gezegd zal worden voor alle leden van de organisatie. Zeer konsekwent wordt dit uitgewerkt door Bowers en Franklin die spreken van twee vormen van leiderschap: 'supervisory leadership', waarmee zij de formele leiding aanduiden en het 'peer leadership', waarbij het gaat over het gedrag van de leden ten opzichte van elkaar.
Aan de orde is nu de vraag hoe zó leiding gegeven kan worden dat wordt gestimuleerd dat mensen met plezier en met effekt meedoen.

4.2. Stimulerend leiderschap
opmerkingen vanuit de sociale wetenschappen

We beginnen met de konklusie door te stellen dat de leiding vooral stimulerend werkt als zij het karakter van haar taak ziet als dienen, er in slaagt de 'zorg voor de zaak' en de 'zorg voor de relaties' te integreren en haar taak verricht in een stijl die recht doet aan het subjekt zijn van mensen. Uiteraard is het daarbij van belang dat zij niet alleen de intentie heeft in deze geest te handelen, maar daartoe ook kompetent is.
De genoemde elementen zullen nu kort worden besproken.

karakter van de leiding Vrij algemeen wordt gesteld dat het uitermate stimulerend werkt als de leiding het karakter van haar funktie ziet als dienen en niet als heersen. Dat wil konkreet zeggen dat zij zichzelf als doel stelt mensen en groepen te *ondersteunen* en hen te *helpen* hun taak te vervullen, in plaats van er naar te streven de leden voor het karretje van de leiding te spannen. Dat klinkt nogal modern en het is ook modern en dus zal die stelling ook niet gauw openlijk bestreden worden. Maar dat betekent nog niet dat de leiding de facto ook zo zal handelen. In de realiteit zien we integendeel vaak dat

zij, als het op handelen aankomt vervalt in de oude routines, onder het motto dat er nu eenmaal keuzes gemaakt moeten worden en knopen moeten worden doorgehakt en dat dit nu juist de taken van de leiding zijn. Dat er beslissingen genomen moeten worden staat uiteraard buiten kijf, maar de vraag is wat de rol van de leiding daarbij is.
Er bestaan in dit opzicht globaal twee opvattingen. De ene stelt dat de leiding tenslotte de beslissing moet nemen, al dan niet na overleg met de leden; hetzij uit principe of om pragmatische redenen. De andere opvatting stelt dat de beslissing moet worden genomen door de mensen en groepen die bij de thematiek betrokken zijn en dus door de beslissing geraakt zullen worden, waarbij dan de leiding als taak heeft hen te helpen tot een beslissing te komen. Likert is een advokaat van deze laatste zienswijze. Hij stelt dat het zo gaat in de meest vitale organisatie. In dat type organisatie is de 'top group', ,,not an executive committee making decisions for lower levels. Its role is to coordinate the decisionmaking of all groups affected to assure the full involvement and participation of these groups'' (1976,199). Hij beweert overigens niet dat besluitvorming altijd zo tot stand kan komen. Integendeel, het kan alleen als het klimaat goed is (zie hoofdstuk 3) en als de struktuur aan bepaalde voorwaarden voldoet (zie hoofdstuk 6). En dat laatste is bijvoorbeeld ook voor de kerkelijke gemeente een heel belangrijk punt. Beslissingen nemen in overleg met allen die door een besluit geraakt worden betekent voor de gemeente óf kiezen voor een ingewikkelde struktuur à la Likert (zie hoofdstuk 6), óf het verder uitwerken van instituties als 'gemeenteberaden' en 'gemeentevergaderingen'.
Uiteraard kan het zo leiding-geven ook door andere omstandigheden worden belemmerd, bijvoorbeeld door soms diep in de traditie verankerde verwachtingen van 'gewone' organisatie-leden. Die verwachtingen zijn vaak gebaseerd op een autoritaire opvatting van leiding en daar moeten we terdege mee rekening houden, want het niet beantwoorden aan verwachtingen leidt gemakkelijk tot verwarring en frustraties (Menting,1976,45e.v.). Leiding praktiseren als dienst is dus allerminst eenvoudig.
Hierover is nog veel meer te zeggen maar dat alles doet niets af aan de stelling dat leiding zien als dienst, dat is als helpen en ondersteunen, ook bij besluitvormingsprocessen, een belangrijk kenmerk is van de vitale organisatie en dat het dus alleen daarom al gewenst is in die richting te streven.
Leiding zo opvatten impliceert *macht delen*, vooral door middel van delegatie van taken en van de bevoegdheden om die taken uit te voeren. Daarop is niet alleen gewezen door Likert maar ook door vele anderen. Zo bijvoorbeeld ook Twijnstra, die er sterk de nadruk op legt dat de leiding er op uit moet zijn om elk individu in de organisatie te laten funktioneren op grond van de in hem of haar aanwezige mogelijkheden. Daar moet de leiding op gericht zijn: *mensen de kans te geven hun mogelijkheden optimaal te gebruiken*. Leiding geven is daarom ook 'ruimte geven'. Hij spreekt in dit verband van ,,respekt (hebben) voor de bekwaamheden op elk niveau'' (1979,8). Het honoreren van die bekwaamheden impliceert tevens het geven van de daarbij behorende bevoegdheden en de daaruit volgende verantwoordelijkheden. Die bevoegdheden (macht) moeten worden gelegd op die niveaus waar men het betreffende werk het best kan beoordelen op grond van de daar aanwezige ervaring, kreativiteit en inventiviteit.

Elders schrijft hij: ,,Leiding geven in deze moderne maatschappij wordt steeds meer bepaald door inzicht in de noodzaak èn de mogelijkheid tot spreiding van macht, gebaseerd op feitelijke capaciteiten van mensen'' (Twijnstra,1980,28). Die spreiding van macht is van groot belang, want het bepaalt mede het plezier waarmee mensen meedoen en ook hun inzet. En het is noodzakelijk daar oog voor te hebben, want ,,meer dan ooit is het funktioneren van organisaties afhankelijk van mensen die, (...) meer tot hun recht kunnen komen en met meer genoegen in organisaties zouden kunnen werken'' (1979,16).
Leiding zien als dienst impliceert dus macht delen en dat betekent konkreet:

- delegatie van taken en van bevoegdheden
- ruimte maken voor mensen om hun mogelijkheden te gebruiken.

Zó leiding-geven veronderstelt ook een *positief beeld* van de 'gewone' leden. Dat betekent ook konkreet hen niet zien als uitvoerder van elders te nemen beslissingen, maar als mensen die zelf de richting mee kunnen bepalen; als mensen die waardevol zijn en capaciteiten hebben, die bovendien verder ontwikkeld kunnen worden. Daarom is het de moeite waard dat de leiding het advies van McGregor opvolgt en bij zichzelf nagaat of haar beeld van 'gewone' leden lijkt op 'theorie X' of 'theorie Y'. Theorie X behelst stellingen als: de mensen zijn liever lui dan moe; ze hebben weinig of geen verantwoordelijkheidsbesef en ambitie; daarom moeten ze met 'koek en gard' (,,carrot and stick'') aan het werk gezet en gehouden worden en is het nodig ze konstant te dirigeren en te kontroleren. Theorie Y houdt een positiever kijk op de mensen in. Volgens deze 'theorie' willen mensen zich best inspannen, mits ze zin in hun werk hebben en er de zin van inzien. Derhalve moet je ze de kans bieden hun gaven te benutten en te ontplooien, ze zoveel mogelijk zelfstandig laten werken, en inzet voor de organisatiedoeleinden belonen.
De sterke nadruk die wordt gelegd op het karakter van leiding als dienst — konkreet: mensen ondersteunen en helpen — wordt ook noodzakelijk geacht omdat de 'gewone' mensen en allerlei werkgroepen, dus zij die het eigenlijke werk doen, het beste weten wat er nodig is om hun taak goed te verrichten. Zij bepalen de kwaliteit van wat er gebeurt en niet degenen die in hoogheid zijn gezeten. De leiding die in kwaliteit geïnteresseerd is zal er daarom op gespitst moeten zijn hen te *helpen*. Om dat goed te kunnen doen is het voor alles nodig te *luisteren*. Maar dat is niet eenvoudig. Het vergt om te beginnen van 'gewone' leden de bereidheid om open en eerlijk te communiceren. En dat zullen ze alleen maar doen als zij er van overtuigd zijn dat de leiding hen ziet als mensen die wat te melden hebben, als mensen die waardevol zijn, kortom als subjekt. En of de leiding hen zo ziet moet blijken uit haar gedrag; zij moet:

- gemakkelijk bereikbaar zijn
- geduld hebben
- mensen laten uitspreken
- geïnteresseerd zijn en dus eerder vragen stellen dan verhalen vertellen
- met de informatie wat doen.

Vrijuit spreken vraagt ook vertrouwen hebben dat de leiding 'de waarheid' op prijs stelt en hen voor hun eerlijkheid niet 'straft', maar 'beloont'. Dat vraagt van de leiding dat zij:

- dankbaar is voor kritiek
- niet defensief is en bereid is meer kritiek te inkasseren dan misschien verdiend is.

Van belang is ook dat het *verschil in rang* verkleind wordt, want dat beïnvloedt de kommunikatie in hoge mate: de hoogste in rang voelt zich in vergelijking tot de lagere als regel meer vrij en ontspannen, neemt gemakkelijker het initiatief en bepaalt meer de inhoud van het gesprek. Het probleem wordt nog vergroot doordat men zich van deze tendenties vaak niet bewust is. Het gevaar is niet denkbeeldig dat 'de lagere in rang' de leiding naar de mond praat; dit risiko is vooral aanwezig als 'de lagere' zich van 'de hogere' in meer of mindere mate afhankelijk weet. Om die risiko's te verminderen klinkt nogal eens de kreet 'de-emphasize status', wat konkreet kan betekenen:

- afzien van allerlei statussymbolen (bijvoorbeeld de mooiste plaats)
- zich niet meer vrijheden veroorloven dan de anderen
- machtsverschillen verkleinen (bijvoorbeeld voorzitterschap laten rouleren).

Het stelt ook eisen aan de *struktuur* van de organisatie; het is niet toevallig dat zij die sterke nadruk leggen op de leiding als dienst, pleiten voor korte verbindingen tussen leiding en leden. Maar het gaat verder, want deze nieuwe karakterisering van de leiding vraagt om een totaal andere opbouw van de struktuur; nu niet vanuit de behoefte van de leiding om de organisatie in haar greep te krijgen of te houden, maar vanuit de gedachte dat de struktuur zo moet zijn dat de leiding de leden kan helpen en ondersteunen. *In de plaats van de 'span of control' als het beheersende gezichtspunt, treedt de 'span of support'.*

Een dergelijk leiderschap dat het karakter van haar funktie ziet als dienst en dat ruimte wil scheppen voor mensen om hun capaciteiten in dienst te stellen van de organisatie, is vooral wenselijk als de organisatie door allerlei veranderingen in de omgeving voor de uitdaging staat zich te vernieuwen. Dat lijkt mij de boodschap van Burns en Stalker in hun beschrijving van het 'management of innovation'.

Hierin ontwikkelen zij twee typen regimes: het mechanische en het organische regime. Het *mechanische regime* heeft de volgende kenmerken: de verschillende taken worden als zelfstandige eenheden gezien; de koördinatie van die afzonderlijke taken wordt verricht door de naast hogere chef; ieders rechten en plichten zijn precies afgebakend en liggen vast; kommunikatie is voornamelijk vertikaal: informatie naar boven en instrukties naar beneden; de werkzaamheden worden bepaald door instrukties van de chef; loyaliteit en gehoorzaamheid zijn voorwaarden voor het lidmaatschap; samenwerking en kontrole wordt bewerkstelligd door de hiërarchie die funktioneert als bevelsstruktuur; men gaat er van uit dat de ambtshiërarchie tevens de deskundigheidshiërarchie is.

Het *organische regime* heeft de volgende kenmerken: de verschillende taken worden gezien in het kader van de totale doelstelling van de organisatie; koördinatie vindt plaats door onderlinge kommunikatie; de taken zijn flexibel vastgesteld en veranderen als dat zinvol is; kommunikatie in alle richtingen (op-, neer- én zijwaarts); de werk-

zaamheden worden mede bepaald door informatie en advies van de chef; toewijding aan de algehele doelstelling is voorwaarde voor het lidmaatschap; dit regime ontleent haar drijf en spankracht niet zozeer aan sturing door de hiërarchie, maar aan gemeenschappelijke waarden en doelstellingen; de specifieke deskundigheid van de hiërarchische funktionaris bestaat uit het kunnen signaleren van problemen, niet in het oplossen daarvan; men laat met andere woorden de premisse varen dat de officieel verantwoordelijke chef in alle opzichten ter zake kundig is.
Naar de mening van Burns en Stalker kan het mechanisch regime goed funktioneren als de omstandigheden stabiel zijn. Verkeert een organisatie in een turbulente omgeving, dan is het organische regime doeltreffender.
Daarop wijst ook Zwart. Juist als een organisatie in onzekerheid verkeert schiet het autoritair en hiërarchisch leiderschap tekort. Dan is meer dan ooit nodig dat mensen, ,,samen (...) tasten naar datgene dat zich in een organisatie naar de toekomst toe wil verwerkelijken'' (1986,34e.v.).
De konklusie moet nu luiden dat leiding stimulerend werkt als zij gekarakteriseerd wordt als dienst. Maar waar is die dienst op gericht? Dat is de vraag naar de funkties.

funkties van de leiding Als regel worden twee leiderschapsfunkties onderscheiden, die in navolging van Bales veelal worden aangeduid als taakgericht en sociaal-emotioneel leiderschap. Zij worden ook wel aangeduid met de begrippenparen naar buiten en naar binnen gericht leiderschap, op 'goal achievement' en op 'group maintenance' gericht leiderschap, en ook met de begrippen 'concern for people and concern for production'. Die verschillen in terminologie zijn niet alleen terug te voeren op verschil in type organisatie waaraan een auteur kennelijk denkt, maar ook aan een verschil in niveau van analyse. Wordt gedacht aan het niveau van het individu, dan is er de neiging te spreken in termen van 'aandacht voor de persoon'; denkt men meer aan het niveau van de groep dan zal men eerder spreken van bijvoorbeeld 'group maintenance'. In het vervolg zal ik spreken van 'aandacht voor de zaak' en 'aandacht voor relaties' daar dit begrippenpaar naar mijn mening gebruikt kan worden in allerlei typen organisaties en voor beide niveaus.
Waar het nu om gaat is dat verschillende typen van leiding ontstaan door verschillen in de mate waarin aan beide funkties aandacht wordt besteed. Blake en Mouton drukken dit uit in een diagram waarin beide funkties worden afgezet op twee assen die ieder de vorm hebben van een 9-puntsschaal (zie figuur 2).

Figuur 2: Leiderschapstypen op basis van de dimensies 'zorg voor relaties' en 'zorg voor de zaak'

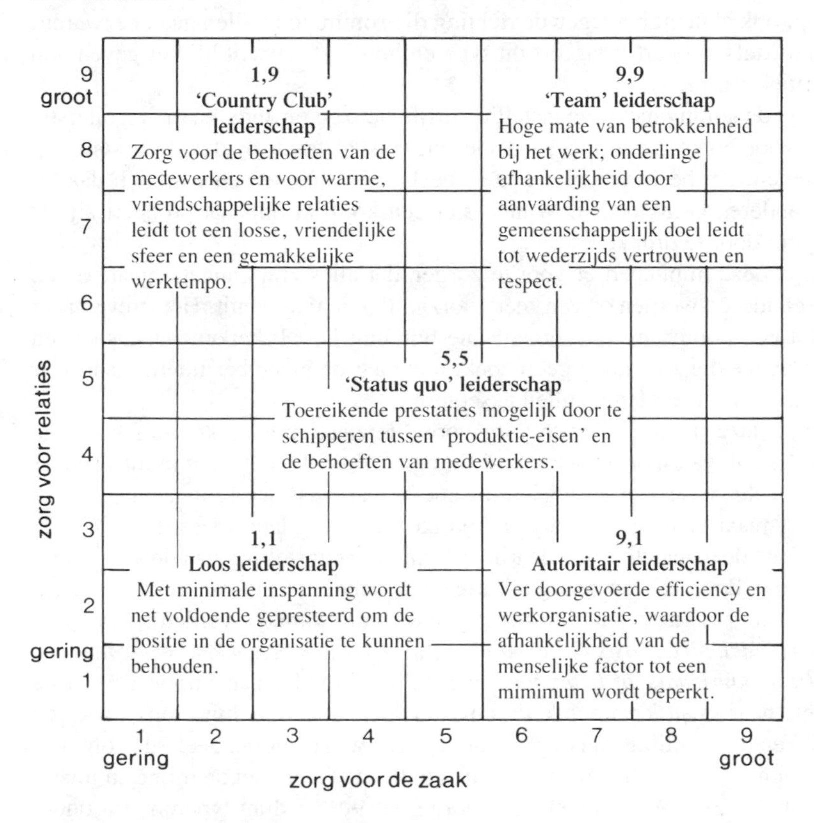

ontleend aan: R.R. Blake en J.S. Mouton, 1986, 25

Het cijfer 1 betekent een minimale aandacht, een 5 een gemiddelde aandacht en het cijfer 9 een maksimale aandacht. Deze cijfers stellen uiteraard geen absolute waarden voor, maar gradaties tussen een minimum en een maksimum. De kombinatie van de aandacht voor beide funkties geeft aan op welke wijze leiding wordt gegeven. Hoewel de kombinatiemogelijkheden zeer vele zijn — op basis van de 9-puntsschaal zijn er niet minder dan 81 kombinatiemogelijkheden — onderscheiden Blake en Mouton 5 hoofdtypen die zij aanduiden met cijfers die de positie in het diagram aanduiden en die kort als volgt getypeerd kunnen worden:

1.1.-instelling: deze wordt gekenmerkt door minimale zorg voor zowel 'de zaak' als 'de relaties'. Degene die zo leiding geeft blijft als het even kan neutraal, distantieert zich zoveel mogelijk van wat er aan de orde is, laat het nemen van beslissingen aan anderen over en probeert buiten konflikten te blijven.

1.9.-instelling: deze instelling is er vooral op uit de relaties goed te houden; om de lieve vrede te bewaren wil dit type het anderen niet moeilijk maken en stelt het zich meegaand op, ook al heeft het tegen de richting die sommigen willen gaan bezwaren. Als er iets positiefs gebeurt, reageert dit type enthousiast, terwijl hij het geven van negatieve kritiek vermijdt.
9.1.-instelling: de leiding met deze instelling drijft zichzelf en anderen tot het uiterste; zij komt op voor eigen opvattingen en ideeën, ook al trapt zij daardoor soms op andermans tenen. Zij hecht er ook aan zelf besluiten te nemen en laat zich daarbij zelden door anderen beïnvloeden. Wanneer er een konflikt ontstaat probeert zij het eigen standpunt door te drukken.
5.5.-instelling: deze impliceert er voor te zorgen dat alles zijn gangetje gaat. Eigen opvattingen en ideeën worden op een zeer voorzichtige manier geuit. Het streven is er op gericht tot een kompromis te komen. Die houding is ook herkenbaar als er een konflikt is. Degene die zo leiding geeft zoekt niet naar de juiste besluiten, maar naar werkbare besluiten, die anderen zullen aksepteren.
9.9.-instelling: deze integreert grote zorg voor 'de zaak' met grote zorg voor 'de relaties'. De nadruk valt hier op het woord 'integreert' en dat betekent in dit verband dat degene die volgens deze instelling leiding geeft niet afwisselend aandacht geeft aan beide funkties, maar beide gelijktijdig en bij elke beslissing laat 'meespelen'. Op de achtergrond staat de gedachte — en daarin verschilt deze instelling van de vier eerder genoemde — dat 'de zaak' van de organisatie en de behoeften en wensen van mensen niet per sé elkaars konkurrenten zijn, maar geïntegreerd kunnen worden. *,,En dat is mogelijk als de leden bij de vaststelling van 'de zaak' worden betrokken, waardoor 'de zaak' wordt tot 'hun zaak' of beter tot 'onze zaak'* '' (111). Dat impliceert dat de leiding streeft naar open kommunikatie en zich toelegt op het luisteren. Blake en Mouton drukken de instelling van degene die op deze wijze leiding geeft als volgt uit: ,,Ik moedig meningen, houdingen en ideeën aan die afwijken van de mijne en luister daar goed naar'' (129). Woorden en zinnen die het 9.9.-gedrag typeren zijn onder meer: 'eerlijk en recht door zee'; 'besluitvaardig'; 'vernieuwend'; 'maakt zaken af'; 'prioriteiten zijn duidelijk'; 'stelt uitdagende doelen'; 'stimuleert participatie'.
Voor onze thematiek is nu vooral van belang dat zij met nadruk stellen dat het plezier in, en het effekt van de participatie er beide in hoge mate mee gediend zijn als de leiding er in slaagt 'de zorg voor de zaak' en 'de zorg voor de relaties' te integreren. Die stelling wordt ook onderstreept door anderen, bijvoorbeeld ook in het denken van de beweging MANS, waarin als de twee peilers van het moderne management worden beschouwd de zorg voor de (kwaliteit van) de zaak en het serieus nemen van mensen. Met nadruk wordt het belang van de integratie van beide funkties ook naar voren gebracht door Likert die de beide funkties in de volgende vier gedragsvormen konkretiseert:

- *het geven van 'support'*, dat wil zeggen in houding en gedrag duidelijk maken dat de leiding mensen belangrijk vindt en hen beschouwt als mens, als subjekt. In hoeverre de leiding 'supportive' is blijkt onder meer uit de mate waarin zij geïnteresseerd is in de mening, opvattingen en problemen van de leden

- *het helpen bij het werk*, onder meer door hun informatie te geven en ook verder op alle mogelijke manieren van dienst te zijn om hun werk goed te doen
- *het beklemtonen van het belang van de doelen*, het gaat hierbij vooral om twee aspekten: hoge eisen stellen aan zichzelf en aan anderen; duidelijk maken dat 'de zaak' waarvoor zij met elkaar staan belangrijk is. Dat laatste betekent dat de leiding als het ware *haar geloof in de zaak moet uitstralen*
- *het bevorderen van samenwerking* tussen mensen en groepen en stimuleren dat zij samen een antwoord zoeken op gemeenschappelijke vragen en elkaar wederzijds helpen.

Terecht zegt Likert dat zó leiding-geven een positief beeld van de 'gewone' organisatieleden veronderstelt, want de leiding ,,cannot deal openly and supportively with others unless they have confidence in their abilities, judgment and integrity and have trust in them'' (1976,117).
Zo leiding-geven, aldus Likert, bevordert in hoge mate dat mensen met plezier meedoen en dat 'de zaak' aan kwaliteit wint.

> Likert voegt hier nog aan toe dat alle vier gedragsvormen belangrijk zijn maar dat de meest fundamentele is ,,the principle of supportive relationships'' (1976,108). Bij die uitspraak, typerend voor iemand uit de revisionistische stroming, zijn verschillende kanttekeningen te plaatsen, in het bijzonder vanuit de onderzoekingen van Fiedler (zie bijv. Fiedler c.s.,1977). Deze maakt namelijk aannemelijk dat er een verband is tussen de effektiviteit van de leiding en de kenmerken van de situatie waarin leiding gegeven moet worden. Dat impliceert dat niet in het algemeen gezegd kan worden welk aspekt 'moet' overheersen. De situatie spreekt een woordje mee. Met het oog op het leiding-geven zijn drie situatieve faktoren van belang: de aard van de relatie tussen de leiding en de leden (die kan variëren van positief tot negatief), de doelstelling (duidelijk of onduidelijk) en de machtspositie van de leiding (groot of klein). De situatie is gunstig voor de leiding, aldus Fiedler, als de relatie tussen leiding en leden zeer positief is, de doelen helder zijn en tevens duidelijk is dat deze maar op één manier te realiseren zijn, en de machtspositie onaangevochten is. Ongunstig is de situatie als het tegendeel het geval is. De theorie van Fiedler luidt dat in situaties die bijzonder gunstig of bijzonder *on*gunstig zijn een meer taakgerichte leider de meest aangewezen vorm voor leiding-geven is, terwijl in de minder ekstreme situaties de meer relatiegerichte leiding vooral op haar plaats is. Het gaat hier overigens om een verschil in aksent: in beide leiderschapsoriëntaties van Fiedler komen beide funkties aan de orde. De onderscheiding van Fiedler in taakgerichte en meer relatiegerichte leiders moet dan ook niet verward worden met resp. de 9.1.- en de 1.9.-instelling van Blake en Mouton. De theorie van Fiedler doet dan ook niets af aan de stelling dat stimulerend leiderschap de beide funkties integreert.

De vraag is nu aan de orde op welke manier de leiding beide funkties kan vervullen. Dat is de vraag naar de stijl.

stijl van leiding-geven Een interessante visie hierop heeft Bornemann. Getrouw aan het uitgangspunt dat het beter is één auteur wat uitgebreider te bespreken dan vele slechts summier, gaan we op zijn theorie wat nader in. Hij onderscheidt twee stijlen die hij resp. aanduidt als de autoritaire en de koöperatieve stijl (Bornemann, 1962, 105e.v.). De laatste wordt ook wel aangeduid als de sociaal-integratieve stijl.

Kenmerkend voor een stijl acht hij vooral de middelen waarmee een leider anderen er toe poogt te brengen bepaalde taken uit te voeren. Bij middelen denkt hij vooral aan technieken als: het gezag van het (eigen) ambt benadrukken, beloningen in het vooruitzicht stellen, het idealiseren van de taken, zakelijke argumentatie, gemeenschappelijk overleg, en dergelijke. Die verschillende middelen die leiders hanteren appelleren aan verschillende motieven van de leden. Het beklemtonen van het gezag, wijzen op het gewicht van het ambt doet vooral een beroep op gehoorzaamheid; het beloven van beloningen op bezitsdrang; zakelijk argumenteren vooral op inzicht en medeverantwoordelijkheid; gemeenschappelijk overleg appelleert vooral aan mondigheid en eigen verantwoordelijkheid.

Deze en andere middelen kunnen worden gerangschikt in een volgorde die loopt van autoritair naar koöperatief (Figuur 3).

Aan de pool van de autoritaire stijl staat het beroep op het ambt; aan de pool van de koöperatieve stijl van leiding-geven, het gemeenschappelijk overleg. Deze twee middelen zijn typerend voor deze twee stijlen. Van de andere middelen geldt dit niet of in veel mindere mate, daar zij niet eksklusief in één leiderschapsstijl worden toegepast. Daarom kunnen we om de stijl van iemands leiding vast te stellen niet afgaan op één middel, zeker niet als dat middel tussen de polen ligt, maar moet gelet worden op het geheel van middelen dat gehanteerd wordt.

De *leiderschapsstijl* heeft vergaande gevolgen onder meer voor de *aard van de relatie* tussen de leiding en de leden. Typerend voor de autoritaire leiderschapsstijl is afstand en bovenschikking, voor de koöperatieve stijl: nabijheid en nevenschikking. Ook op de *instelling van de leider* tegenover de leden heeft de leiderschapsstijl gevolgen: de autoritaire leider houdt van volgzame mensen en waardeert gehoorzaamheid en discipline; de koöperatieve houdt van karakters en waardeert ,,freie, geistig selbständige Menschen''. De stijl van leiding-geven heeft eveneens invloed op de instelling van de leden: zij die autoritair geleid worden voelen zich vaak niet geheel begrepen en gewaardeerd en soms ook kortgehouden en onderdrukt; zij daarentegen die te maken hebben met een koöperatief ingestelde leider voelen zich als persoon gewaardeerd en begrepen. Eén en ander heeft ook gevolgen voor het *klimaat in de groep*. Het klimaat in de autoritair geleide groep geeft hij aan met de termen ,,leicht gespannt, Gefahr des gegenseitigen Mißtrauens, Cliquenbildung''; de sfeer in de koöperatief geleide groep tendeert meer naar ,,Vertrauen, innere Einheit und Harmonie'' (113).

Van belang is nog er op te wijzen dat elke stijl, eenmaal werkzaam, de neiging heeft zichzelf te bevestigen. De koöperatieve leiding, die zelfwerkzaamheid en medeverantwoordelijkheid bewerkt, wordt namelijk in haar stijl bevestigd, als haar leden het in hen gestelde vertrouwen waarmaken. De autoritaire leiding daarentegen, die de groep

Figuur 3: Motivation im Führungsprozess

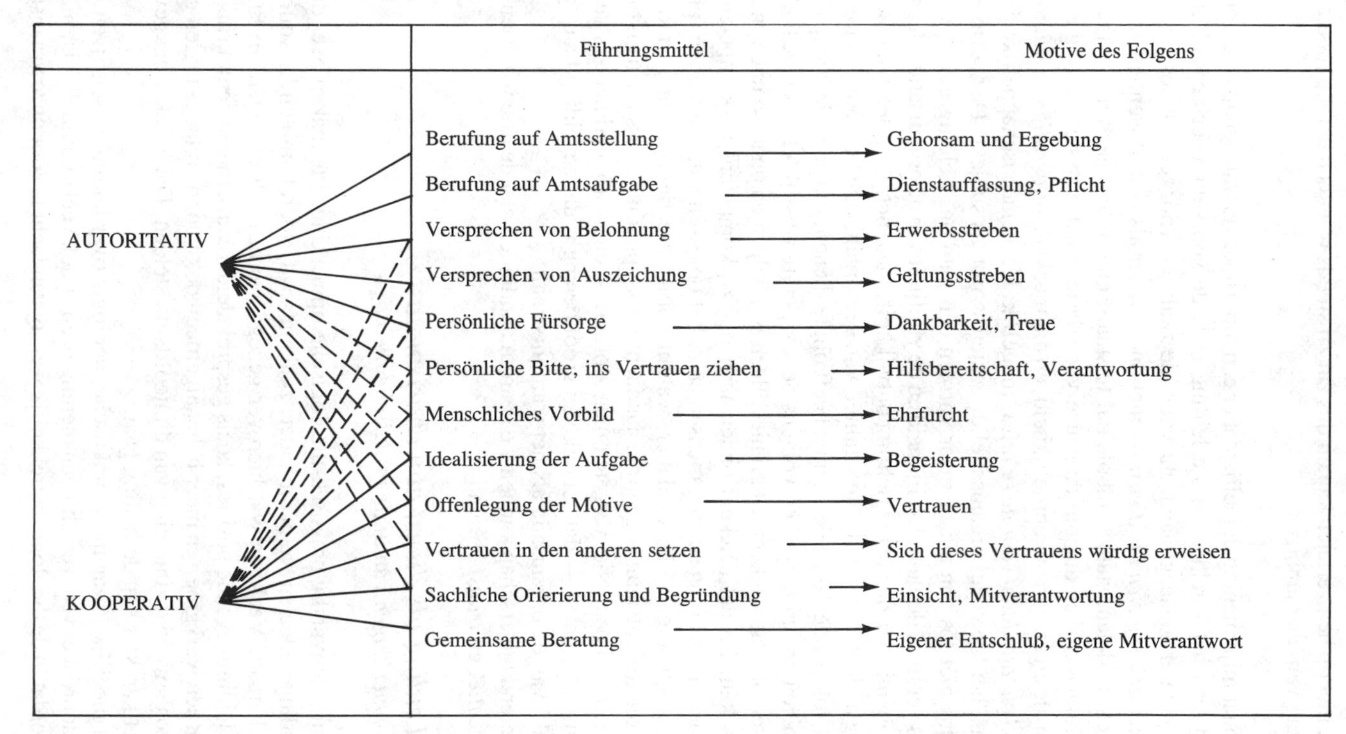

ontleend aan: E. Bornemann, geciteerd door N. Glatzel, 1976, 113

niet leidt tot zelfstandigheid en het dragen van verantwoordelijkheid, zal ervaren dat zij zich niet op hen verlaten kan en dus zal zij steeds weer een beroep moeten doen op het gezag van haar ambt.

Het is naar mijn mening duidelijk dat er een innerlijke verwantschap is tussen de wijze waarop men het karakter van de leiding ziet, de voorkeur voor de stijl en de mate waarin men er in slaagt aandacht voor 'de zaak' en voor 'de relaties' te integreren. Konkreet: *leiding zien als dienst* — met onder meer als konsekwenties de bereidheid om macht te delen, statussymbolen af te staan, en om te luisteren — vraagt om *een koöperatieve stijl* en dus om de keuze voor de techniek van het overleg en voor het appèl op de eigen verantwoordelijkheid, en dat maakt *de integratie van 'aandacht voor de zaak' en 'aandacht voor de relaties'* mogelijk. Het gemeenschappelijke hierin is dat de mens, het 'gewone' organisatielid, gezien wordt als subjekt. Deze drie elementen staan dus niet los van elkaar maar vormen één patroon. Leiding geven volgens dat patroon vergroot de aantrekkelijkheid en de vitaliteit van de organisatie. Het stimuleert dat de organisatie zich in die richting ontwikkelt, maar het garandeert dat niet, want er zijn nog andere faktoren die de vitaliteit van een organisatie bepalen. En bovendien is het niet voldoende dat zij de intentie heeft om te dienen, om de leiderschapsfunkties te kombineren en om te werken volgens de koöperatieve stijl. Het is ook nodig dat zij kompetent is; dat betekent dat zij niet alleen wíl helpen en ondersteunen, maar dat zij dat ook kán. En dat betekent onder meer dat zij kompetent is; kompetent op haar vakgebied, in het omgaan met mensen en in het oplossen van problemen (prioriteiten stellen, gesprekken zó leiden dat er 'wat uit komt', kreatief omgaan met konflikten). Vanuit dit gezichtspunt is de grote aandacht voor opleiding, kursussen en bijscholing geheel te begrijpen. Niet vergeten mag worden — en daarom zij het ons vergund het nog eens te herhalen — dat het ook van groot belang is dat de leiding haar 'geloof' in 'de zaak' van de organisatie als het ware uitstraalt.
Stimulerend leiderschap kunnen we daarom aanduiden met de drie woorden: *intentie*, *kompetentie*, en *transparantie*.

4.3. Leiding als dienst aan charismata
opmerkingen vanuit de praktische theologie

Het is niet eenvoudig praktisch-theologische opmerkingen te maken over de leiding. Met leiding bedoelen we in dit kader, zoals gezegd, vooral ambtelijke kolleges zoals een kerkeraad. Veel van wat hierover gezegd wordt geldt overigens evenzeer voor andere leidinggevende posities, zoals gespreksleider van een gemeentekring, voorzitster van een werkgroep en meer in het algemeen ook voor de relaties tussen gemeenteleden zoals we in de inleiding van dit hoofdstuk stelden. Dat is zeker het geval als het over het karakter van de leiding gaat.
Dat het moeilijk is vanuit de praktische theologie over leiding te schrijven komt niet alleen doordat er veel verschil van mening is en er ook veel onduidelijk is, maar vooral ook doordat in de theologie betrekkelijk weinig aandacht is voor onze vraagstelling. In

de theologie gaat het met betrekking tot het ambt immers meer over vragen als die naar zijn oorsprong (van boven of beneden), zijn gezag en de grond van zijn gezag, dan over de voor de praktijk van de opbouw van de gemeente zo belangrijke vraag hoe zo leiding kan worden gegeven dat mensen met plezier en met effekt mee kunnen doen. De in hoofdstuk 1 gesignaleerde scheiding tussen de normatieve en de empirische benadering èn tussen belangstelling voor het wezen bijvoorbeeld van het ambt enerzijds en voor processen en strukturen anderzijds leidt hier tot het risiko van het uit elkaar groeien van ambtstheologie en ambtspraktijk, tot schade van beide. De geringe aandacht van de theologie voor onze vraag dwingt er toe ons te beperken tot de vraag in hoeverre de elementen die we in het voorgaande beschreven als effektief, theologisch gezien ook aanvaardbaar zijn.

het karakter van het ambt Uiteraard is het hier niet de plaats een historisch overzicht te geven van de ontwikkeling van het denken over het ambt. Wel is het relevant hier te vermelden dat in de eerste christelijke gemeenten leiding in de zin van een persoon die, of een kollege dat speciaal is belast met het geven van leiding nauwelijks voorkomt (dat blijkt uit de brieven van Paulus) of slechts in een zeer beperkte zin (de brieven van Petrus) (zie Barrett,1988,31,40).
Maar er werd uiteraard wel leiding gegeven: er werden impulsen gegeven om een bepaalde richting in te gaan, er was zorg voor de eenheid van de gemeente, aandacht voor hen die het moeilijk hadden, er werden middelen gezocht en gevonden om het funktioneren van de gemeente mogelijk te maken, waarbij we kunnen denken aan geld maar ook aan de huizen van welgestelden waarin de (kleine) gemeenten konden samenkomen. Zo is er wel meer te noemen. Kortom, leiding in de zin van een funktie was er wel degelijk, maar deze was gespreid over vele gemeenteleden, in principe over allen. Zo kan Barrett zeggen dat in de brieven van Paulus ieder lid van de gemeente een ambt bekleedde. Daarvan waren geen handelingen uitgezonderd, ook niet die welke thans vrij algemeen aan ambtsdragers zijn voorbehouden zoals het oefenen van tucht — ,,Vermaant elkander'' (I Thess.5:11) — en het voorgaan in de eredienst. Zo beschrijft Paulus de eredienst van de gemeente niet als voortkomend uit een liturgische orde, maar uit spontane bijdragen vanuit de gehele gemeente; als zij samenkomt heeft iedereen iets: een psalm of een lezing of een openbaring of een tong of een uitlegging (I Kor.14:26).
Allen hadden daar deel aan en allen waren daartoe in staat — niet minder belangrijk: zij allen werden daartoe in staat geacht door mensen met groot gezag zoals Paulus — omdat zij, zoals wij in het vorige hoofdstuk reeds vaststelden, charismata hadden ontvangen van de Geest, genadegaven. Wat deze vermogens van mensen tot charismata maakt, is dat zij door de ontvanger worden gebruikt om de ander en de opbouw van de gemeente te dienen; daaraan zien we of we te maken hebben met menselijke mogelijkheden zonder meer, die als zodanig ook gebruikt kunnen worden om er zelf beter van te worden (bijvoorbeeld door het verwerven van macht, aanzien, rijkdom) of met charismata. Het karakter van die charismata is dienst.
Deze manier van leiding-geven, waarbij de leiding dus was gespreid over in principe

alle leden, werd mede mogelijk gemaakt doordat die eerste gemeenten betrekkelijk kleine groepen waren (huisgemeenten). Deze kunnen het uiteraard gemakkelijker stellen zonder speciaal voor het geven van leiding aangestelde funktionarissen en kolleges dan grotere groepen, hoewel ook kleine groepen soms belemmerd kunnen worden in hun funktioneren door het ontbreken van dergelijke mensen. Maar in ieder geval, als groepen groter worden is het ontstaan van specifieke funktionarissen en kolleges onvermijdelijk.
Geleidelijk aan komen die er dan ook. Dat is weliswaar een nieuwe situatie, maar het betekent geen breuk met het eerste begin, want ook voor die nieuwe formele rollen en posities blijven de oude karakteristieken gelden.
Dat betekent allereerst dat het vermogen om leiding te geven wordt gezien als een charisma, ontvangen van dezelfde Geest die ook de andere charismata geschonken heeft. Dat betekent dat de 'geestelijke legitimering' voor ambtsdragers en gelovigen principieel gelijk is. Daarom kan Häring, aan wie ik deze woorden ontleen, het ambt dan ook noemen een ,,charisma onder de charismata'' (1979,84). De een heeft dit charisma, de ander dat, zij zijn alle nodig en geen kan gemist worden. Dat wordt verduidelijkt met het beeld van het lichaam waarin het ene lid niet tegen het andere kan zeggen, ik heb u niet nodig (I Kor.12:31). ,,Het oog kan niet zeggen tot de hand: 'Ik heb u niet nodig', of ook het hoofd tot de voeten: 'Ik heb u niet nodig''. Het ene charisma is dan ook niet belangrijker dan het andere; van een hiërarchie in charismata kan dan ook geen sprake zijn en als er al een rangorde bestaat, dan in een zin die haaks staat op die welke in de samenleving gangbaar is. Ook dat illustreert Paulus met hetzelfde beeld van het lichaam (I Kor.12:22).
Het feit dat leiding-geven gezien wordt als een charisma betekent in de tweede plaats dat het wezen van leiding-geven dienen is, en niet heersen. Dit impliceert ook verzet tegen het denken in schema's van boven- en onderschikking, van leiders en volgelingen, van priesters en leken, van meesters en knechten. Dit verzet is als een echo op het woord van Jezus tot zijn discipelen: ,,Gij zult u niet rabbi laten noemen; want één is uw Meester en gij zijt allen broeders'' (Matt.23:8).
Het karakter van het ambt is dus dienst. Dat is zijn rol. En omdat altijd weer het gevaar dreigt dat de leiding zich toch weer ontwikkelt in de richting van heerschappij uitoefenen, met daarmee verbonden het najagen van macht, waardigheid en eer, wordt voor de leiding een woord gebruikt dat alle associaties daarmee mist: 'diakonia' (Schweizer,1962,157). Ambtsdragers zijn dienaren naar het voorbeeld van Jezus Christus, die niet gekomen is om zich te laten dienen, maar om te dienen. De bij die rol passende symbolen zijn het wasbekken en de handdoek; gerei om voeten te wassen. Je kunt dan ook zeggen dat als ergens leiding-geven gezien wordt als dienen en als ergens de nadruk wordt gelegd op 'de-emphasizing status', dan wel in de gemeente. Het is werkelijk 'minder dan het gewone'.
Het karakter van het ambt is dus, evenals dat van de andere charismata, dienst. Het specifieke van de dienst van het ambt is, aldus Versteeg, dat zij nader te typeren is als dienst aan de charismata. Hij wijst er op dat Paulus in het beeld van de gemeente als lichaam het ambt vergelijkt met de pezen in het lichaam. In de vroegere opvatting

hebben pezen twee funkties: zij houden het lichaam bijeen en zij fungeren als kanalen waarlangs het lichaam zijn voedsel ontvangt. Naar analogie hiervan stelt hij dat het ambt een tweeledige dienst heeft te vervullen: hij moet de verschillende charismata op elkaar afstemmen, hetgeen nodig is omdat zij niet automatisch samenwerken; en hij moet de charismata helpen hun dienst te verrichten, hen helpen en inspireren en hen toerusten tot dienstbetoon.
Door de dienst van de leiding worden de charismata dus niet uit-, maar ingeschakeld. In de situatie van vandaag betekent dit bijvoorbeeld konkreet: als kerkeraad niet het werk van een vrouwengroep die zich heeft bezig gehouden met kinderen aan het avondmaal nog eens overdoen; niet de vredeswerkgroep op afstand houden; niet het werk van de liturgiekommissie nog eens proberen te verbeteren. De eigenlijke taak van de kerkeraad is deze en andere groepen te dienen, wat konkreet betekent:

- hen ondersteunen en helpen hun werk te doen; met geld, ruimte, informatie, aanmoediging, bemoediging, vragen
- voor hen ruimte maken in de gemeente en hen in relatie brengen met de andere diensten in de gemeente, zodat zij met hun charisma de opbouw van de gemeente kunnen dienen.

Zo wordt de gemeente tot een welsluitend geheel, bijeengehouden door de dienst van al zijn geledingen.
Deze nadere typering van de rol van het ambt als dienaar van de charismata, maakt ook nog eens duidelijk wat haar plaats is: zij staat niet bovenaan, maar onderaan, ,,in feite onderwerpt zich de leider aan hen, die hij had kunnen overheersen'' (Barrett,1988,40). Daarmede is het beeld rond: rol, statussymbolen en positie zijn met elkaar in harmonie.
Dat de realiteit zo niet is, althans lang niet altijd, dat is overigens duidelijk. En dat hier grote problemen liggen is ook duidelijk. In de slotparagraaf komen we daar nog op terug. Nu beperken wij ons tot de konklusie dat leiding zien als dienst een voluit theologisch gegeven is.

om de identiteit van de gemeente Het karakter van het ambt is dus dienst, maar waar is deze dienst op gericht? Anders gezegd, welke zijn de funkties van het ambt? In kerk en theologie lijkt er een zekere communis opinio over te bestaan dat het ambt als centrale funktie heeft de kerk, de gemeente, te bewaren bij het door de apostelen gelegde fundament. Daarover is men het dus eens, maar over de aard van de relatie tussen ambt en apostoliciteit wordt verschillend gedacht. Globaal genomen zijn er twee richtingen te onderscheiden: de christologische, die heel pregnant naar voren komt in de rooms-katholieke opvatting van de apostolische successie, waarin een direkte, in personen zichtbare lijn gezien wordt van en naar Jezus Christus en de pneumatologische benadering die vooral leeft in de kerken van de reformatie en waarin sterk benadrukt wordt dat de Heilige Geest rechtstreeks werkt in en door de gemeente. Hoe het ook zij, de eigenlijke funktie van het ambt is de gemeente te bewaren bij het door de apostelen gelegde fundament. Dat betekent ook dat het ambt de gemeente er als het ware steeds weer aan moet herinneren wie zij is en wat haar opdracht is. Firet

formuleert de centrale opdracht van het ambt als aandacht hebben ,,voor de vraag 'zijn wij gemeente van de Heer, zijn wij bezig met de zaken van de Heer, zijn wij 'kerk'?' '' (1980,135).
Ik meen dit zo te mogen lezen dat in de eerste deelvraag het aksent ligt op de woorden 'van de Heer', in de tweede op 'de zaken', terwijl de derde subvraag tot uitdrukking brengt dat de beide vorige vragen onlosmakelijk met elkaar verbonden zijn. Als we die vraag zo opvatten kunnen we ook zeggen dat de centrale funktie van het ambt is de gemeente te bewaren bij haar identiteit, want bij identiteit gaat het zoals in hoofdstuk 8 zal worden uiteengezet om de twee met elkaar verstrengelde vragen: 'Wie zijn we?' en 'Wat is onze missie?', of meer inhoudelijk geformuleerd: 'Is de gemeente werkelijk een gemeenschap waarin de verbondenheid met de Heer en met elkaar konkreet beleefd wordt?' en 'Is de gemeente zich bewust van haar opdracht voor de wereld?'.
Als bezig zijn met deze vragen de eigenlijke funktie van het ambt is dan dient dat uiteraard tot uiting te komen in het feitelijke werk van de ambtsdragers en dus ook in de agenda van de kerkeraad. Uiteraard moeten die beide identiteitsvragen nader worden gekonkretiseerd (zie hoofdstuk 7.3). Nu gaat het er slechts om te beklemtonen dat het noodzakelijk is dat de gemeente telkens weer wordt gekonfronteerd met de vraag hoe zij in haar situatie gemeente van Jezus Christus wil zijn. Dat kan in verschillende kaders: tijdens huisbezoek, in kleine groepen en in samenkomsten die op de gehele gemeente zijn gericht (kerkdiensten, gemeenteberaden). Dat betekent niet dat de ambtsdragers primair met antwoorden op deze vragen moeten komen en de gemeente daarmee dienen te konfronteren. Leiding opvatten als dienst betekent in dit verband gemeenteleden en groepen in de gemeente met deze vragen konfronteren en hen helpen hiermee op een vruchtbare wijze bezig te zijn.
Maar ook de ambtsdragers zelf zullen met deze vragen bezig moeten zijn èn als personen èn als kollege. Beleef ik zelf, beleven wij zelf de verbondenheid met de Heer en met elkaar (koinonia)? Zijn wij ons bewust van onze opdracht? Die bezinning is voor het leiding-geven onmisbaar. Want alleen dan zal de leiding het belang van 'de zaak' als het ware kunnen uitstralen (vgl. Firet,1989 en Derksen,1989).
Deze twee vragen zijn naar mijn mening een theologische uitwerking van de beide leiderschapsfunkties die in het voorgaande werden getypeerd als 'zorg voor de zaak' en 'zorg voor de relaties'. In het ambt gaat het er om dat de 'zorg voor de gemeenschap' (waarin de verbondenheid met de Heer en met elkaar beleefd wordt) en de 'zorg voor de zaken van de Heer' niet na of naast elkaar aan de orde komen, maar geïntegreerd. Ontkoppeling van beide funkties betekent maar niet dat één van de twee funkties verwaarloosd wordt, maar ook dat die ene funktie die behartigd wordt, aan kwaliteit verliest. We kunnen 'de zaak' niet bevorderen, zonder aandacht te hebben voor 'de gemeenschap'. En omgekeerd: 'de gemeenschap' kan niet worden bevorderd door 'de zaak' maar even te vergeten.
Bovendien leidt het verwaarlozen van een van beide funkties tot een vermindering van de vitaliteit van de gemeente. Behartiging van 'de zaak' zonder rekening te houden met 'de relaties' leidt gemakkelijk tot destruktieve konfliktprocessen (Hendriks/Stoppels,1986). Omgekeerd leidt aandacht voor 'de relaties' zonder 'de zaak' daarbij te

betrekken tot weinig inspirerende en zeker op den duur, zelfs vervelende aktiviteiten en bijeenkomsten. Beide funkties zijn nodig, en beide moeten gelijktijdig behartigd worden.
Niet alleen met het oog op het effekt, maar vooral ook omdat dit wezenlijk is voor pastoraat. En dat is hier van belang, want, zo zegt Firet, ,,*Leiding geven in de kerk* (en daarbij is uitdrukkelijk ook te denken aan leiding-geven in bestuurlijke zin) *is een pastorale aktiviteit*''. Het is te simpel om te zeggen: Jezus gaf Petrus niet de opdracht 'bestuur mijn kerk', maar hij gaf hem drie maal de opdracht 'weid mijn schapen' (Joh. 21:15-17). Het is echter bijbels-theologisch gemakkelijk aan te tonen, dat in de herder-metafoor het leiding-geven, in de zin van besturen, en het geven van behoedzame, barmhartige aandacht samenvloeien en tot een eenheid versmelten. Een indrukwekkend voorbeeld daarvan biedt Ezechiël 34. De 'herders van Israël' die daar worden aangesproken zijn de regenten, de bestuurders van het volk. De profetische kritiek richt zich op hun bestuurlijke aktiviteit. Zij zijn daarin tekort geschoten. Was het door hun nalatigheid een administratieve chaos geworden, of iets dergelijks? Nee, misschien liep alles gesmeerd. Dít is de kritiek: ,,De schapen weidt gij niet; zwakke versterkt gij niet, zieke geneest gij niet, gewonde verbindt gij niet, afgedwaalde haalt gij niet terug, verlorene zoekt gij niet'' (Ez.34:3,4). Leiding geven in de kerk (zowel op de schaal van de 'meerdere vergaderingen' tot en met de synode, als op de schaal van de plaatselijke gemeente) is in zijn kern pastoraat. Soms lijkt het alsof leidinggevende organen dit niet goed beseffen. Als er ingrijpende besluiten worden genomen, met name als het besluiten zijn waarvan duidelijk is dat veel kerkleden er moeite mee zullen hebben, wordt meestal de pastorale verantwoordelijkheid wel bedacht. Het gebeurt bij voorbeeld dat een synode een uitspraak doet met betrekking tot een of andere zaak en dan vervolgens uitspreekt, dat aan degenen die moeite hebben met deze uitspraak pastorale zorg moet worden besteed. Pastoraat lijkt dan een EHBO-wagen te zijn die achteraan de stoet meerijdt: wie ten gevolge van het leiding-geven gewond werd kun je niet aan z'n lot overlaten. Dit is op zichzelf niet onjuist. Maar belangrijker is, dat (naast andere elementen) de pastorale zorg van meet af aan in het overleg, het besluit, mede-bepalend aanwezig is. Leiding geven in de kerk, is ten diepste niet: er voor zorg dragen dat de organisatie effektief werkt, dat de zaken rationeel en helder geregeld worden, dat er ferme uitspraken worden gedaan, enz. Het is wezenlijk 'pastoraat': ,,mensen helpen de weg te vinden naar die ruimte waar zij kunnen opademen en in aktie komen, waar zij worden gekorrigeerd, bemoedigd en aangevuurd'' (Firet/Hendriks,1986,158e.v.).
Aandacht voor 'de zaak' en aandacht voor 'de relaties' zijn dus niet elkaars tegenpolen zoals in diskussie over 'pastoraat' en 'profetie' ten onrechte nogal eens gesuggereerd wordt; zij hangen integendeel onverbrekelijk samen, omdat leiding-geven in de kerk een pastorale aktiviteit is. En dat betekent dat de integratie van beide funkties niet alleen empirisch gezien effektief is, maar theologisch gezien ook geboden is.

de pastorale stijl De dienst van het ambt, zo kunnen we het voorgaande samenvatten, heeft als funktie de gemeente te helpen om te leven in overeenstemming met haar

identiteit. Hoe het ambt die dienst kan vervullen en van welke middelen zij zich daarbij kan bedienen is een vraag naar de stijl van leiding-geven. Die vraag kan niet los gezien worden van het voorgaande, want de stijl moet in harmonie zijn met het karakter van de leiding als dienst. En dat betekent negatief dat zij niet een bepaald gedrag van de leden mag afdwingen, bijvoorbeeld door zich te beroepen op haar positie. Het ambt ,,mag zich niet laten gelden, doordat er een formeel beroep gedaan wordt op een ambtelijke positie. Wanneer dat het geval is, verliest het ambt direkt zijn dienst-karakter. Het ambt gaat dan in het slechtste geval overheersen en in het beste geval bevoogden. In beide gevallen wordt het charismatisch karakter van de gemeente — zo men wil: de nieuwtestamentische mondigheid van de gemeente — miskend. Uiteraard kan dit gebeuren onder het mom van dienst'' (Versteeg,1985,31e.v.). En met name dat heersen is in strijd met het dienstkarakter van het ambt zoals we reeds zagen. Daarom vermaant Petrus ook de oudsten de kudde Gods te hoeden ,,niet als heerschappijvoerend over wat u ten deel gevallen is, maar als voorbeelden der kudde'' (I Petr.5:3).
Positief uitgedrukt kan worden gesteld dat het ambt haar dienst zo moet vervullen dat het subjekt-zijn van de leden wordt gehonoreerd. Dat is gegeven met het feit dat leiding-geven een pastorale aktiviteit is, want de intentie van het pastoraat kan worden omschreven als dienst aan het zelfstandig geestelijk funktioneren van mensen, dat betekent funktioneren als subjekt. Het pastoraat is er op gericht mensen te helpen tot verstaan en tot verandering te komen. Juist omdat het pastoraat uitgaat van het subjekt-zijn van de mens, betekent de dienst aan dit veranderingsproces niet het inprenten van waarden en het doorgeven van normen, maar heeft het ,,in eerste instantie te maken met het begeleiden van mensen op de weg, waarlangs zij bewustheid en geweten ontwikkelen'' (Firet,1983,475).
Een soortgelijke benadering vinden we bij Haarsma. Het doel van de pastorale leiding is 'christelijke rijpheid', welke insluit verantwoordelijkheid voor de ander en voor de mensengemeenschap. Dit vraagt om ,,een pastoraat waarin de vrijheid en deskundigheid van de leek erkend worden en de pastor niet diens verantwoordelijkheid overneemt, maar hem daarvan juist bewust maakt en hem helpt om haar op zich te nemen, ook en niet het minst in het maatschappelijk leven'' (1981,98).
Dat leiding-geven zo dient te gebeuren dat het subjekt-zijn van de mens wordt erkend, ja ondersteund, verduidelijkt Firet ook door er aan te herinneren dat voor God de mens subjekt is, dat God zó met de mens wil omgaan en dat wij naar dat voorbeeld ook de relaties tussen leiding en leden moeten vormgeven. Firet spreekt in dit verband over Mozes van wie geschreven staat dat de Heer tot hem sprak ,,van aangezicht tot aangezicht, zoals iemand spreekt met zijn vriend''(Ex.33:11). Daarbij wil hij niet over het hoofd zien dat Mozes een unieke plaats inneemt, maar daarmee verliest deze omgang voor ons niet zijn geldigheid als model. ,,De kommunikatie van aangezicht tot aangezicht in de 'Tent der ontmoeting' maakt expliciet, welke krachten werkzaam zijn in de Verbondsrelatie, en tekent daarmee het prototypische patroon van de kerkelijke bediening. Gesprek is niet de enige vorm van kerkelijke bediening, maar iedere realisering van het kerkelijk ambt moet wel worden gemodelleerd naar het patroon van het 'gesprek' '' (1983,477). Daarmee wordt het subjekt-zijn van de mens nog eens

onderstreept; immers één van de centrale kenmerken van het gesprek is nu juist de intersubjektiviteit. En dat begrip houdt in dat iedere partner in het gespreksproces een op zich staande persoon is, in staat aktief deel te nemen en autonoom te funktioneren. Daaruit mogen we konkluderen dat de autoritaire stijl, zoals in 4.2 beschreven niet het voertuig van het ambt kan zijn, want inherent aan die stijl is het streven mensen in een bepaalde richting te krijgen door te wijzen op het eigen ambt en door gehoorzaamheid te eisen. En dat doet tekort aan het subjekt-zijn van de mens. Het ambt vraagt daarom als het ware om de koöperatieve stijl want daarin wordt het subjekt-zijn van de mens gehonoreerd. En dat impliceert dat het ambt leiding dient te geven door gezamenlijk overleg en door een beroep te doen op de eigen verantwoordelijkheid.

Met betrekking tot het ambt zijn derhalve drie elementen van belang: het karakter, de wijze waarop de beide leiderschapsfunkties verbonden worden en de stijl. Haar karakter zien als dienst, leidt tot de mogelijkheid de 'zorg voor de gemeenschap' en de 'zorg voor de zaak' te integreren en vraagt als het ware om een koöperatieve stijl. *Het gemeenschappelijke element in deze drie is de erkenning van het subjekt-zijn van het 'gewone' lid van de gemeente*. Dat is het beslissende gezichtspunt en op grond daarvan is het ook beter niet te spreken van drie faktoren, maar van één faktor met drie dimensies.
Natuurlijk is het zo dat de relatie ambt — gemeente ook sterk beïnvloed wordt door allerlei veranderingen in de samenleving die ook in de kerk doorwerken: vermindering van het gezag als zodanig, de behoefte aan inspraak, ondersteund door de toegenomen scholing.
Bijbels-theologisch wordt de relatie tussen het bijzondere ambt en het 'ambt aller gelovigen' niet beheerst door geringschatting van het bijzondere ambt, maar door de hoogachting voor de 'gewone' leden, die immers gezien worden als leden van het koninklijk priesterschap en daarmede als subjekten die genadegaven hebben ontvangen op grond waarvan zij de opbouw van de gemeente kunnen dienen.
Dat is wat anders dan 'theorie Y'. Kilmann komt aan het einde van zijn beschouwing over leiding-geven met een serie regels voor het omgaan met mensen in de organisatie. Hiervan luidt de eerste: ,,Behandel mensen als gelijken.'' (z.j.,145). De gedachte van het algemeen priesterschap gaat veel verder: 'Jullie **zijn** gelijk'.
Dat mag natuurlijk niet het (vrome) einde zijn van alle diskussie, integendeel, er is alle reden de vraag van Barrett te herhalen, namelijk ,,of de kerk, in welke eeuw dan ook, het Nieuwe Testament werkelijk serieus heeft genomen — serieus genoeg: (...) of wij geloven dat ieder lid van de kerk in zekere zin een ambtsdrager is en in elk geval een priester, zodat de een de ander uitnemender acht dan zichzelf, zodat wij elkaar bemoedigen om ieder zijn eigen dienst te vinden en ieder zijn eigen roeping te volgen ten goede van allen'' (1988,104).
Maar zelfs als we het NT serieus nemen dan is het uiterst moeilijk ambt te praktiseren als dienst, want er werkt van alles tegen: een soms diep ingeslepen negatief beeld van 'gewone' gemeenteleden bij de leiding (dat zich soms uit in laatdunkend spreken en waardoor het veiliger lijkt de macht te concentreren), bij gemeenteleden soms ook een

laag zelfbeeld ('ik ben maar een gewone ...'), verwachtingen van gemeenteleden met betrekking tot het ambt die niet zelden een autoritair beeld van leiding-geven verraden, de taal die we gebruiken waarin de werkelijkheid zo nu en dan op haar kop wordt gezet (daartoe reken ik ook het haast onuitroeibare gebruik van predikanten om te spreken van 'mijn gemeente'; zo is het niet, immers niet zij hebben een gemeente, maar de gemeente heeft een predikant), de inrichting van menig kerkgebouw (de plaats van de ouderlingen was of is ook nog in vele gevallen vooraan, rechts van de kansel, op een verhoging; niet direkt de plaats waar je dienaren zoekt), de traditie (waarin ambt blijkbaar nauw verstrikt is geraakt met begrippen als opzicht en tucht, hetgeen nog steeds doorwerkt in de beeldvorming), de wijze waarop predikanten worden bevestigd (niet bepaald een voorbeeld van 'de-emphasizing status' en niet een gebeurtenis waardoor je spontaan op de gedachte van het algemeen priesterschap komt), de vergaderroutine (het uitnodigen van werkgroepen op de vergadering van de kerkeraad waarin hun werk aan de orde komt, waarin zij als het ware inschuiven in het programma van de kerkeraad, in zijn agenda, in zijn vergaderruimte, op zijn tijd — 'U vindt het wel goed dat we even dit punt afhandelen?' — en onder zijn leiding; kortom de hele enscenering wekt toch eerder de indruk dat je op het matje wordt geroepen dan dat je je nu samen gaat beraden; het doet toch eerder vermoeden dat het gaat om 'control' dan om 'support'. Het zou natuurlijk heel anders zijn als de kerkeraad aan een werkgroep vroeg of een paar kerkeraadsleden eens op een vergadering van hen konden komen).
Deze en andere omstandigheden, zetten ambtsdragers en gemeenteleden voortdurend op het verkeerde been. En dat kan er toe leiden dat we 'in de leer' wel onbevangen spreken over leiding als dienst, maar dat dit de praktijk nauwelijks beroert. Dat heb ik onlangs nog weer eens ervaren op een konferentie van ambtsdragers over leiding-geven. Aan het begin van die dag zette ik op een, op dergelijke dagen niet te vermijden flap het woord 'dienen' en vroeg wat men zich daarbij voorstelde. De kreativiteit was groot, maar er was er niet één die op het idee kwam dat je daarmee misschien de thematiek van die dag zou kunnen aangeven.
Het is niet eenvoudig leiding als dienst te praktiseren. Het is onmogelijk om abrupt uit een gegroeide situatie te treden; een geleidelijke ontwikkeling is de enig begaanbare weg. Die weg begint niet daar waar een leider besluit het anders te proberen, maar daar waar het inslaan van een nieuwe weg het resultaat is van gezamenlijk beraad. Dan is een dergelijk besluit zelf al een eerste stap. Het kan een heel belangrijke zijn, met name — als we de OO mogen geloven — als het proces begint bij 'de top'; van daar uit kan die nieuwe stijl als het ware door de hele organisatie zakken. In de kerkelijke setting betekent dit dat de wijze waarop predikant en (de overige leden van het) moderamen met elkaar omgaan, invloed kan hebben op de relatie moderamen en kerkeraad; en dat kan weer leiden tot een andere manier van omgaan van kerkeraad en allerlei werkgroepen. Enzovoorts. Leiding kan zo meer en meer worden gepraktiseerd als dienst en dat heeft grote invloed op de vitaliteit van de gemeente.
Duidelijk is overigens dat een andere invulling van leiding-geven ook aandacht veronderstelt voor andere aspekten van de gemeente en die kwamen we in dit hoofd-

stuk ook al tegen: klimaat, struktuur, doelen en identiteit. Dat illustreert nog eens dat deze elementen samen een systeem vormen.

4.4. Samenvatting

Het *karakter* van het ambt is dienst en de stijl is *koöperatief*. Het ambt is een charisma om de charismata te dienen. Of, om het in meer sekuliere, maar ook meer operationele taal van de OO te zeggen: de eigenlijke taak van de leiding is helpen en ondersteunen, met name door:

- mensen en groepen die het eigenlijke werk doen, en van wie de kwaliteit van wat er in de gemeente gebeurt afhankelijk is, al het nodige te verschaffen wat voor een goede uitvoering van hun taak nodig is
- mensen en groepen te ondersteunen en te bevestigen; dat betekent ook er op gericht zijn dat zij tot hun recht komen
- de betekenis van de doelen te onderstrepen, ook door in eigen gedrag als het ware uit te stralen, dat het doel waarvoor men staat, belangrijk is
- de gemeenschap te bevorderen.

Om deze dienst te kunnen verrichten is het nodig dat de leiding:

- gemakkelijk te benaderen is
- goed luistert
- bereid is macht af te staan, ook door de sociale afstand te verkleinen en af te zien van bijzondere voorrechten en van belangrijke statussymbolen
- open staat voor kritiek
- kapabel is.

Die hulp en die ondersteuning ontvangen de leden overigens niet alleen van de leiding maar ook van elkaar en van anderen. Het specifieke van de dienst van het ambt is dat hij in het bijzonder de identiteitsvraag aan de orde stelt. Dat is zijn kernfunktie, wat overigens niet betekent dat alleen de ambtsdragers hier een taak hebben. Integendeel, het is 'een zaak' voor iedereen. Maar de ambtsdragers hebben hier hun hoofdtaak, zodat de zekerheid bestaat dat de vraag 'Zijn wij gemeente van de Heer, zijn wij bezig met de zaken van de Heer, zijn wij "kerk"?' niet te midden van allerlei beslommeringen verwaarloosd wordt.
Het belangrijkste middel waarvan het ambt zich bedient bij het geven van leiding is het gemeenschappelijk overleg.

5. Structuur I: relaties tussen individuen

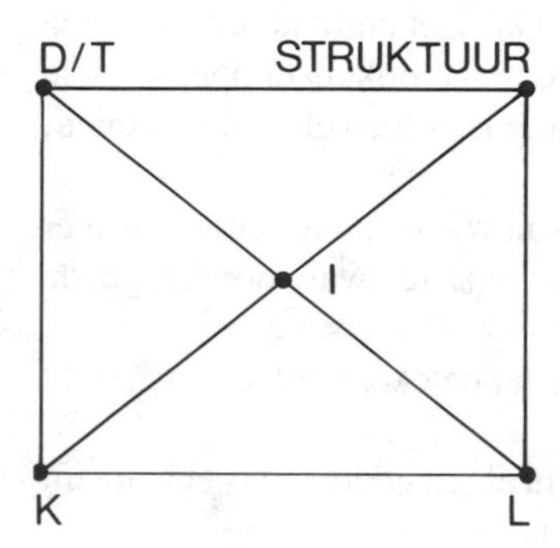

5.1. Inleiding

Het met plezier en met effekt participeren wordt mede beïnvloed door de struktuur van de organisatie. In de vorige hoofdstukken kwam dat reeds zijdelings ter sprake. Zo werd bijvoorbeeld gesteld dat leiding zien als dienst een voorkeur voor een 'platte' struktuur met zich mee brengt. En in het hoofdstuk over klimaat werd uiteengezet dat bepaalde kommunikatie- en interaktieprocessen — bijvoorbeeld besluitvorming via konsensus — om een bepaalde struktuur vragen.
In dit hoofdstuk staat de struktuur centraal. Daaronder verstaan we met Lammers het geheel van ,,de min of meer geïnstitutionaliseerde betrekkingen en verhoudingen — formele en informele — tussen bekleders van organisatorische posities'' (Lammers,1983,435). Met de tussenvoeging 'formele en informele' geeft hij aan dat we bij struktuur niet alleen of in de eerste plaats moeten denken aan de relaties zoals die volgens 'het boekje' bestaan — een struktuurschets, een reglement, een kerkorde — maar ook aan het feitelijke relatiepatroon.
Aan dit relatiepatroon zijn verschillende aspekten te onderscheiden. De belangrijkste daarvan zijn:
- de relaties tussen de individuele leden van de organisatie
- de relaties tussen de individuele leden en de organisatie als geheel en de groepen die daarvan deel uitmaken
- de relaties tussen de groepen binnen de organisatie.

Dit schema kan nog worden uitgebreid, maar met Thung zijn wij van mening dat deze de belangrijkste relatievormen zijn (Thung,1976,209). In dit hoofdstuk beperken wij ons tot de eerste twee punten. De relaties tussen groepen komt in het volgende hoofdstuk aan de orde. In dat kader wordt ook ingegaan op de relaties tussen het centrale beleidsorgaan en de andere groepen. De opzet die de voorgaande hoofdstukken kenmerkte volgen we ook nu weer en dus geven wij eerst, per onderdeel, enkele sociaal-wetenschappelijke gegevens terwijl we daarna enige praktisch-theologische notities maken. Volledigheidshalve merken we nog op dat wij ons steeds zullen beperken tot datgene wat relevant is voor onze thematiek, de vitale gemeente.

5.2. Stabiele relaties

5.2.1. Het karakter van de relaties opmerkingen vanuit de sociale wetenschappen

Aan de relaties tussen de leden van een organisatie zijn tal van aspekten te bestuderen (zie bijv. Van Doorn/Lammers,1976,36 e.v.). Wij beperken ons hier tot wat we noemen het karakter van de relaties, daar met name dit aspekt in de kerken een grote rol speelt. Het karakter van de relaties in de gemeente wordt vaak aangegeven met het begrip 'gemeenschap', waarbij onbewust maar soms ook bewust associaties worden opgeroepen met het begrippenpaar van Tönnies 'Gemeinschaft und Gesellschaft'. Bewust gebeurt dat bijvoorbeeld door Dulles (1983,43). De suggestie die van het gebruik van de term 'gemeenschap' uitgaat is dat de relaties tussen de leden van de gemeente het karakter moeten hebben van de 'Gemeinschaft'. In die betekenis speelt het ook een grote rol in het kerkelijk beleid zoals we nog zullen zien en dus is het van belang deze subparagraaf daarop te concentreren.
Over 'gemeenschap' is in de sociale wetenschappen zeer veel literatuur verschenen. Deze had vooral als doel misverstanden en vooroordelen uit de wereld te helpen, vooral door een kritische reflektie te geven op allerlei romantische verhalen over de goede oude tijd (die de kenmerken zou hebben van de 'Gemeinschaft') en op allerlei negatieve verhalen over de relaties in de moderne stedelijke samenleving, waarin de 'Gesellschaft' als het ware tot uiting zou komen. De teneur van de sociaal-wetenschappelijke kritiek was dat de goede oude tijd tegen valt en de moderne industriële samenleving meevalt. Vooral de gedachte dat 'vroeger' mensen werkelijk in elkaar geïnteresseerd waren — blijkens het intensieve kontakt dat zij met elkaar hadden — en dat zij elkaar 'om niet' van dienst waren, terwijl in de 'moderne tijd' mensen in onverschilligheid aan elkaar voorbij leven en elkaar uitsluitend helpen op basis van het 'voor wat, hoort wat' bleek onhoudbaar. De eindkonklusie luidde dat het begrippenpaar 'Gemeinschaft und Gesellschaft' onbruikbaar was (Kruijt,1955,84), maar daarmede was het nog niet de wereld en zeker nog niet de kerk uit. En daarom is het van belang enkele punten van kritiek hier te vermelden.
Een interessant punt van kritiek is geuit door Peter H. Mann die aantoonde dat uit het ontbreken van kontakten op zichzelf nog geen onwelwillendheid mag worden afgeleid. Er moet, zo stelt hij, onderscheid gemaakt worden tussen het al of niet hebben van kontakt en de houding die daarachter ligt. Het kontakt kan allerlei vormen aannemen zoals elkaar groeten, elkaar helpen, bij elkaar op bezoek gaan, enz. Mann

spreekt dan van een manifeste relatie. De houding van de mensen ten opzichte van elkaar kan variëren van zeer positief tot uitgesproken negatief. Op basis van een kombinatie van deze twee faktoren — kontakt en houding — zijn vier typen van relaties te onderscheiden:
a. aanwezigheid van feitelijk kontakt + positieve houding
b. afwezigheid van feitelijk kontakt + positieve houding
c. aanwezigheid van feitelijk kontakt + negatieve houding
d. afwezigheid van feitelijk kontakt + negatieve houding
De typen a en d zijn het duidelijkst; de typen b en c het interessantst. Type c laat zien dat feitelijk kontakt (iemand groeten, helpen) gepaard kan gaan met een negatieve houding. Type b laat min of meer het omgekeerde zien. Er is sprake van afwezigheid van kontakt bij een in principe positieve houding. Die positieve houding leidt alleen tot manifest kontakt als daar speciale aanleiding voor is; als de nood aan de vrouw of de man komt. Deze kombinatie noemt Mann een latente relatie. Dit type is een kombinatie van respekt voor de privacy van andere mensen met een houding van hulpvaardigheid waarop gerekend kan worden.
De onderscheiding van Mann tussen kontakt en houding is bijzonder nuttig zowel voor de analyse van de situatie in de geromantiseerde agrarische samenleving als in die van de stedelijke samenleving. Ook voor een genuanceerde schets van de situatie van kerkelijke gemeenten lijkt dit onderscheid van belang. Zo kan men zich afvragen of bij de typering van de situatie van een kerkelijke gemeente vaak niet een te zwaar aksent gelegd wordt op manifeste uitingen van groepsverbondenheid en of er niet te weinig aandacht is voor latente groepsverbondenheid.

Een bijzonder belangwekkende studie voor ons onderwerp is die van Josef Pieper over de grondvormen van menselijke relaties. Getrouw aan ons uitgangspunt dat het beter is één studie wat grondiger weer te geven dan vele oppervlakkig, gaan we op zijn studie wat dieper in. Pieper onderscheidt om te beginnen twee hoofdkategorieën van sociale relaties: beaamde en niet-beaamde. De eerste verschillen van de tweede hierin dat de participanten elkaar aanvaarden. Voorbeelden van beaamde relaties zijn onder meer de relaties tussen vrienden, leraar en leerling, koper en verkoper, omdat en voorzover de aktoren rekening houden met elkaar en oog hebben voor elkaar. Een typisch voorbeeld van een niet-beaamde relatie is de konfliktrelatie waarin de één uit is op de ondergang van de ander. Over de niet-beaamde relaties spreekt hij verder niet.
Binnen de kategorie van de beaamde relaties onderscheidt hij drie soorten, die hij respektievelijk aanduidt als 'Gemeinschaft', 'Gesellschaft' en 'Organization'. Zij verschillen van elkaar wat betreft de basis van de relatie — we kunnen ook spreken van het kristallisatiepunt — en daarmee samenhangend is er ook verschil in de spelregels. Over elk van deze typen relaties enkele opmerkingen.
Bepaalde relaties zijn gebaseerd op iets dat mensen gemeenschappelijk hebben. In deze relaties overheerst het 'wij-besef'. Pieper typeert dit type relaties als '*Gemeinschaft*'. In deze relaties zijn de leden er op gericht het gemeenschappelijke te beklemtonen en het specifiek eigene, ook het eigen belang, op de achtergrond te

plaatsen. Er is een nauwe relatie tussen het beklemtonen van het gemeenschappelijke en gevoelens van verbondenheid: de ervaring van het gemeenschappelijke leidt tot aanvaarding van de verbondenheid; de eenmaal aanvaarde verbondenheid is er vooral op gericht het gemeenschappelijke in het licht te stellen, ja, het te ontwikkelen en nieuwe gemeenschappelijke elementen te vormen.
Bij relaties die hierop zijn gefundeerd passen bepaalde gedragsregels die Pieper aangeeft met de begrippen:
- openheid: de mensen hebben geen geheimen voor elkaar; dit zich openstellen heeft echter slechts betrekking op het gemeenschappelijke
- zelfopoffering: de bereidheid om het eigen belang op de achtergrond te plaatsen ter wille van het gemeenschappelijke
- direktheid: de aard van de relaties vraagt om direkte kontakten waarbij men elkaar in de ogen kan zien; dit onderstreept de verbondenheid.
Andere relaties hebben als basis het eigen belang, waarbij overigens ook het belang, de waarde en de waardigheid van de ander met wie men in relatie staat wordt erkend. Dat laatste duidt er op dat het ook hier gaat om een beaamde relatie. Hij noemt deze relatievorm '*Gesellschaft*'. Het is een tussenmenselijke verhouding van wederzijds aanvaarde verbondenheid waarvan de kristallisatiekern is de erkenning van de individualiteit van de betrokken partners. Een voorbeeld daarvan is de marktrelatie waar koper en verkoper gericht zijn op het eigen belang, maar tevens de ander als subjekt aanvaarden. Een ander voorbeeld is het maatschappelijk verkeer waarvoor kenmerkend is dat men opkomt voor het recht op privacy en waarin men zich verzet tegen het binnendringen door anderen in het domein van het eigene en het persoonlijke, maar waarin men ook de privacy van de ander respekteert.
Deze relatievorm heeft haar eigen spelregels die tot uiting komen in:
- distantie, leidend tot indirekte kontakten en tot vormelijke taal
- het aksentueren van het eigen belang, maar dan volgens algemeen aanvaarde regels en zonder het belang van de ander te negeren
- het opeisen van een eigen sfeer en het gelijktijdig erkennen van de privacy van anderen.
Tenslotte is er dan nog een derde type van beaamde relaties: '*Organization*'. Deze hebben als basis een gemeenschappelijke taak; een taak die niet alleen, in ieder geval beter gezamenlijk uitgevoerd kan worden, op grond van het gegeven dat mensen verschillen in capaciteiten en ieder hun eigen specifieke mogelijkheden hebben. Het nagestreefde doel staat op de voorgrond; de leden staan indirekt naast elkaar, maar direkt naar het doel toe gericht. Deze relatie is een wederzijds erkende relatie die zich uitkristalliseert rond de bijzonderheid van de individuen, die ieder hun eigen specifieke bijdrage leveren aan het realiseren van een gemeenschappelijke taak. Als iemand met een ander verbonden is in een relatie die als 'Organization' is te typeren, dan komt het er niet primair op aan dat zij het persoonlijk goed met elkaar kunnen vinden ('Gemeinschaft'), ook niet dat zij persoonlijk iets aan elkaar hebben ('Gesellschaft'), maar dat zij beide in interaktie een bijdrage leveren aan het gemeenschappelijke doel.
Ook dit type relaties heeft zijn eigen spelregels, zoals deze:
- de mensen verhouden zich tot elkaar als 'funktionarissen'

- de aandacht is gericht op het gemeenschappelijke doel en de bijdrage die ieder daaraan kan leveren bepaalt het relatienetwerk.
Er zijn derhalve drie typen beaamde relaties. De interessante stelling van Pieper is dat een sociaal verband — om het even of het een gezin, een produktieafdeling of een kerk is — alleen stabiel kan zijn als het ruimte biedt voor alle drie relatievormen. Daarbij spreekt het overigens vanzelf dat, naar gelang de aard van het sociaal verband, een bepaalde relatievorm geaksentueerd wordt en de voorrang krijgt boven andere. Maar dat is iets anders dan verabsoluteren, want waar dat gebeurt boet een sociaal verband in aan stabiliteit en dat leidt er toe dat de participatie in het gedrang komt. En dát is in de kerk niet zelden het geval en dat zullen we nu toelichten.

5.2.2. *Gemeenschap en het eigen belang opmerkingen vanuit de praktische theologie*

In de kerk wordt niet zelden één relatietype verabsoluteerd, in ieder geval overgeaksentueerd: de gemeenschap. Duidelijk is in ieder geval dat gemeenschap en gemeenschapsrelaties een geweldige rol spelen in de kerken èn in de realiteit van de plaatselijke kerkelijke gemeente èn in allerlei diskussies. Zo bleek bijvoorbeeld uit het IPT-onderzoek ,,*Kleine groepen in de gemeente*'', dat de behoefte de gemeenschap te ervaren een belangrijk motief is om mee te doen met kleine groepen en dat het al of niet ervaren van de gemeenschap in sterke mate het oordeel over de kleine groep bepaalt (Hendriks/Rijken-Hoevens e.a.,1980,309); trouwens niet alleen daarover, maar ook over de kerkdienst zoals reeds eerder was vastgesteld (Hendriks/Rijken-Hoevens, 1976). Uit hetzelfde kleine groepen-onderzoek bleek overigens dat gemeenschap niet alleen een stimulerende kracht is, maar ook een remmende, vooral in die zin dat mensen soms of zelfs vaak niet hun eigen mening durven te uiten, mede omdat zij vrezen daardoor de gemeenschapsrelatie onder druk te zullen zetten. En dat bleek het leerproces in de kleine groep te belemmeren en de vitaliteit van de kleine groep te verminderen. Het is een illustratie van de stelling van Pieper dat het verabsoluteren van één relatietype de stabiliteit van een sociaal verband — in dit geval de kleine groep — vermindert.
Ook in het kerkelijk beleid speelde en speelt gemeenschap een grote rol. Het streven gemeenschapsrelaties te stimuleren is niet zelden dé of in ieder geval een drijvende kracht achter de herstrukturering van het pastoraat, de vorming van kleine groepen, het pleidooi voor kleine overzichtelijke gemeenten, de opzet van allerlei bijeenkomsten — zoals gemeente(zon)dagen — en het speelt ook een grote rol bij de diskussies over de vormgeving van de gemeente als zodanig. Dat is vooral evident waar gepleit wordt voor een territoriale of een kategoriale struktuur. In beide gevallen speelt het thema van gemeenschap en gemeenschapsrelaties de overheersende rol, zij het dat deze begrippen in beide gevallen verschillend gevuld worden. In het pleidooi voor de territoriale parochie wordt vooral gesteld — voornamelijk op systematisch-theologische gronden — dat alle leden van de kerk die op een bepaald territorium wonen een beslissend element gemeenschappelijk hebben, namelijk hun oriëntatie op Jezus. ,,Als

een gemeente de vergadering der gelovigen rondom Jezus Christus is, dan bestaat er geen enkel bezwaar tegen geografische organisatie. Integendeel, dan is dat de enige legitieme benadering, tenzij praktische belemmeringen, zoals bijvoorbeeld taal dit onmogelijk maken'' (Schippers,1986). Het pleidooi voor een kategoriale gemeente — gemeentevorming (mede) op grond van het gezamenlijk behoren tot een bepaalde kategorie zoals werkers in de industrie, studenten — is anders gefundeerd. Een rol speelt hier de gedachte dat leden van een dergelijke gemeente allerlei vragen gemeenschappelijk hebben en dat dit van belang is om de relevantie van het evangelie in hun leven te verstaan. Maar ook gaat men er van uit dat de kerkelijke gemeente moet aansluiten bij een reeds bestaande groepsvorm (Van den Ende,1967,13); in ieder geval bij al bestaande affiniteiten. Dat is met name het geval bij wat mentaliteitsgemeente is gaan heten. We zien het ook nadrukkelijk bij de zogenaamde Church Growth Movement. Hoe het ook zij, gemeenschap en gemeenschapsrelaties namen en nemen in de diskussies over de gemeentestruktuur een belangrijke plaats in.

> Kritiek daarop heeft overigens nooit ontbroken. In de zestiger jaren, die een hausse beleefde wat betreft aandacht voor gemeenschap, werd al tegen de verabsolutering van dit begrip bezwaar gemaakt. Zo formuleerde Laeyendecker als bezwaar dat door dit hameren op de gemeenschapsrelaties of anders gezegd de primaire relaties, de sekundaire relaties buiten het vizier raken, waardoor de scheiding tussen kerk en wereld nog weer groter wordt (1969,25). Hoekendijk verzette zich tegen de dominante rol van de gemeenschapsrelatie door het andere uiterste te aksentueren en de kerk te definiëren als ,,funktie van het apostolaat'' (1964,24). Firet stelde dat men met het begrip gemeenschap op het verkeerde spoor zat omdat men in de diskussies over 'gemeenschap' het theologische begrip 'gemeenschap' (koinonia) vulde met noties als vriendschap en dergelijke; kortom met elementen van de primaire groep. Hij stelt dat als we als gemeenteleden de gemeenschap willen ervaren we ons niet op elkaar moeten concentreren, maar samen als gemeenteleden doelgericht bezig moeten zij in de dienst aan de Heer (1960). Niettemin bleef de gemeenschap het overheersende gezichtspunt.

Dat zien we in onze dagen bijvoorbeeld in de diskussie over de 'open gemeentegrenzen'. Daarin gaat het over de vraag of de leden van de kerk die binnen het territorium van een bepaalde gemeente wonen, in volle rechten en plichten mogen meedoen aan een andere gemeente. De ambtelijke kolleges staan hier aarzelend tegenover omdat zij zich voor een dilemma gesteld voelen, namelijk voor de keuze tussen de territoriale gemeente en de mentaliteitsgemeente. Zij zijn geneigd in theorie vast te houden aan het principe van de territoriale gemeente, maar in de praktijk te aksepteren dat mensen elders meedoen, omdat deze nu eenmaal niet anders willen en men hen niet kan dwingen.

Dat lijkt me onjuist. Immers op die manier wordt de oorzaak van de problematiek alleen bij de individuele gemeenteleden gelegd, terwijl onvoldoende wordt gezien dat de oorzaak tenminste mede ligt bij de gemeente die hen onvoldoende ruimte geeft. En zij geeft onvoldoende ruimte als er steeds maar gehamerd wordt op de 'Gemeinschaft' — overigens terecht! — maar zonder dat mensen de kans krijgen eigen gaven en mogelijkheden voor een gemeenschappelijk doel in te zetten ('Organization') of zonder dat zij zelf aan bod komen ('Gesellschaft'). Dat leidt tot onaantrekkelijkheid van de gemeente en dat roept het probleem van non-participatie op.

De konklusie moet dan ook zijn dat het voor een vitale gemeente noodzakelijk is dat alle drie relatietypen worden gehonoreerd. Het eenzijdig aksentueren van de 'gemeenschap' bevordert de vitaliteit en de stabiliteit van de gemeente niet, maar bedreigt die. Dat betekent heel konkreet dat sociale verbanden — zoals gemeentezondagen, gemeentekringen, groothuisbezoekgroepen, maar ook een instituut als de kontaktpersoon — ten onder dreigen te gaan als zij zich beperken tot de 'Gemeinschaft'. Er dient ook aandacht te zijn voor het goed recht van 'Organization' en 'Gesellschaft'. En dat laatste betekent ook dat het de stabiliteit van de gemeente ten goede komt als de leden van de gemeente opkomen voor eigen belangen: voor het goed recht van hun inzichten bijvoorbeeld inzake liturgie en ook aandacht vragen voor hun problemen en behoeften.

We kunnen dit nog scherper formuleren door de stelling om te draaien en te zeggen dat het negatief uitwerkt als mensen zichzelf verplicht voelen of door de ambtsdragers voortdurend worden opgeroepen, hun eigen belangen en inzichten ter wille van het geheel op de achtergrond te plaatsen.

Het eenzijdig beklemtonen van de 'gemeenschap' met de daarbij behorende spelregels zet mensen ten onrechte onder druk en dat leidt tot instabiliteit en vaak zelfs tot destruktieve konflikten. Want als mensen voortdurend zaken die voor hen belangrijk zijn moeten wegdrukken — ter wille van de gemeenschap — dan zal die situatie er gemakkelijk toe leiden dat het eigen belang tenslotte toch doorbreekt en dan wellicht met een eksplosie. De kans is derhalve groot dat in een dergelijke situatie de beaamde relatie van de 'gemeenschap' omslaat in de *on*beaamde relatie van het destruktieve konflikt. Zo hoeft het uiteraard niet te gaan; mensen kunnen ook in stilte afhaken.

Het opkomen voor eigen belangen en inzichten bevordert derhalve de stabiliteit van de gemeente mits dat gebeurt volgens de daarbij behorende spelregels waarvan het aanvaarden van de ander en van diens belangen de kern uitmaken. Dan krijgt ook die relatie het karakter van een beaamde relatie. Voor de legitimiteit van het eigen belang en van het opkomen daarvoor lijkt in de gemeente weinig openheid te bestaan. Ook in de traditie is hiervoor weinig aandacht. Mogelijk speelt daarbij een rol dat wij mensen van nature al opkomen voor eigen behoeften, belangen en inzichten. Dat was blijkbaar ook al zo in de eerste christelijke gemeenten. Daarop wijst de apostolische vermaning: ,,Een ieder lette niet slechts op zijn eigen belang, maar ook op dat van de ander'' (Phil. 2:4). Overigens blijkt hieruit tevens dat door de apostel niet zozeer het opkomen voor het eigen belang wordt afgewezen, maar het uitsluitend daarvoor oog hebben.

Dit alles is niet eenvoudig; het stelt hoge eisen aan mensen, te meer daar dit ogenschijnlijk zo tegen de kultuur van de gemeente ingaat. Dat vraagt om een klimaat waarin mensen als subjekt worden gezien en waarin hun mening als belangrijk wordt gezien en waarin gestreefd wordt naar open kommunikatie. Het vraagt ook om een leiding die de nadruk niet legt op heersen, op kommunikatie van boven naar beneden, maar op dienen en die daarom geïnteresseerd is in wat mensen hoog zit en wat hun specifieke mogelijkheden zijn en die zich daarom voor alles oefent in het luisteren.

5.2.3. Samenvatting

De slotkonklusie moet nu luiden dat de vitaliteit van de gemeente bevorderd wordt als niet één type relatie wordt verabsoluteerd, maar alle drie typen van beaamde relaties worden gehonoreerd:

- de 'Gemeinschaft', met de daarbij behorende spelregels van openheid, zelfopoffering en direktheid
- de 'Organization', wat impliceert dat mensen de kans krijgen en uitgenodigd worden hun specifieke gaven te benutten ten bate van een gemeenschappelijke doelstelling
- de 'Gesellschaft', gebaseerd op de erkenning van het goed recht van het opkomen voor het eigen belang, maar volgens de regels van de beaamde relatie.

Dit geldt zowel voor de gemeente als geheel als voor elk van de groepen daarbinnen.

5.3. Relaties tussen het individuele lid en de organisatie als geheel

5.3.1. Het effekt van aandacht voor het individu opmerkingen vanuit de sociale wetenschappen

In de organisatiesociologie en de organisatieontwikkeling is relatief weinig aandacht voor de relatie individu — organisatie, zeker als we die vergelijken met de belangstelling voor bijvoorbeeld de relaties tussen groepen. En voorzover voor het eerste aandacht is wordt dit thema vooral bekeken vanuit het gezichtspunt van de motivatie van de leden van de organisatie.
Aanmerkelijk meer aandacht voor dit aspekt is er bij de godsdienstsociologie. Die interesse blijkt onder meer uit de konstruktie van tal van typologieën van kerkleden waarvan de meeste teruggaan op de indeling van Fichter die vier typen onderscheidde: kernleden, modale leden, marginale leden en 'slapende' leden (vgl. het overzicht van Scholten,1969). Op grond van empirisch onderzoek werden die onderscheidingen steeds verder verfijnd. Hoe verschillend die indelingen ook zijn, zij hebben alle gemeen dat zij uitgaan van het individu en haar relatie tot de organisatie. En dat is voor de studie van de participatie eenzijdig, want het meedoen aan een organisatie wordt immers niet alleen bepaald door de houding van het individu ten opzichte van de organisatie maar eveneens door de houding van de organisatie ten opzichte van het individu. En dat laatste, voor de thematiek van de vitale organisatie zo belangrijke aspekt, blijft dus buiten het gezichtsveld. Een uitzondering op de regel vormt Remmerswaal die een typologie van groepslidmaatschap ontwikkelde en daarbij uitgaat van twee variabelen: attraktie — de mate waarin iemand de groep aantrekkelijk vindt — en aanvaarding, dat is de mate waarin de groep iemand serieus neemt. Of de groep

iemand serieus neemt blijkt onder meer uit de reaktie van de groep op het opvolgen of afwijken door een individu van de groepsnormen, bijvoorbeeld van de norm dat een lid geacht wordt aan bepaalde aktiviteiten mee te doen (Remmerswaal, 1976,91 e.v.) Beide variabelen kent hij drie waarden toe: positief, neutraal en negatief. Hij spreekt van positieve attraktie als het individu gemotiveerd is om lid te worden of te blijven, van negatieve als hij niet tot die groep wenst te behoren en van neutrale attraktie als hij onverschillig staat tegenover de groep. Positieve aanvaarding betekent dat de groepsleden reageren op het opvolgen of afwijken van de groepsnormen; toegepast op het (niet) meedoen betekent dit dat zij laten merken dat hij gemist wordt, en omgekeerd dat zij het waarderen dat hij meedoet. Neutrale aanvaarding van een persoon betekent dat de groepsleden onverschillig of tolerant staan tegenover het al dan niet meedoen; het interesseert hen nauwelijks. Negatieve aanvaarding betekent dat de groepsleden het betreffende individu behandelen alsof hij niet bij de groep hoort; hij wordt als lucht behandeld en genegeerd.
Door kombinatie van deze kriteria kunnen logisch gezien negen vormen van groepslidmaatschap worden onderscheiden, die in de realiteit overigens niet alle behoeven voor te komen.

Schema 3: Relatievorming tussen individu en organisatie op basis van attraktiviteit en aanvaarding

aanvaarding van een individu door de organisatie / attraktiviteit van een organisatie in de ogen van het individu	positief	neutraal	negatief
positief	1	2	3
neutraal	4	5	6
negatief	7	8	9

Dit schema kan nog als volgt worden verduidelijkt:

cel 1: te denken valt aan iemand die graag meedoet en door de groep gewaardeerd wordt

cel 2 en 3: de persoon doet graag mee, maar wordt daarin door de groep niet gestimuleerd (cel 2) of zelfs tegengewerkt (cel 3)

cel 4: hier kunnen we denken aan een persoon die door de groep gewaardeerd wordt, maar die zelf weinig prijs stelt op deelname

cel 5 en 6: naamleden, naar wie niet wordt omgekeken (cel 5) en die de groep misschien zelfs liever kwijt dan rijk is (cel 6) cel 7: 'rebellerende leden'; mensen die tegen hun zin meedoen, bijvoorbeeld 'om den brode' — het liefst zouden ze verdwijnen — en die door de organisatie positief benaderd worden

cel 8 en 9: mensen die tegen hun zin meedoen en die door de groep nauwelijks (cel 8) of niet (cel 9) gewaardeerd worden.

Er zijn bij deze indeling wel wat kanttekeningen te plaatsen. Vooral ook bij het gegeven dat 'de groep' hier gepresenteerd wordt als een uniform geheel; zo is het natuurlijk als regel niet. Ook het individu kan zich genuanceerder verhouden tot de groep dan uit deze indeling blijkt; zij kan bijvoorbeeld neutraal staan ten opzichte van de organisatie als geheel, maar positief ten opzichte van een groep daarbinnen. Kortom de werkelijkheid is ingewikkelder. Maar het schema maakt in ieder geval duidelijk dat de houding van 'de' organisatie ten opzichte van het individu een grote invloed heeft op de participatie.

Dat dit ook in de praktijk van de kerkelijke gemeente het geval is moge blijken uit de volgende illustratie die we ontlenen aan Heitink (1983,452e.v.).

,,Een pastoraal medewerker heeft een afspraak gemaakt voor een huisbezoek bij de familie A. Het gaat hier om een gezin, bestaande uit man, vrouw en twee opgroeiende kinderen. Volgens de informatie heeft dit gezin al enkele jaren geen kontakten meer gehad met de kerk. Hoewel het moeilijk was tot een afspraak te komen, heeft het echtpaar A. er deze avond echt op gerekend. Uit alles blijkt, dat bezoek op prijs wordt gesteld. Mevrouw verontschuldigt zich, dat de bezoeker niet eerder terecht kon. Maar zij en haar man hebben allebei een drukke baan. Via deze opening komt het gesprek al gauw op hun werk. Mevrouw vertelt, dat ze enkele jaren geleden toen de kinderen van de lagere school af waren, haar oude baan als directiesecretaresse weer heeft opgenomen. Dat werk had ze vroeger met veel plezier gedaan. Daarentegen kon ze in haar rol van huisvrouw en moeder onvoldoende bevrediging vinden. Ze kreeg last van depressieve gevoelens. Weliswaar deed ze in die tijd ook nog wel wat kerkelijk werk, maar toch miste ze een baan buitenshuis. Enig schuldgevoel maakte het haar moeilijk dit toe te geven. Gelukkig is ze daar nu overheen.

Meneer A. vertelt, dat dit ook voor hem een hele omschakeling met zich mee bracht. Je moest rekening leren houden met elkaars agenda. Hij moest ook een deel van de taken thuis voor zijn rekening nemen. Af en toe een potje koken en de kinderen opvangen. Gelukkig laat dit zich goed combineren met zijn betrekkelijk vrije beroep van juridisch medewerker bij een verzekeringsmaatschappij. En hun relatie is er een stuk beter door geworden. Wel moest hij enkele andere funkties, o.a. in de financiële commissie van de kerk, opgeven. Tijdelijk hopelijk.

Beiden vertellen over hun zorg, dat door deze ontwikkeling de kinderen tekort zouden komen. En met de jongste zijn er inderdaad nogal wat problemen geweest. Nare dingen ook. Om die reden hebben ze buitenaf een boerderijtje gekocht voor de weekeinden. Daar kun je als gezin ook echt aan elkaar toekomen.

Eigenlijk is dit huisbezoek weer een eerste kontakt met de kerk sinds jaren. Met enige spijt konstateert het echtpaar, dat ze dit aan zichzelf te wijten hebben. Maar aan de

andere kant hadden ze in deze hele ontwikkeling enige positieve belangstelling van de kerk wel op prijs gesteld. Nu hebben ze de indruk gekregen, dat ze min of meer werden afgeschreven of dat hun keuze voor een andere inrichting van hun leven werd afgekeurd. Het doet hen zichtbaar goed hier nu eens over te kunnen praten.
Inmiddels zijn de kinderen wat ouder, heeft mevrouw een cursus afgerond en breekt er een nieuwe fase aan. Als de mogelijkheid van een gesprekskring ter sprake kom, tonen ze veel interesse. Vooral voor het thema 'christenzijn en dagelijks werk'. Ook de kinderen zouden eens ergens aan mee moeten doen. Je zou graag zien, dat ook zij zich bepaalde waarden en normen eigen maken.''

In dit verhaal zien wij de betekenis van belangstelling van de organisatie, in dit geval de kerk. Op een gegeven moment is de attraktie van de kerk op de familie A. gering, terwijl dan tevens de akseptatie door de kerk gering is of zelfs, althans in hun perceptie, afwezig is. In termen van schema 3 is deze situatie een voorbeeld van cel 5. Die situatie verandert doordat de kerk weer belangstelling voor familie A. gaat tonen (cel 4); het lijkt niet onwaarschijnlijk dat de situatie zich gaat ontwikkelen in de richting van cel 1.
Uit deze beschrijving blijkt overigens niet alleen dat het belangrijk is dat *de organisatie het individu opzoekt*, maar tevens blijkt daaruit dat evenzeer van belang is *de wijze waarop dat gebeurt*. En voor dat laatste is wezenlijk ,,dat mensen zich werkelijk persoonlijk gekend en herkend weten in wat hen ten diepste bezighoudt'' (Heitink,1983,453). Anders gezegd, wie of wat staat in het kontakt centraal: de individuele mens of het belang van de organisatie?
Nu is het natuurlijk duidelijk dat het kontakt vanuit de organisatie zeker niet altijd zo verloopt. Van der Ploeg heeft daar een duidelijke uitspraak over gedaan wat betreft jongeren in de kerk. Hij stelt namelijk dat ,,het voor de kerk nauwelijks zin heeft om achter niet-betrokken jongeren aan te zitten. (...) Herderlijke zorg om hen is paarlen voor de zwijnen'' (1985,204).
Van der Ploeg maakt hier een klassieke fout: hij formuleert een konklusie voor een kategorie die niet gedekt wordt door zijn steekproef. Immers: hij trekt een steekproef uit mensen die zich uit de kerk hebben laten uitschrijven en baseert op grond van onderzoek onder deze mensen dat 'huisbezoek niet helpt'. En dat zal wel waar zijn. Maar daarop mogen geen algemene konklusies worden gebaseerd, daar die gevallen waar het bezoek wel tot effekt gehad heeft dat jongeren op één of andere manier bij de kerk betrokken blijven, per definitie buiten zijn onderzoek vallen.
Een betrouwbaarder indruk van het effekt van belangstelling van de kerk voor individuele mensen — blijkend uit huisbezoek — krijgen we uit een onderzoek van Boonstra in een oude stadswijk in Amsterdam dat zij met enkele anderen uitvoerde. Het bezoekprojekt werd goed voorbereid, ook wat betreft de inhoud van de gesprekken. Daarbij ging men uit van de drieslag 'situatie — geloof — kerk':
,,- de situatie: hoe woon je, wat voor werk doe je en bevalt dat? hoe zijn de banden met de omgeving (buurtkontakten bv.)?
- het geloof: waar denk je aan als je zegt dat je (wel of niet) gelooft? heeft datgene, wat je doet, ook te maken met je levensovertuiging, en hoe dan?

- de kerk: heb je banden met een kerk? welke verwachtingen heb je t.a.v. de kerk, stel je bezoek op prijs, zou je mee willen doen, enz.?"
Ook over de bedoeling van de bezoeken wordt gesproken: met nadruk wordt gesteld dat het er niet om gaat marginale leden tot participatie te brengen; niet de gemeente, maar de bezochte staat centraal (1984,5).
Er werd gepoogd in een bepaalde buurt die 125 adressen telde, alle 'adressen' systematisch te bezoeken. Hiervan bleken 18 verhuisd te zijn. In totaal slaagden zij er in 80 adressen te bezoeken (Boonstra,1983).
De situatie bleek als volgt te zijn:
31stelden om uiteenlopende redenen het bezoek niet op prijs:
- 10 hiervan lieten zich uitschrijven
- 4 wilden de bezoekers niet ontvangen
- 17 wilden hen wel één keer ontvangen, maar stelden verder kontakt niet op prijs; 9 hiervan omdat zij geen belangstelling voor de kerk hadden en in de overige gevallen omdat ze al op andere wijze kerkelijk betrokken waren.
49 stelden herhaald bezoek wel op prijs:
- 11 daarvan waren al kerkelijk aktief
- 11 zeiden dat zij door dit bezoek misschien weer mee zouden gaan doen
- 18 stelden dat zij voortgaande kontakten weliswaar op prijs stelden, maar niet van plan waren weer mee te gaan doen
- 9 deden mee in een andere kerk, maar stelden bezoek vanuit deze gemeente wel op prijs.

De konklusie van dit onderzoek moet dan ook zijn dat vele mensen kontakt vanuit en namens de kerk op prijs stellen en ook dat belangstelling van de gemeente voor individuele mensen, zoals die gestalte krijgt in het huisbezoek, positieve invloed heeft op de betrokkenheid bij de gemeente. Dat betekent overigens niet dat daarin het motief voor huisbezoek zou mogen liggen.

5.3.2. *Motief en funkties van het huisbezoek opmerkingen vanuit de praktische theologie*

Terecht merkt Boonstra op dat het thuis opzoeken van mensen door allerlei omstandigheden wordt bedreigd:
- het is moeilijk over geloven te praten, althans buiten de veilige kring van de 'kernleden'; dat geldt ook voor de bezoekers
- het bezoekwerk is vaak frustrerend; alleen al omdat het uiterst moeilijk is afspraken te maken
- het vraagt veel tijd en dat terwijl er zoveel ander werk te doen is
- de bezoekers moeten bij zichzelf een zekere schroom overwinnen om ongevraagd bij mensen aan te kloppen en dan ook nog over kerk en geloof te praten, terwijl daar eigenlijk een zeker taboe op rust. Het ligt overigens nogal gecompliceerd omdat vaak de eigen onzekerheid over de waarde van het bezoek dit gevoel doet opkomen.

Negatief werkt ook, zo kunnen we hieraan nog toevoegen, dat huisbezoek soms of vaak associaties oproept met kerkelijke bevoogding en kontrole (tucht). En dat is niet toevallig, want deze elementen hebben in het verleden een grote rol gespeeld, zowel in de protestantse kerken (Heitink,1982,308) als in de rooms-katholieke kerk (A.Hendriks,1982,319). Een probleem is natuurlijk ook het tijdgebrek, maar het verklaart niet waarom nu juist het huisbezoek dreigt af te vallen, zoals Van der Klei terecht stelt (1982,295). Een rol speelt misschien ook dat huisbezoek soms een wat 'softe' sfeer oproept van de verzorgingskerk.
Tegen de achtergrond van deze en andere remmende verschijnselen groeit de tendens het huisbezoek niet meer belangrijk te vinden. ,,Mensen die mee willen doen, moeten zelf maar initiatieven nemen, lijkt een ongeschreven regel te worden'' stelt Boonstra. Maar zo werkt pastoraat niet; mensen melden zich niet aan om bezocht te worden. Het is dan ook te begrijpen dat Boonstra zich verzet tegen deze regel. Overigens niet alleen vanwege praktische redenen, maar primair vanuit de gedachte dat het opzoeken van mensen een opdracht van de gemeente is. Daarom wil zij ook niet in de eerste plaats denken vanuit de funkties van het huisbezoek, hoewel die er zeker zijn, zoals uit haar onderzoek blijkt. Allereerst voor de bezochten. Mensen die zich in de steek gelaten hebben gevoeld, omdat misschien al jaren niemand meer is geweest, ervaren dat er echte belangstelling voor hen is; over negatieve ervaringen met de kerk kan gesproken worden; zorgen over de koers van de kerk kunnen toevertrouwd worden aan een geïnteresseerde bezoeker; een vaag beeld van de kerk kan worden bijgesteld; de, zeker in een stad als Amsterdam, min of meer onzichtbaar geworden kerk kan weer zichtbaar gemaakt worden; het bezoek biedt een mogelijkheid om over geloven te spreken en die mogelijkheden zijn schaars geworden, ook omdat daarop een zeker taboe blijkt te rusten. Natuurlijk, mensen kunnen naar de kerk gaan om er over te spreken, maar voor sommigen zijn de barrières te groot, zeker als het om bepaalde problemen gaat (Firet/Hendriks,1986).
Niet alleen voor degenen die bezocht worden, maar ook voor de bezoekers heeft het huisbezoek positieve funkties: ze leren zorgvuldig om te gaan met mensen, ze leren ook via de gesprekken met de bezochten èn met de mede-bezoekers hun eigen plaats binnen de geloofsgemeenschap te verhelderen en hun eigen geloof te verdiepen. Ook voor de gemeente als geheel kan het bezoekwerk vruchtbaar zijn, vooral ook omdat de bezoeken de mogelijkheden bieden als het ware door de ogen van marginale leden naar de eigen gemeente te kijken en zo te ontdekken welke dingen gebeuren of juist niet gebeuren, die remmend zijn voor de ander om mee te doen. ,,Juist mensen die niet mee doen kunnen lacunes soms scherper opmerken'' (73). We kunnen dit nog iets toespitsen en zeggen dat de leiding hierdoor de kans krijgt niet slechts te denken vanuit de aktuele deelgenoten, maar vanuit de potentiële deelgenoten (Van Nijen,1983).
Uiteraard is het brengen van bezoeken alleen, niet voldoende. Essentieel is ook dat die ergens over gaan; in het hier kort beschreven projekt is dat de drieslag 'situatie — geloof — kerk'. Van niet minder belang is de intentie waarmee het bezoek gebracht wordt; duidelijk moet zijn dat het er niet om gaat marginale leden tot participatie te brengen; niet de gemeente, maar de bezochte dient centraal te staan.

Dat wordt ook beklemtoond door anderen. Het klinkt bijvoorbeeld nadrukkelijk door in de drie motieven die Heitink formuleert voor het huisbezoek. Allereerst noemt hij een antropologisch motief. In dat kader stelt hij dat het in het huisbezoek gaat om mensen, om hun leven van alle dag, hun plezier, hun pijn, hun verwachting, hun woede, hun relaties, hun eenzaamheid. ,,Het gaat om hun leven, hun liefhebben, hun funktioneren in de samenleving, vanuit een diepe overtuiging dat dit alles zich afspeelt onder de adem van de Geest en betekenis heeft voor het Rijk'' (Heitink,1983,451). Vervolgens noemt hij een pastoraal motief dat kort gezegd inhoudt: niet wachten tot iemand aanklopt, maar de enkeling opzoeken en je met hem of haar solidariseren. Tenslotte is er dan nog een ekklesiologisch motief waarin eveneens de individuele mens centraal staat. ,,Wie lid is van de gemeente heeft recht op huisbezoek, en een persoonlijke aandacht van de leden voor elkaar is met deze gemeenschap — als lichaam van Christus — gegeven. Daar gaat het om, maar het heeft tevens grote waarde voor de opbouw van de gemeente, want die vraagt om een goede kommunikatiestruktuur, waarbinnen het huisbezoek niet gemist kan worden. Tijdens het huisbezoek kunnen de leden van de kerk zich in alle rust uitspreken; ook de mensen die het moeilijk vinden in vergaderingen te spreken of die aan de rand zijn gekomen. En omgekeerd kunnen huisbezoekers bepaalde ontwikkelingen toelichten, mensen informeren over de kerkelijke stand van zaken, beleidsbeslissingen verduidelijken en een vertrouwensbasis leggen, waardoor mensen zich openstellen voor bepaalde beslissingen en onnodige konflikten tijdig kunnen worden voorkomen'' (458).

Huisbezoek is derhalve van groot belang, in onze tijd misschien wel meer dan ooit. Uiteraard behoeven we hierbij niet alleen te denken aan het werk van ambtsdragers, maar ook aan aandacht van de leden voor elkaar. Maar dat betekent niet dat de leiding het huisbezoek wel aan hen kan overlaten; niet omdat gemeenteleden onverschillig tegenover elkaar staan, maar vooral omdat zij soms of vaak onvoldoende van elkaar op de hoogte zijn en omdat zij, uit respekt voor de privacy van anderen geneigd zijn zich terughoudend op te stellen. Dat leerde ons de theorie van Mann die in de vorige subparagraaf kort werd besproken. Daarom is het nodig dat er mensen worden aangesteld die hiervoor speciale gaven hebben.

5.3.3. Samenvatting

De belangrijkste konklusie die uit het voorgaande getrokken kan worden is dat het huisbezoek de vitaliteit van de gemeente positief beïnvloedt, althans onder bepaalde voorwaarden waarvan de belangrijkste is dat niet het belang van de kerk maar van deze persoon centraal staat.

Om misverstanden te voorkomen zij nog eens opgemerkt dat vergroting van de vitaliteit van de gemeente niet het doel van het huisbezoek is — dat zou in strijd zijn met het karakter daarvan — maar dit wel tot effekt heeft. En dat het dit effekt heeft behoeft eigenlijk niet te verbazen, immers huisbezoek gebracht in deze geest, is geheel in harmonie met enkele faktoren waaraan in het voorgaande een zeer positieve werking werd toegekend: mensen serieus nemen en leiding primair zien als helpen en luisteren. De slotkonklusie kan nu luiden dat een vitale gemeente gekenmerkt wordt door:

- huisbezoek
- waarin de persoon van de bezochte centraal staat.

6. Struktuur II: relaties tussen groepen: een vitaliserende kompositie

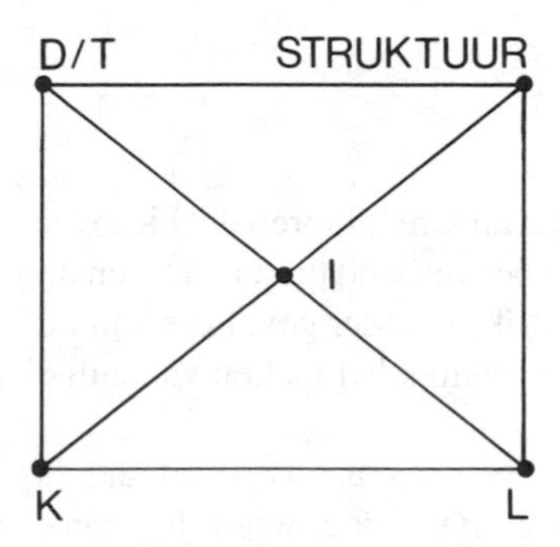

6.1. Inleiding

In de sociale wetenschappen wordt bij de struktuur van de organisatie uiteraard veel aandacht besteed aan de groepen daarbinnen en de relaties daartussen. Daarbij gaat het vrijwel steeds over *funktionele* of *taakgroepen*, dus over groepen die gevormd zijn om een deeltaak uit te voeren. Dat in hoofdzaak aan deze groepen wordt gedacht komt vooral doordat de genoemde disciplines met name aandacht hebben voor utilitaire organisaties. Dat zijn organisaties waarin relaties van het type dat Pieper 'Organization' noemt, overheersen en dus ligt het voor de hand dat bij groepen primair gedacht wordt aan taakgroepen. Anders is dat bij normatieve organisaties, zoals kerken, politieke partijen, omroepverenigingen e.d., waar we veel meer en veel nadrukkelijker ook groepen tegenkomen die zijn gevormd op grond van het behoren tot een bepaalde *kategorie* (zoals sekse, leeftijd en beroep) of *stroming* (waarbij onder meer gedacht kan worden aan vleugels in politieke partijen, spiritualiteiten in kerken en richtingen in onderwijsinstituten).
De werkelijkheid is nog ingewikkelder dan deze indeling suggereert, want in de realiteit van de organisaties is er een kompleks relatiepatroon tussen deze verschillende soorten groepen. Zelfs kunnen we in dit geheel niet zelden een netwerk ontdekken dat als een dominante koalitie de centrale machtsposities bezet en zich vaak opwerpt als representant van het geheel. Hoewel er dus een nauwe vervlochtenheid is van deze soorten groepen zullen wij hen in deze paragraaf afzonderlijk aan de orde stellen. Eerst komen de funktionele groepen en de relaties daartussen aan de orde, daarna de andere groepen. We starten met enkele sociaal-wetenschappelijke notities die we weer laten volgen door enkele praktisch-theologische opmerkingen. Uiteraard beperken we ons

ook nu weer tot die aspekten die voor de thematiek van de vitale gemeente van belang zijn.

6.2. De struktuur van een organisatie
opmerkingen vanuit de sociale wetenschappen

6.2.1. Relaties tussen funktionele groepen
a. *de samenhang van struktuur en de andere faktoren*

Voor de faktor struktuur geldt nog duidelijker dan voor de andere faktoren dat hierover eigenlijk alleen zinvol gesproken kan worden als we ons het verband tussen deze en de andere faktoren goed bewust zijn. Omdat dit in de praktijk, in ieder geval die van de kerken, niet altijd even duidelijk beseft wordt, beginnen we met het maken van enige opmerkingen daarover.

struktuur en doelen Een organisatie is per definitie een sociaal verband dat is opgericht om bepaalde doelen te realiseren. Met het oog op dat doel wordt het werk verdeeld in onderdelen of funkties (funktionalisatie), dienen die verschillende funkties op elkaar te worden afgesteld (koördinatie) en moet het geheel van gekoördineerde aktiviteiten worden gericht op het doel waar het tenslotte allemaal om begonnen is (finalisatie).

De strukturering van de relaties — zoals die tot uiting komt in het vormen van groepen en in de relaties daartussen — is dus afgestemd op de doelen. Althans in principe, want het is in de realiteit ook mogelijk dat de doelen in de vergetelheid raken en dat de organisatie zichzelf tot doel wordt. In het volgende hoofdstuk komen we daar nog op terug. Maar als zodanig hangen doel en struktuur nauw met elkaar samen. Dat komt duidelijk tot uiting bij Kilmann, die struktuur omschrijft als: ,,(1)doelstellingen, (2)taken, (3)werkeenheden die (1) en (2) ordenen, en een (4)hiërarchie die (1), (2) en (3) tot een operationeel totaal schikt'' (z.j.,176). Dit nauwe verband impliceert dat op de vraag hoe de struktuur zou moeten zijn geen konkreet antwoord kan worden gegeven als het doel of de doelen niet duidelijk zijn. Proberen we dat toch dan is de kans groot dat de strukturering van de relaties tussen de groepen geleid wordt door waarden als efficiency, betaalbaarheid, beheersbaarheid e.d.. Dat zijn op zichzelf belangrijke oriëntatiepunten, maar alleen in samenhang met de doelen. Het gaat immers niet om een efficiënte organisatie, maar om een organisatie die op efficiënte manier haar doelen nastreeft. Iets dergelijks geldt mutatis mutandis ook voor de andere genoemde waarden.

Doelen zijn dus van beslissende betekenis voor de struktuur van de organisatie: zij bepalen welke taakgroepen gevormd moeten worden en hoe zij met elkaar worden verbonden. Hierover zegt Etzioni dat organen of groepen die met de centrale doelstellingen van de organisatie bezig zijn, een plaats moeten hebben in het centrale beleidsorgaan, of daartoe in ieder geval gemakkelijk toegang moet hebben (1966,48e.v.). We kunnen de stelling ook omdraaien en uit het netwerk van relaties en met name uit de vraag welke groepen daarin de centrale posities innemen afleiden wat de organisatie

blijkbaar als de belangrijkste funkties ziet. Daarbij is overigens wel enige voorzichtigheid geboden, daar de ontwikkeling van de struktuur en het denken over de doelen niet noodzakelijkerwijs met elkaar in de pas lopen.
Hoe het ook zij, duidelijk is dat er een nauw verband is tussen doelen en struktuur en dat maakt eens te meer duidelijk dat gemeenteopbouw-pogingen die zich beperken tot het aspekt struktuur, noodzakelijkerwijs moeten tekortschieten.

struktuur en macht Uit de definitie van Kilmann komt goed naar voren dat strukturering van de relaties tussen groepen altijd verschil in macht impliceert; daarop duidt het woord hiërarchie in zijn zojuist gegeven omschrijving. Het gaat hier om een bijzondere vorm van macht, namelijk om legale macht, d.w.z. macht die iemand of een kollege wordt toegekend op grond van zijn of haar positie in de organisatiestruktuur. Deze vorm van macht moet goed worden onderscheiden van andere vormen van macht zoals die op grond van deskundigheid of een charisma. Onder macht wordt verstaan, naar een algemeen aanvaarde definitie, de mogelijkheid om in overeenstemming met de doelen van een persoon of groep, de gedragsalternatieven van andere personen of groepen te beperken. Met verschil in macht wordt dus bedoeld dat de leden van een organisatie in verschillende mate de gedragsmogelijkheden van anderen kunnen inperken. Overigens is het goed te bedenken dat de verschillen in macht zelden absoluut zijn doordat de leden van een organisatie in meer of mindere mate wederzijds van elkaar afhankelijk zijn; dat impliceert dat men macht over elkaar heeft. Een afdelingschef bijvoorbeeld heeft op grond van haar positie macht over haar medewerkers, maar omdat zij voor haar sukses mede afhankelijk is van de medewerking van 'haar' mensen, hebben die ook macht over haar. En iets dergelijks geldt uiteraard ook voor bijvoorbeeld de relatie van een kerkeraad tot groepen in de gemeente. Omdat het hier over een normatieve organisatie gaat is de wederzijdse afhankelijkheid, dus macht, nog groter.
De problematiek van de met de struktuur gegeven machtsverschillen komt hier aan de orde omdat deze grote invloed kunnen hebben op de beide reeds behandelde faktoren, leiding en klimaat. Dat hangt hiermee samen dat 'hoog' en 'laag' in een organisatie beide de neiging hebben zich op bepaalde manier te gedragen. Mastenbroek typeert ze als volgt: ,,'hoog' wil beheersing, 'laag' wil autonomie; 'hoog' signaleert weerstand tegen verandering, 'laag' vindt dat ze gemanipuleerd wordt. De dynamiek die in zo'n 'hoog versus laag'-relatie kan ontstaan kan gemakkelijk uitmonden in toenemende arrogantie van 'hoog' versus apathie of agressie van 'laag' ''. Op grond van allerlei sociologische en sociaal-psychologische onderzoekingen komt hij tot de volgende samenvatting van gedragstendenties, waarin sprake is van eskalatie.

Schema 4: Gedragstendenties van 'hoog' en 'laag' in een 'hoog versus laag'-netwerk.

'Hoog'	'Laag'
Overschatting van eigen macht; houding van 'Wij hebben hen niet nodig, zij hebben ons nodig'.	Apathie en onderworpenheid, sporadisch afgewisseld door weinig effektieve uitingen van agressie.
Weinig bereid in te spelen op ontwikkelingen die om een herwaardering van de relatie vragen. 'Wij hebben gedaan wat mogelijk was'.	Contacten met het arrogante establishment roepen verontwaardiging en agressie op.
Neiging tot spot, gevolgd door verharding. 'Dit wordt te gek, die lui moeten hun plaats weten'.	Versterking van de eigen organisatie. Tendens tot provoceren en harde acties.
Tunnel-visie: 'Wij willen het beste, maar met die lui is nu eenmaal niets te beginnen. Wie niet horen wil moet maar voelen'.	Tunnel-visie: 'De enige manier om verbetering in onze situatie te krijgen is strijd. Het hele systeem is verrot'.

bron: W.F.G. Mastenbroek, 1981, 1626-8e.v.

Het is duidelijk dat dit haaks staat op wat in de voorgaande hoofdstukken is gezegd over een positief klimaat en een stimulerende leiding. 'Hoog' denkt haast automatisch in termen van heersen en niet in termen van dienen; 'hoog' is bovendien gemakkelijk geneigd negatief te denken over 'gewone' leden en dat heeft uiteraard een negatieve uitwerking op het klimaat. Ook de openheid in de kommunikatie komt onder druk te staan, want 'laag' heeft de neiging zich tegen 'hoog' te beschermen door informatie achter te houden. ,,Macht schept afstand tussen mensen; de perceptie van de machthebber, de manier waarop hij zichzelf en de anderen ziet verandert'' (Van de Graaf en Ten Horn,1988,219).

> Kipnis onderzocht dit in een laboratoriumeksperiment. Veertien studenten werden in de rol van chef geplaatst; ze moesten toezicht houden op het werk van vier ondergeschikten. Wat de studenten niet wisten, was dat er helemaal geen medewerkers waren. De tevoren geprepareerde lijsten met produktieresultaten werden regelmatig naar de 'chefs' gebracht. De kommunikatie van de chefs naar hun ondergeschikten verliep via een intercom en werd op een taperecorder vastgelegd. Ze beschikten over een aantal machtsmiddelen: ze konden iemand loonsverhoging geven, overplaatsen en desnoods ontslaan. Veertien andere studenten kregen dezelfde rol, maar zonder de genoemde machtsmiddelen. Ze moesten het doen met hun legitimatie als chef en hun overredingskracht. Wie wat moeite heeft met de levensechtheid van het eksperiment vanwege de 'onzichtbare' medewerkers en de eenzijdige kommunikatie, bedenke dat er naast direkte machtsuitoefening ook veelvuldig indirekte machtsuitoefening voorkomt.

De resultaten? In de eerste plaats bleek dat de chefs met veel macht erg veel gebruik maakten van de aan hen verleende machtsmiddelen. Slechts 16% van hun opmerkingen berustte op overtuigingskracht. In de tweede plaats kwam naar voren dat zij hun ondergeschikten signifikant *lager* beoordeelden dan de andere veertien. Op de vraag achteraf waarvan de produktiviteit van hun 'groep' afhankelijk was, antwoordde 72% van de chefs zonder speciale machtsmiddelen: de motivatie van de mensen hun werk goed te doen. Van de machtiger chefs gaf slechts 28% dit antwoord. Bijna driekwart van hen vond dat het hun arbeiders alleen maar te doen was om het geld. Op de leuke slotvraag: zou je nu met je mensen willen kennismaken en een kop koffie gaan drinken, antwoordde 79% van de niet zo machtige chefs positief en maar 35% van de anderen. Konklusie: hoe meer sanktiemacht de chefs hebben, des te minder waardering ze hebben voor hun ondergeschikten en des te meer ze proberen afstand te bewaren. En hoe meer afstand, des te minder kans op echte uitwisseling.
Het is te begrijpen dat Van der Graaf en Ten Horn, aan wie wij deze samenvatting ontlenen hun uiteenzetting over macht in organisaties beginnen met een citaat van Lord Acton: ,,Power tends to corrupt and absolute power corrupts absolutely'' (1988,219).

Duidelijk is derhalve dat vooral grote machtsverschillen in organisaties gemakkelijk een negatieve invloed hebben op klimaat en leiding. Tegen die achtergrond is ook te begrijpen dat organisatie-adviseurs niet alleen aandringen op trainingen in leiderschap — om zo deze tendenties te doorzien — maar ook pleiten voor veranderingen in de struktuur: afplatting van organisaties en vermindering van statusverschillen.

b. *vitaliserende elementen*

De struktuur hangt dus ten nauwste samen, zowel met de doelrealisering als met klimaat en leiding. Dat maakt het ekstra relevant in te gaan op de vraag hoe de relaties tussen groepen zó gestruktureerd kunnen worden dat hierdoor de vitaliteit van de organisatie wordt gediend.

de theorie van Likert Een zeer uitgesproken mening hierover heeft Likert. Hoewel zijn opvattingen over struktuur sterk bekritiseerd zijn, zoals we ook zullen zien, zullen we aan zijn opvattingen wat ekstra aandacht geven temeer daar hij — via Dietterich — grote invloed heeft op het kerkelijk opbouwwerk in Nederland.
Likert stelt dat organisaties sterk van elkaar verschillen wat betreft hun struktuur. Ook op grond van dit kriterium plaatst hij organisaties op een kontinuüm dat loopt van de minst vitale (S1-organisatie) tot de meest vitale (S4-organisatie). De letter S staat voor Systeem.
Kenmerkend voor de struktuur van de S1-organisatie is dat de groepen binnen de

organisatie onafhankelijk van elkaar funktioneren; zij werken naast elkaar of zij werken elkaar eventueel zelfs tegen. De noodzakelijke koördinatie komt tot stand via de leiding die met elke eenheid afzonderlijk overlegt, of beter, die elk van de groepen afzonderlijk instrueert. Overleg betekent immers wederzijdse beïnvloeding en waar dat plaats vindt schuiven we op in de richting van de S2- of S3-organisatie. Het organisatiepatroon voor het type S1 kan als volgt in beeld worden gebracht (Figuur 4).

Figuur 4: De struktuur van de S1-organisatie

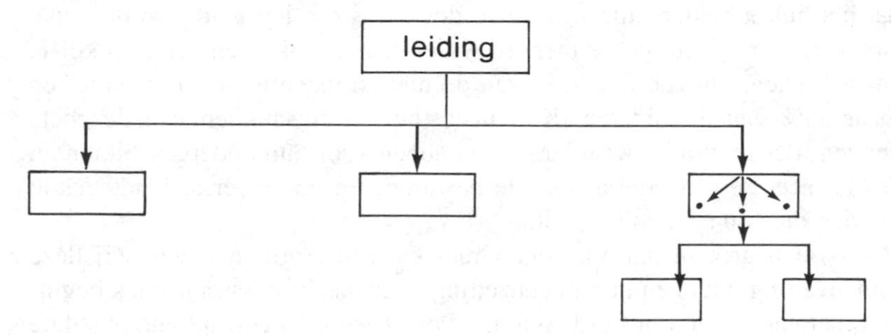

En zoals het gaat tussen groepen, zo gaat het ook *in* de groepen: de leiding spreekt met de verschillende leden individueel en neemt een beslissing. Uiteraard zal het vaak zo zijn dat de leden ook de leiding in meer of mindere mate beïnvloeden. Waar dat het geval is moeten de pijlen ook naar boven worden gericht (S2).
Deze struktuur gaat gepaard met een *autoritaire leiding*, en met weinig kommunikatie van beneden naar boven, weinig openheid en het ontbreken van gezamenlijk beraad over de doelen. Deze *struktuur* past derhalve bij een tamelijk *negatief klimaat* en een *weinig stimulerende leiding*.
Geheel anders is dit bij het andere uiterste: de S4-struktuur. Deze bestaat uit een samenstel van kleine groepen — ieder met een grote innerlijke samenhang — die nauw met elkaar zijn verbonden door personen die van twee of meer groepen lid zijn. In het kenmerkende jargon van Likert bestaat deze struktuur uit ,,cohesive work groups (...) linked together by persons who hold overlapping memberships in two or more groups''. Deze verbindingspersonen noemt hij 'linking pins'. In beeld gebracht geeft dit de volgende figuur:

Figuur 5: De struktuur van elkaar overlappende groepen (S4-struktuur)

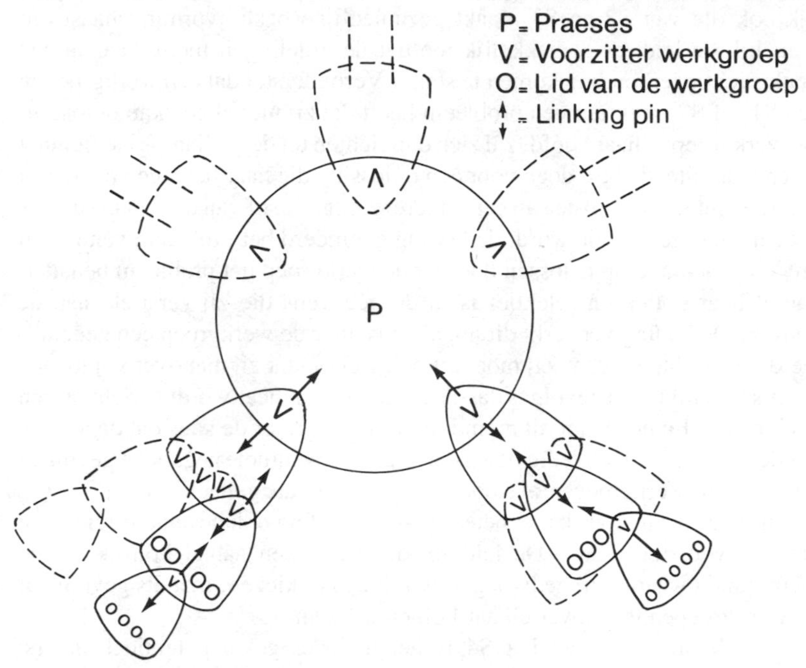

ontleend aan: R. Likert, J.G. Likert, 1976, 184

Met nadruk stelt Likert dat verbindingspersonen geen vertegenwoordigers zijn van een groep. Hun taak is namelijk niet om de belangen van de eigen groep te dienen, maar om er voor te zorgen dat:

1. de kommunikatie tussen de groepen *open* blijft. Dit is vooral belangrijk als de groepen bezig zijn met hetzelfde of met elkaar verbonden vraagstukken. De verbindingspersonen zijn er voor verantwoordelijk dat zij het probleem op dezelfde wijze stellen en over dezelfde feiten beschikken.
2. de aktiviteiten van de verschillende groepen met elkaar *in de pas* lopen. Dit 'pacing' moet voorkomen dat de ene groep de andere konfronteert met een 'fait accompli'.

De verbindingspersonen zijn dus geen vertegenwoordigers die de belangen van de eigen groep verdedigen, maar personen wier doel is ,,to achieve coordinated problem solving within and between those groups''.
Dit uitgangspunt impliceert ook dat ,,the top group in a S4 structure is not an executive committee making decisions for lower levels. *Its role is to coordinate* the decision making *of all groups affected* to assure the full involvement and participation of those groups'' (1976,199) (curs.JH).

Dit maakt nog eens duidelijk dat het eigenlijke punt voor Likert is het gezamenlijk nemen van beslissingen. De struktuur wordt zo gevormd dat dit

mogelijk wordt. De struktuur van de S1-organisatie (zie figuur 4) en eigenlijk ook die van S2 en S3 maakt gezamenlijke besluitvorming haast onmogelijk en leidt er gemakkelijk toe dat de afdelingen met elkaar in een konkurrentieverhouding komen te staan. Veronderstel dat een werkgroep in een S1- of S2-struktuur een probleem heeft dat zij niet alleen kan oplossen. De werkgroep of haar hoofd, zal zich dan richten tot de leiding — zie figuur 4 — en haar uiterste best doen voor een oplossing die haar belangen het meest dient, eventueel ten koste van een andere werkgroep of van de organisatie als geheel. In deze situatie wordt de leiding gehinderd het probleem vanuit een bredere oriëntatie op te lossen doordat de werkgroep het probleem benadert vanuit haar optiek en selektief is in de gegevens die zij verstrekt aan de leiding. De leiding versterkt dit nogal eens door de werkgroep een gedetailleerd voorstel te vragen. Zij moet dit ook wel omdat zij niet over voldoende kennis beschikt. Het gevolg is dat de aandacht nog meer wordt gericht op een deelbelang. En hoe beter dit memorandum hoe groter de kans dat de leiding handelt zonder zich volledig bewust te zijn van eventuele negatieve gevolgen voor andere werkgroepen of voor de organisatie als geheel.
De situatie wordt er vaak niet beter op als de leiding ook de andere eenheden om een voorstel vraagt. De leiding krijgt dan een aantal konflikterende memoranda waaruit zij gedwongen wordt één te kiezen, met als gevolg dat de werkgroepen tegenover elkaar komen te staan.
Binnen de struktuur van het S4 is het in ieder geval potentieel anders; potentieel omdat veel afhangt van de vaardigheden van de leiding en van de 'linking pins'. De aard van het besluitvormingsproces verzekert dat ieder probleem, uiteraard voorzover dit ook andere werkgroepen raakt, wordt gesteld en opgelost in een breder kader. Dit wordt niet opgelost door deze ene werkgroep met de leiding van de organisatie — die op een gegeven moment een knoop doorhakt (S1, S2, S3) — maar door alle betrokken werkgroepen samen. Dat is mogelijk doordat zij alle in de persoon van de 'linking pins' aanwezig zijn in de groep die de beslissingen moet nemen en doordat zij via de 'linking pins' bij elke stap van het probleemoplossingsproces — het stellen van het probleem, het vaststellen van de kriteria waaraan een oplossing moet voldoen, het brainstormen over mogelijke oplossingen — worden betrokken. Met nadruk stelt Likert: ,,It is well to keep in mind that the topgroup should not reach a final decision on matters affecting other groups, until all the linked groups have been fully involved in the decision-making process and have reached essentially the same conclusion'' (1976,179). Het is duidelijk dat de rol van de leiding in dit kader een geheel andere is dan die bij de probleem-oplossing in met name S1 en S2.
Het gevolg van dit alles is dat het probleem anders wordt geformuleerd, namelijk in termen van de hele organisatie en dat alle relevante informatie beschikbaar is. Zowel het een als het ander beïnvloedt de kwaliteit van de beslissing én de bereidheid de genomen beslissing nu ook con amore uit te voeren.

Likert legt dus een duidelijke relatie tussen de faktoren struktuur, leiding en besluitvormingsprocessen (centraal onderdeel van klimaat). Zijn opvatting komt in de kern hier op neer: gezamenlijke besluitvorming vereist een leiding die het besluitvormingsproces niet domineert maar daaraan dienstbaar is, hetgeen betekent dat zij betrokkenen helpt om samen besluiten te nemen; dit kan alleen in een struktuur van elkaar overlappende werkgroepen. Dit specifieke arrangement van faktoren is kenmerkend voor vitale organisaties (1967,137).

nieuwere inzichten De ideeën van Likert hebben, zoals gezegd, grote invloed in het kerkelijk opbouwwerk in Nederland. Het toenemende gebruik om de gemeente/parochie te zien als een ,,gemeenschap van werkgroepen'' (zie bijv. Derksen,1989) is daarvan één uiting. Dat dit struktuurmodel grote invloed heeft komt mede doordat het aansluit bij modellen die hier reeds in ontwikkeling waren — zie bijvoorbeeld 'Gemeentestruktuur in Perspektief',1982 — en deze ondersteunen en aanvullen. Bij dat laatste kunnen we vooral denken aan Likerts ideeën over de 'linking pins'.
Des te opvallender is dat dit struktuurmodel buiten de kerken nauwelijks weerklank heeft gevonden. Ook auteurs die met Likert wijzen op het belang van gezamenlijke besluitvorming en die leiderschap zien als dienst en met hem geïnteresseerd zijn in vitalisering van organisaties — zoals Ouchi, Peters en Waterman en ten onzent MANS — wijzen zijn struktuurmodel af, terwijl anderen er eenvoudig geen of nauwelijks aandacht aan besteden. Het model is in hun ogen onnodig *ingewikkeld*, te *vertikaal*, te *tijdrovend* (vooral door de wijze van besluitvorming), te *formeel* (alles gaat volgens de regels) en legt uit angst voor rivaliteit en konflikten teveel nadruk op *integratie*. In meer algemene zin kan worden gezegd dat dit struktuurmodel niet voldoet aan de eisen die vandaag in de OO worden gesteld aan de struktuur van een organisatie, juist met het oog op haar vitaliteit.
Hoewel het moeilijk is die eisen kort samen te vatten, meen ik te mogen zeggen dat de volgende vier kenmerken van belang worden geacht voor de struktuur van een vitale organisatie. Die noem ik dan nog met het nodige voorbehoud, want ,,er is geen 'one best way to organize' '' (Van der Graaf c.s.,1988,208).
1. *eenvoudig* De struktuur van een organisatie dient vooral eenvoudig te zijn, dat wil zeggen inzichtelijk voor ieder die er mee te maken heeft. Voor Peters en Waterman impliceert dit een pleidooi voor een eenvoudige, duidelijke, vrijwel konstante grondvorm die aangevuld wordt met allerlei tijdelijke organisatievormen, zoals projektgroepen (1982,354). Die moeten vooral niet te groot zijn — maksimaal 10 personen —, een duidelijke probleem- en doelstelling hebben, en vooral tijdelijk zijn. En met name aan dat laatste kriterium beantwoordt de praktijk bepaald niet, want daarin zien we een eindeloze rij werkgroepen en kommissies, die regelmatig vergaderen, zelden een probleem oplossen, en maar doorsudderen, en die in aantal groeien — en de struktuur zo voortdurend ingewikkelder maken — zonder dat er één wordt opgeheven. De facto betekent dit zowel een formele afwijzing van de vaak ingewikkelde matrixorganisatie, maar ook van het andere uiterste, de 'adhoccratie' (Mintzberg,1983) waarin alle nadruk ligt op kleine groepen van steeds wisselende samenstelling waarbij de

koördinatie vooral plaats vindt door formeel en informeel overleg. Gepleit wordt derhalve voor een struktuur waarin enkele hoofdlijnen duidelijk en permanent zijn, maar die voor het overige gekenmerkt wordt door beweeglijkheid en fleksibiliteit (vgl. Kapteyn,1987,173).

2. *gedecentraliseerd* Er is een duidelijk streven naar decentralisatie en daarmee ook naar machtsdeling. Er wordt namelijk van uitgegaan — om met Peters en Waterman te spreken, die een vrij algemeen aanvaarde gedachte op een originele manier uitdrukken — dat „zij die de plannen uitvoeren ze ook moeten bedenken'' (59). Dat impliceert dus verzet tegen een vertikale taaksplitsing, dus tegen de opsplitsing van de organisatie in beleidsmakers en uitvoerders. Maar dit zal na de hoofdstukken over klimaat en leiding geen verrassing meer zijn.

Bij de vorming van werkeenheden — inherent aan decentralisatie — wordt tot op zekere hoogte een produktgerichte indeling geprefereerd boven een funktionele; dat betekent dus een voorkeur voor het vormen van eenheden die een kompleet 'produkt' of komplete 'dienst' afleveren. In kerkelijke termen vertaald zou dit bijvoorbeeld betekenen een voorkeur voor een 'werkgroep kerkdiensten', aan wie de hele zorg voor kerkdiensten is toevertrouwd, boven een situatie waarin diakonie, zending, jongerenwerk, financiële kommissie enz. alle hiermee te maken hebben. De betreffende werkgroep krijgt de volle verantwoordelijkheid voor het 'hele produkt' en krijgt alle daarvoor nodige bevoegdheden en middelen (ook financiële).

Die verschillende werkgroepen hebben natuurlijk met elkaar te maken, temeer daar hun werkzaamheden elkaar overlappen. Dat is als zodanig een bron van rivaliteit en van konflikten. Dat wordt nog versterkt doordat zij alle de neiging hebben om de eigen betekenis te overschatten. Maar hier wordt niet zenuwachtig over gedaan, omdat een zekere mate van rivaliteit de vitaliteit van de organisatie niet verzwakt maar versterkt, mits men zichzelf als deel van het geheel blijft zien en de onderlinge interaktie en kommunikatie blijft bestaan.

Daarmede zijn we dan gekomen bij het derde kenmerk van de struktuur van een vitale organisatie:

3. *hoge graad van onderlinge kommunikatie* met als sleutelwoorden uitgebreid, informeel en open. Het is van groot belang dat de verschillende groepen intensieve relaties met elkaar hebben; rechtstreeks, dus niet (alleen) via de leiding of door tussenkomst van een 'hoger' orgaan. Dat geldt voor die groepen, maar ook voor de leden; zij hebben elkaar wat te bieden en zij kunnen van elkaar leren. Aangemoedigd wordt dat mensen even bij elkaar binnenlopen. „Breek de muren af'' (MANS, 1986,51,75). Om dat aan te moedigen worden allerlei maatregelen genomen: er worden 'gezellige' aktiviteiten gepland in de niet-zakelijke sfeer, waar de mensen elkaar kunnen ontmoeten; er worden ontmoetingsplaatsen gekreëerd zoals kantines; de horizontale mobiliteit wordt bevorderd. Dat betekent dat er naar gestreefd wordt mensen, vooral ook leidinggevenden te laten rouleren over de verschillende groepen. Daarbij wordt sterk de nadruk gelegd op een informele sfeer, zowel in de zin van 'niet al te formeel doen' als in de betekenis van 'daar niet allerlei regels voor scheppen'.

4. *plat* Er is een duidelijke voorkeur voor een platte struktuur, dus voor zo weinig

mogelijk lagen. Die voorkeur is niet alleen een logisch uitvloeisel van het streven naar decentralisatie, maar wordt ook van belang geacht om de afstand leiding — leden zo kort mogelijk te houden. En dat is weer noodzakelijk omdat dit de leiding in staat stelt tot luisteren en zo tot helpen. Met het oog daarop wordt ook gestreefd naar vermindering van statusverschillen. Maar daar werd reeds over gesproken.

Het is tegen deze achtergrond geen wonder dat de struktuur die Likert propageert niet zo in trek is. Immers verschillende elementen die zojuist werden genoemd staan haaks op zijn model: eenvoud versus kompleksiteit, rivaliteit versus harmonie, plat versus vertikaal, informeel (zoek elkaar op) versus formeel (via de linking pin).
De genoemde elementen zijn zeer in het bijzonder van belang voor organisaties die door veranderingen in de omgeving voor de uitdaging staan zich te vernieuwen. Eenvoudig gezegd komt het hier op neer dat deze niet meer op hun routines kunnen drijven zoals in stabiele omstandigheden min of meer wel mogelijk was (vgl. Burns en Stalker). Zij zullen daarentegen alle potenties en alle kreativiteit van hun leden moeten mobiliseren en daaraan de vrije loop moeten geven: niet afremmen door die aan allerlei regels te binden, niet indammen door te eisen dat alles loopt via de 'geëigende kanalen', niet ontmoedigen door de voorbarige vraag of er wel wat zal uitkomen, maar integendeel eksperimenten aanmoedigen, niet mensen aan het handje houden, maar decentraliseren. Van Haaren vat de theorieën die hierop betrekking hebben (de zgn. kontingentietheorieën) als volgt samen: naarmate ,,de omgeving van een organisatie meer is te typeren als onzeker, turbulent en pluriform dient op straffe van inefficiency en ineffectiviteit de structuur van de organisatie meer te zijn gedecentraliseerd, gedeformaliseerd en gedemocratiseerd'' (1986,277).
Mastenbroek (1984) stelt dat het bij de adviezen van organisatie-adviseurs — zoals ik die in de zojuist genoemde vier punten heb samengevat — niet slechts gaat om een paar losse aanbevelingen, maar om centrale karakteristieken van een organisatiemodel dat hij in navolging van Lammers noemt het 'partijen-in-een-systeemmodel'. Daarmee plaatst hij ervaringen van organisatie-adviseurs in de theorie van de organisatiesociologie. Daardoor wordt het onderling verband tussen deze faktoren helder. Het is dan ook de moeite waard hieraan aandacht te besteden. Dat doen we door eerst kort in te gaan op de theorievorming zelf (aan de hand van Lammers) en door vervolgens Mastenbroek te volgen in zijn poging invloedrijke auteurs en bewegingen, zoals Ouchi, Peters en Waterman, MANS en anderen daarbinnen te plaatsen.

partijen-in-een-systeemmodel In de organisatie-sociologie wordt een onderscheiding gemaakt tussen twee modellen: het systeem- en het partijenmodel. In het eerste model wordt de nadruk gelegd op de organisatie als geheel, waarbij dit geheel wordt gezien als een sociaal-kultureel systeem. De onderdelen van dit geheel worden bezien vanuit de funktie die zij hebben voor het geheel. Kenmerkend is ook dat de duurzaamheid van de organisatie vooral verklaard wordt uit gemeenschappelijke waarden en normen. Een in kerkelijke kring bekend voorbeeld van een systeemmodel is het denken over de gemeente in termen van een lichaam.

In het andere model wordt de organisatie voorgesteld als een konglomeraat van partijen die ieder hun eigen doelen en belangen najagen en met elkaar verbonden zijn doordat men tot op zekere hoogte elkaar nodig heeft. De organisatie wordt in dit model dus niet bijeen gehouden door gemeenschappelijke waarden of, breder, kultuur, maar door wat de partijen elkaar te bieden hebben (lokmiddelen) of doordat men anderen daartoe dwingt (dwangmiddelen).
Op basis van een grondige analyse van studies van organisatie-sociologen komt Lammers tot de volgende typering van beide modellen:

Schema 5: Ideaal-typische kenmerken van het 'partijen'- en het 'systeemmodel'.

organisatiekenmerken	partijenmodel	systeemmodel
1. Wat is de voornaamste eenheid van analyse?	deelgroeperingen met eigen belangen	de organisatie als geheel met bepaalde funktionele vereisten
2. Hoe duurzaam wordt een organisatie geacht te zijn?	labiel verband; hooguit een 'belangen-gemeenschap'	stabiel verband, met inherente krachten tot zelfhandhaving
3. Welke drijfkrachten worden benadrukt?	dwang- en lokmiddelen	norm- en saamhorigheids-besef
4. Van welk mensbeeld gaat men uit?	een koel-berekenend op eigen belang gericht wezen	een sociaal wezen gericht op het organisatiebelang
5. Wat is de 'gevoels-toon' van de analyse?	cynisch/realistisch	idealistisch

Bron: C.J. Lammers, 1983, 374.

Beide modellen hebben hun eigen mogelijkheden en beperktheden. Wie stabiliteit wil verklaren kan vooral uit de voeten met het systeemmodel; wie verandering en konflikten bestudeert komt als regel verder met het partijenmodel. De uitkomsten kunnen vooral verrassend zijn als een model wordt gehanteerd dat, gezien de aard van de organisatie, niet direkt voor de hand lijkt te liggen. Zo kan het bijvoorbeeld vruchtbaar zijn een kerkelijke gemeente te analyseren vanuit het partijenmodel, juist omdat zij zichzelf definieert in termen van het systeemmodel.
Beide modellen zijn primair bedoeld als analysemodellen, dus voor deskriptieve doeleinden. Als het doel preskriptief is — zoals bijvoorbeeld bij het ontwikkelen van beleid — wordt om begrijpelijke redenen vooral gedacht in termen van het systeemmodel.
Duidelijk is natuurlijk dat de werkelijkheid van de organisatie niet geheel begrepen kan worden vanuit één van beide modellen daar een organisatie zowel trekken heeft van het

ene als van het andere model. Dat bedoelt Lammers als hij spreekt van het dubbelkarakter van organisaties: ,,Het is tegelijkertijd een samenwerkingsverband én een markt plus arena'' (1983,410). Met dubbelkarakter geeft hij aan dat een organisatie én een systeem is dat aangedreven wordt door een minimum aan gezamenlijk norm- en saamhorigheidsbesef bij de leden, én een belangengemeenschap van 'partijen' die elkaar bewerken met lok- en dwangmiddelen (1983,482e.v.). Om daar recht aan te doen moet er meer gebeuren dan beide modellen achtereenvolgens toe te passen en de resultaten als het ware bij elkaar op te tellen. Nodig is beide modellen te integreren in een nieuwe benadering waarin de verschillende aspekten niet gezien worden als elkaar uitsluitend, maar als onderling samenhangend. Om dit tot uitdrukking te brengen spreekt hij van een nieuw model, het 'partijen-in-een-systeemmodel'.
Die benadering ziet hij met name ook bij Gouldner die stelt dat het voortbestaan van de organisatie niet alleen bevorderd wordt door een gemeenschappelijke kultuur, maar ook door de delen van de organisatie — funktionele groepen, stromingen — een zekere mate van funktionele autonomie te geven. Daarmee bedoelt hij een zekere eigen speelruimte. Waar dat gebeurt zullen de leden van de organisatie zich meer inzetten om de eigen groep te handhaven en wordt de organisatie als geheel gevrijwaard van voortdurende verstoringen van de interne orde. Het is dan ook in zekere zin een organisatiebelang om haar onderdelen enige ruimte te geven zich als 'partijen' op te stellen en op te komen voor hun deelbelangen, ,,want dat verschaft de organisatie de nodige stuw-en spankracht!''.
Juist dergelijke, wat losser gekoppelde systemen zijn vitaler dan strak geïntegreerde systemen. Of, om het te zeggen met de samenvatting die Lammers van de theorie van Gouldner geeft: ,,Naarmate een organisatie meer ruimte biedt aan partijen die hun eigen belangen najagen, is de tendentie tot zelfhandhaving groter en de organisatie als geheel duurzamer'' (1983,406). De duurzaamheid en de vitaliteit van een organisatie worden dus niet alleen bepaald door een gemeenschappelijk fonds aan kultuur (tradities, waarden) maar ook door ruimte te maken voor 'partijen'. Zó worden beide modellen geïntegreerd.
Hierbij sluit Mastenbroek aan. Hij meent namelijk dat de aanbevelingen in de OO — eenvoud, decentralisatie, intensieve kommunikatie en een platte struktuur — niet beschouwd moeten worden als losse, op zichzelf staande opvattingen die hier en daar onderling zelfs strijdig zijn, maar als elementen die onderling verbonden zijn. Dat wordt duidelijk als we hen bezien in het perspektief van het 'partijen-in-een-systeemmodel'. Naar zijn mening blijkt namelijk dat deze aanbevelingen eigenlijk in twee kategorieën uiteenvallen:
- ingrepen die de 'partijen' de ruimte geven; daarbij kunnen we denken aan het pleidooi voor decentralisatie en aan het aksepteren, zelfs aanmoedigen van een zekere rivaliteit
- ingrepen die het systeemkarakter, de eenheid van de organisatie onderstrepen; zoals het benadrukken van de wederzijdse afhankelijkheid, de versterking van het 'wij-gevoel', de ,,ontwikkeling van een centrale missie, een duidelijk bedrijfscredo'' (1984,12), de bevordering van intensieve, informele onderlinge kontakten 'dwars door de organisatie' heen en de horizontale mobiliteit (,,maakt het web van af-

hankelijkheden manifester en houdt de onderlinge rivaliteit mild'').
Naar zijn mening bevordert juist de spanning tussen het streven naar eenheid en de ontwikkeling van partijen ,,de vitaliteit van de organisatie en de motivatie van de medewerkers'' (1984,13). ,,Te veel nadruk op 'partij'kenmerken en de organisatie wordt 'verscheurd', de sfeer wordt onveilig, agressief optreden wordt te veel gestimuleerd. Te veel het accent op de 'systeem'impulsen en de sfeer wordt sloom, de organisatie verliest aan alertheid en spankracht''. Het gaat om het ontwikkelen van een optimale balans. Zo kan een uitgekiende organisatievorm ontstaan. Cruciaal daarvoor acht hij dat de hiërarchische sturing en kontrole voor een groot deel vervangen worden door rechtstreekse horizontale kontakten tussen de verschillende groepen, ,,een globaal besturend management blijft over''.

> Terzijde zij nog opgemerkt dat deze ontwikkeling — in de wetenschap en in de praktijk van de OO — eens te meer duidelijk maakt waarom het struktuurmodel van Likert weinig navolging vindt; in die opzet wordt rivaliteit en konflikt niet positief gewaardeerd, maar gezien als kenmerken van organisatiemodellen (S1-S3) die overwonnen moeten worden; alle nadruk wordt gelegd op het 'systeemmodel' (S4) als de hoogste, meest vitale organisatievorm

Erkenning van het dubbelkarakter van de organisatie is ook van groot praktisch belang omdat dit implikaties dient te hebben voor het gedrag. Dat is op een zeer heldere wijze aan de orde gesteld door Mastenbroek, Ezerman en Van Straaten. Zij onderscheiden drie vormen van interaktie die zij aanduiden als *samenwerking*, *onderhandelen* en *vechten*. Samenwerking is adekwaat als het gemeenschappelijke domineert; vechten vindt vaak plaats als uitsluitend de eigen belangen gezien worden; onderhandelen is adekwaat in situaties waarin de partners erkennen dat zij tot verschillende 'partijen' behoren, maar tegelijkertijd beseffen dat zij veel gemeen hebben en van elkaar afhankelijk zijn. Onderhandelen is namelijk een manier ,,om zowel voor de eigen belangen op te komen als ook de onderlinge afhankelijkheid recht te doen'' (1985,15). Het organisatiemodel dat wordt gehanteerd heeft dus grote invloed. Definieert men de organisatie in de grond van de zaak als zijnde één (zoals in het 'systeemmodel' gebeurt) dan zal men geneigd zijn alle nadruk te leggen op samenwerking. Erkent men daarentegen het dubbelkarakter van organisaties dan zal dit ook als konsekwentie (moeten) hebben dat men soms voor samenwerken kiest — namelijk als het perspektief van het gemeenschappelijke domineert — en soms voor onderhandelen, namelijk als duidelijk is dat er meerdere partijen zijn. Het lijkt mij ook voor de gemeente van groot belang te beseffen dat men niet staat voor het dilemma samenwerken — wat soms irreëel is — of vechten, wat altijd destruktief is. Er is nog een andere mogelijkheid.

De konklusie moet nu luiden dat de struktuur van vitale organisaties gekenmerkt wordt door eenvoud, decentralisatie — dat impliceert ook spreiding van macht —, hoge graad van kommunikatie en een gering aantal lagen. Deze elementen staan niet los van elkaar maar zijn als het ware in te passen in het 'partijen-in-een-systeemmodel'. Binnen organisaties die aan dit model beantwoorden staan eenheid en ruimte voor

'partijen' met elkaar in een vruchtbare spanning. Dat versterkt haar vitaliteit. Welk perspektief op een bepaald moment domineert bepaalt welk gedrag adekwaat is.
Zeer frappant is naar mijn mening dat deze ideeën een grote mate van overeenkomst vertonen met die van Pieper (zie 5.2.1). Hij immers stelt dat stabiele relaties vragen om een erkenning van het goed recht van 'Gemeinschaft' èn 'Gesellschaft', waarbij elk type relatie zijn eigen spelregels heeft. Wat Pieper uitwerkt op het mikroniveau van de relaties tussen individuen, wordt door de OO uitgewerkt op het mesoniveau van de organisatie.

6.2.2. De relaties tussen kategorieën en stromingen

Naast *funktionele* groepen zijn er in de gemeente zoals gezegd ook groepen die gebaseerd zijn op *kategorieën* en *stromingen*. Daaraan wordt nu apart enige aandacht besteed. Dat is betrekkelijk gekunsteld omdat in de realiteit die elementen vaak verweven zijn. Onderzoek wijst dat uit. Zo bleek uit het 'Kleine Groepen Onderzoek' van het IPT(VU) dat er een samenhang bestaat tussen het behoren tot bepaalde kategorieën (met name sekse en beroep), het hebben van affiniteit met bepaalde stromingen (progressief of meer behoudend) en het lidmaatschap van bepaalde funktionele groepen. Niettemin hebben wij het punt van de relaties tussen kategorieën en stromingen buiten beschouwing gelaten bij de bespreking van de relaties tussen funktionele groepen om deze thematiek niet nog ingewikkelder te maken. Daarom nu hierover enkele opmerkingen. *Omdat het hier een betrekkelijk kleine paragraaf betreft zullen we de onderverdeling sociaal-wetenschappelijke en theologische gegevens laten vervallen en deze in één paragraaf weergeven.*

We nemen ons uitgangspunt in het feit dat er in de gemeente een grote verscheidenheid van mensen is. We kunnen die enigszins overzien als we hen in kategorieën denken: ouderen, mensen van middelbare leeftijd, jongeren, verstandelijk begaafden en verstandelijk gehandikapten, 'boeren, burgers en buitenlui', vrouwen en mannen, homoseksuelen en heteroseksuelen, mensen uit vele sociale lagen, enz. Het beeld wordt nog gecompliceerder als we de geloofsbeleving of de spiritualiteit er bij betrekken, want daarin bestaat immers ook een grote verscheidenheid.
Die verscheidenheid plaatst de gemeente voor de opgave de relaties tussen die kategorieën en spiritualiteiten — 'partijen' — vorm te geven. Theoretisch is het mogelijk alle te zien als gelijkwaardig en als waardevol voor het geheel en voor hen ruimte te scheppen, maar in de realiteit is dat niet eenvoudig. Daarin zien we namelijk telkens weer het verschijnsel dat een kerk zich vooral identificeert met bepaalde kategorieën en spiritualiteiten en andere in de kou zet. Hieruit verklaart Niebuhr in zijn bekende studie over 'the social sources of denominationalism' konflikten in de kerken en het ontstaan van nieuwe kerken. In zijn visie is het zo dat de kerk zich oriënteert op de behoeften en de spiritualiteit van de hogere lagen en de behoeften en de spiritualiteit van de armen verwaarloost. Dat is de geschiedenis van de 'religiously neglected poor'. Deze voelen zich daardoor niet meer thuis in de kerk, zij zijn onterfd, en komen aan de

rand van de kerk te staan. Uit hen worden de leden gerekruteerd van nieuwe kerken die de spiritualiteit van deze armen weerspiegelen. Maar als deze groepen tot welstand komen, mede dank zij een strikte moraal, wordt hun geloofsbeleving daarbij als het ware aangepast en worden opnieuw de armen verwaarloosd. En de geschiedenis herhaalt zich. ,,This pattern recurs with remarkable regularity in the history of Christianity'' (1975,28). Laeyendecker heeft die theorie verbreed en aangetoond dat er niet alleen sprake is van sociaal-ekonomische onterving, maar ook van sociaal-psychologische en kulturele onterving (Laeyendecker,1967).
Wat uit deze en andere studies duidelijk wordt is dat in het geheel van kategorieën en stromingen een samenstel van bepaalde kategorieën en stromingen als het ware de positie gaat innemen van een dominante koalitie. Deze heeft de neiging zichzelf te zien als 'het geheel' en niet als een samenstel van 'partijen'. Dat komt bijvoorbeeld tot uiting in het gebruik, de relaties tussen 'partijen' in de gemeente te beschrijven als relaties tussen het geheel en de delen. Zo wordt bijvoorbeeld gesproken van 'de kerk en de vrouwen', 'de gemeente en homoseksuelen'. Dat is natuurlijk onjuist, want vrouwen en homoseksuelen maken immers een integrerend deel uit van het geheel. De eigenlijke problematiek wordt eerst zichtbaar als we de 'partijen' benoemen en spreken van bijvoorbeeld de relaties tussen mannen en vrouwen, tussen heteroseksuelen en homoseksuelen in de gemeente.
De hardnekkigheid waarmee in de gemeente de relaties tussen de delen worden aangeduid in termen van het geheel en de delen wordt mede veroorzaakt doordat we in de gemeente sterk denken vanuit het systeemmodel.
Hoe het ook zij, duidelijk is dat er zich in de kerken als regel een dominante koalitie ontwikkelt. Wat voor de kerken als zodanig geldt, gaat ook op voor de plaatselijke gemeenten. Ook daar zien we het ontstaan van een dominante koalitie, waarvan de samenstellende delen (kategorieën en spiritualiteiten) meer dan andere hun stempel op de gemeente drukken. Dat betekent dat hun stijl van geloven — dus hun geloofsopvattingen, hun politieke keuzen, hun standaarden van goed en kwaad, hun liturgische voorkeuren — en de belangen en behoeften die verbonden zijn aan de sociale positie van hun leden, een centrale plaats verwerven. Zo wordt de wijze van geloven en de oriëntatie op de behoeften van deze dominante koalitie tot de officiële stijl van deze gemeente. Hiermede gaat gepaard dat zij de belangrijkste machtsposities in de gemeente bezetten; zij zijn sterk vertegenwoordigd in de kerkeraad en in belangrijke werkgroepen zoals de beroepingskommissie. Zo zijn zij in staat hun dominante positie te handhaven. En waar die situatie eenmaal bestaat is zij moeilijk meer te veranderen. Dat komt mede doordat onder deze kondities leden van andere spiritualiteiten en kategorieën weinig bereid zijn tot dergelijke kolleges toe te treden, zelfs als zij daartoe worden uitgenodigd. Zo blijven duidelijke machtsverschillen in stand. Hiermee gaat als regel weer gepaard een negatieve beeldvorming, want deze is bijna inherent aan machtsverschillen zoals we in het voorgaande zagen.
Naarmate de dominante koalitie er meer in slaagt haar stempel op de gemeente te drukken, voelen haar leden zich hier meer thuis. En dat is te begrijpen want de gemeente is in meer dan één opzicht hun gemeente. Maar het heeft onherroepelijk als keerzijde dat anderen

zich hier niet meer thuisvoelen en dat leidt tot verschillende reakties: vermindering van de participatie, apathie, kerkverlating, konflikten (Huismans,1980; Hartman,1976). Eenzijdige oriëntatie op de behoeften van de dominante koalitie betekent niet alleen dat onrecht gedaan wordt aan de mensen die zo onterfd worden, maar ook dat de dominante koalitie zelf schade leidt (vgl. Parvey,1983). Zelfs komt hierdoor het karakter van de gemeente op het spel te staan (vgl. Van Andel,1980).
Die situatie is dus allerminst bevredigend. Dat kan er onder bepaalde omstandigheden toe leiden dat gestreefd wordt naar een meer definitieve oplossing van het probleem van de pluraliteit met betrekking tot spiritualiteit.
Eén mogelijkheid is het streven dat we kunnen typeren met de term *imperialisme*. Daarmee bedoelen we het streven om het probleem van de verscheidenheid op te lossen door de mensen die anders denken of handelen te assimileren. Zij moeten dus gelijk worden aan de dominante koalitie. Zij worden in de grond van de zaak voor de keus gesteld: aanpassing of exkommunikatie.
Een tweede model om met de verscheidenheid om te gaan en de spanning tussen dominante koalitie en randgroepen op te lossen is de verschillende groepen naast elkaar te laten bestaan als aparte, zelfstandige eenheden die weinig of geen relaties met elkaar onderhouden. We spreken dan van *pluralisme*. Het is mogelijk dat de verschillende stromingen nog een administratieve band bewaren — dat noemen we dan een hotelkerk — maar ook kunnen de verschillende groepen geheel zelfstandig gaan optreden. Eén blik in het boek 'Kaart van kerkelijk Nederland' is voldoende om er van overtuigd te raken dat velen volgens dit model te werk zijn gegaan. En zoals het in onze dagen gaat ging het ook reeds in de eerste christelijke gemeente.

> De kompositie van de gemeente is namelijk altijd een probleem geweest. De gemeente heeft er vanaf het begin van haar bestaan mee geworsteld. Al heel gauw na de enthousiaste verhalen over 'het leven der eerste gemeente' (Hand. 2:41-47) komen berichten over het ontstaan van randgroepen. Hand. 6:1 meldt: ,,En toen in die dagen de discipelen talrijker werden, ontstond er gemor bij de Grieksprekenden tegen de Hebreeën, omdat hun weduwen bij de dagelijkse verzorging verwaarloosd werden''. Er worden dus niet per ongeluk enige weduwen over het hoofd gezien, maar er wordt een etnische groep gepasseerd! Als de gemeente zich uitbreidt ook buiten de landsgrenzen van Israël en ook heidenen tot geloof komen, worden de spanningen in de gemeente zeer groot. Er is onder de Joden een duidelijke stroming die de christenen uit de heidenen wil dwingen in de Joodse kultuur op te gaan. (De strijd spitst zich toe op het vraagstuk van de besnijdenis). Deze stroming wil dus het probleem van de verscheidenheid oplossen volgens het model van het *imperialisme* (Hand. 15:1). Maar Paulus verzet zich met sukses ,,tegen de poging om gelovigen uit de heidenen tot aan-het-Jodendom-geassimileerden ('assimiladoes') te maken'' (Newbigin, 1979,108).
> Maar in de gemeente blijven spanningen bestaan, vooral tussen de Joden en de heidenen zoals ook blijkt uit verschillende brieven van Paulus. Die

spanning komt dan ook tot uiting in negatieve beeldvorming over en weer en in daaruit voortvloeiend onheus gedrag zoals het elkaar veroordelen en minachten (Rom. 14:1-12). Paulus vecht daar voortdurend tegen. De Joden maakt hij duidelijk dat ze zich niet superieur hoeven te voelen op grond van hun afkomst, dat wil zeggen vanwege het feit dat zij kinderen van Abraham zijn. Hun wordt met klem verteld dat zij niet gerechtvaardigd worden op grond van hun behoren tot een bepaalde groep, maar door het geloof; zij evenals de heidenen. Er is dus geen grond voor gevoelens van superioriteit en inferioriteit. En dus: ,,Wie roemt, roeme in de Here''. Zo wordt duidelijk dat zij allen gelijkwaardig zijn. Paulus onderstreept dat ook door de verschillende kategorieën en stromingen te betrekken op God en Christus. In de brief aan de Galaten houdt hij de gemeente voor: ,,In Christus is geen sprake van Jood of Griek, van slaaf of vrije, van mannelijk of vrouwelijk; gij zijt immers allen één in Christus Jezus'' (Gal. 3:27). Zo ook wijst hij de elkaar bestrijdende groepen in Rome er op dat zij beide knechten van God zijn. Dat moet hun onderlinge relaties bepalen en er toe leiden dat zij ophouden elkaar te veroordelen of te minachten. Immers: ,,Wie zijt gij, dat gij eens anders knecht oordeelt?'' (Rom. 14:4). In de plaats daarvan is er een nieuwe gedragskode die het spiegelbeeld is van de oude: ,,In ootmoedigheid achte de een de ander uitnemender dan zichzelf'' (Filipp. 2:3).
Niet alleen wordt het imperialisme afgewezen en de daarmee gepaard gaande negatieve verschijnselen, ook het *pluralisme* wordt veroordeeld. Paulus doet dat vooral door er op te wijzen hoezeer de verschillende groepen en kategorieën elkaar nodig hebben. Dat komt pregnant naar voren in het beeld van de gemeente als lichaam (I Kor. 12:12-31). Immers in dat beeld wordt de gemeente gezien als een eenheid van elkaar komplementerende delen, die in verbondenheid met het hoofd, elk een onmisbare funktie hebben ten dienste van het geheel. Geen van die delen kan gemist worden en geen daarvan kan tegen de ander zeggen 'Ik heb u niet nodig'. En de kracht waarmee Paulus verdedigt dat zij bij elkaar horen, maakt duidelijk hoe zeer hij het pluralisme veroordeelt.

Beide reaktiewijzen zijn dus onbevredigend, ook omdat beide afbreuk doen aan de vitaliteit van de gemeente. Het imperialisme omdat zeer veel energie nodig is om de voortdurend optredende spanningen en konflikten op te lossen. En bovendien omdat zij er onherroepelijk toe leidt dat mensen aan de rand komen, wat ook impliceert dat de bereidheid mee te doen en zich in te zetten vermindert of zelfs verdwijnt. Het pluralisme doet afbreuk aan de vitaliteit omdat zij de gemeenschap belemmert, althans als we met een oud belijdenisgeschrift als één van de typerende eigenschappen van de gemeenschap zien dat de leden bereid zijn hun 'gaven tot nut en heil der andere leden bereidwillig en met vreugde te gebruiken' (Heidelbergse catechismus,antw.55). Het pluralisme ontkent in de grond van de zaak het karakter van de gemeente als lichaam (van Christus) omdat de facto de één tegen de ander zegt 'ik heb u niet nodig'.

Dat beide reaktiewijzen de vitaliteit van de gemeente aantasten kan nog verhelderd worden als we hen bezien in het kader van het 'partijen-in-een-systeemmodel'. In termen van dit model is immers duidelijk dat zij beide de vitaliteit aantasten doordat zij beide de vruchtbare spanning tussen 'eenheid' en 'partijen' opheffen. Het imperialisme doordat de ene partij de andere(n) als het ware opslokt; het pluralisme, doordat de eenheid uit het oog wordt verloren. Denken in termen van dit model maakt tevens duidelijk dat er een derde weg is. Het bewandelen van die weg impliceert ten minste de volgende twee gedragslijnen.
Ten eerste is het zaak de 'partijen' (bijv. de spiritualiteiten en groepen gebaseerd op kategorieën zoals sekse of seksuele geaardheid) te versterken *èn* tegelijkertijd de volle nadruk te leggen op de 'eenheid'. Dat laatste impliceert onder meer het besef van interdependentie verlevendigen en samen zoeken naar gemeenschappelijke doelen en een gemeenschappelijke identiteit (uiteraard zonder dat dit ten koste gaat van de doelen die elke 'partij' afzonderlijk nastreeft).
Het betekent in de tweede plaats dat een funktionele autonomie van de 'partijen' wordt toegestaan — dus voor de verschillende 'partijen' een eigen speelruimte — èn dat tegelijkertijd de kommunikatie tussen die verschillende 'partijen' wordt bevorderd en wel direkt, dus niet via de leiding ('de top') maar tussen de 'gewone' leden; rechtstreeks, informeel, frekwent en dwars door alle 'partijen' heen.
Dit stelt natuurlijk hoge eisen aan de gemeente. Onder meer aan het klimaat; het is essentieel dat mensen ervaren dat zij worden gerespekteerd en worden geaksepteerd zoals zij zijn. Van niet minder belang is dat de leiding zichzelf verstaat als dienst en als hoofdtaak ziet bezig te zijn met de vraag of de gemeente werkelijk kerk is. Evenzeer worden hoge eisen gesteld aan de twee elementen die in de volgende hoofdstukken behandeld zullen worden: doelen en identiteit. Duidelijk wordt ook hieruit hoezeer de vijf onderscheiden faktoren met elkaar samenhangen. We gaan daar in hoofdstuk 9 nader op in.
Nu beperken we ons tot de konklusie dat het voor het vitaliseren van de gemeente van belang is te denken in termen van het 'partijen-in-een-systeemmodel'. Dit geldt overigens niet alleen voor de struktuur van de relaties tussen kategorieën en stromingen, maar ook voor de struktuur tussen funktionele groepen in de gemeente. Daarover tot slot nog enkele opmerkingen.

6.3. Struktuurelementen van een vitale gemeente
opmerkingen vanuit de praktische theologie

Het gaat er nu uiteraard om de bevindingen van de OO toe te passen op de struktuur van de gemeente om zo haar vitaliteit te dienen. Daarbij lijkt het mij duidelijk dat de elementen die hiervoor beschreven zijn als belangrijk met name voor organisaties die voor de opgave staan zich te vernieuwen, ook voor de gemeente van vandaag van grote betekenis kunnen zijn. En dus lijkt het van belang de struktuur van de gemeente te bezien vanuit die gevonden elementen: doelgericht, eenvoudig, gedecentraliseerd, plat en met een hoge graad van kommunikatie. Dat is niet eenvoudig want er zijn alleen al binnen de gereformeerde en hervormde kerk ten minste twee struktuurmodellen gangbaar. Om het verhaal niet nog ingewikkelder te maken beperken wij ons tot deze twee. Dit hoofdstuk sluiten we af met een schets van de kontouren van een nieuwe struktuur.

model 1: het klassieke model De struktuur van een doorsnee gereformeerde of hervormde gemeente is lange tijd, zelfs eeuwen, in hoofdzaak dezelfde gebleven en geldt ook voor de meeste gemeenten van vandaag. De grondstruktuur van dit klassieke model komt hier op neer. Een gemeente heeft een kerkeraad die als opdracht heeft de gemeente te leiden. Hij kent drie ambten: predikant, ouderling en diaken. De predikant heeft als kernfunktie de woordverkondiging. Het ambt van ouderling wordt wel getypeerd als het regeerambt, dat ook omschreven kan worden als het uitoefenen van de herderlijke zorg. In dat kader staat ook zijn meest bekende funktie: het verrichten van huisbezoek, aan alle leden van de gemeenten, tenminste een keer per jaar. Met het oog hierop krijgt ieder de verantwoording voor een bepaalde wijk die kan variëren van 25 tot 50 adressen. Tenslotte is er dan nog de diaken aan wie de dienst der barmhartigheid is toevertrouwd. Allen zijn zij ambtsdragers en samen vormen zij de kerkeraad. (De bijzondere positie die de diaken lange tijd gehad heeft laat ik verder rusten).
De kerkeraad is verantwoordelijk voor het reilen en zeilen van de gemeente maar kan bepaalde taken delegeren aan personen of werkgroepen. Zo ontstonden allerlei werkgroepen waarvan de belangrijkste zijn de 'financiële kommissie', de evangelisatiekommissie en de zendingskommissie. De delegatie betreft de beleidsvoorbereiding en/of de beleidsuitvoering maar niet het beleid als zodanig. Deze struktuur kan als volgt in beeld worden gebracht:

Figuur 6: De klassieke struktuur van een gereformeerde en hervormde gemeente.

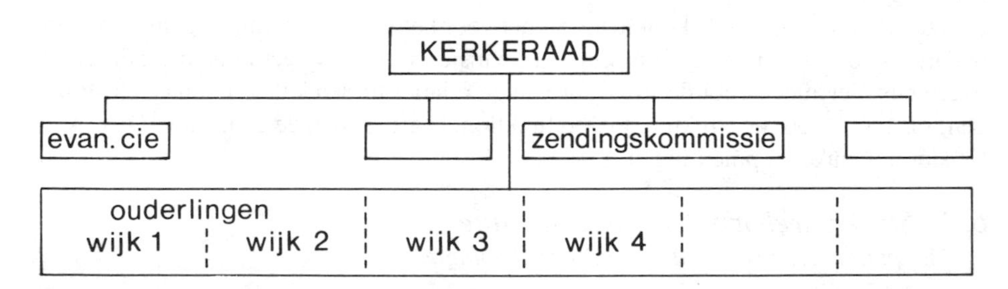

De struktuur is in werkelijkheid omvattender en vaak ook ingewikkelder. Allereerst is er nog het instituut van de gemeentevergadering, waar de inspraak van de gemeente formeel gestalte krijgt met name bij bijzondere gebeurtenissen zoals het beroepen van een predikant. Vervolgens is er, was er in ieder geval tot ±1960, een uitgebreid netwerk van relaties tussen de leden van de gemeente; velen ontmoeten elkaar in de sfeer van vriendschap en gezelligheid en in het kader van vele christelijke verenigingen en instituten.

Vergelijken we deze struktuur met de genoemde elementen dan kan het volgende worden gekonstateerd:
- de struktuur is gebaseerd op het systeemmodel
- in de struktuur wordt tot uitdrukking gebracht dat als belangrijkste funkties worden (of werden) gezien: de verkondiging, het pastoraat en het diakonaat
- de struktuur is in principe eenvoudig en doorzichtig, maar kan dit karakter verliezen door wildgroei van het aantal kommissies
- er wordt gedelegeerd, maar het beleid zelf blijft een zaak van de kerkeraad. Van spreiding van macht is dus geen sprake. Deze situatie 'veroordeelt' de kerkeraad het werk van allerlei groepen nog eens over te doen. Dat leidt niet zelden tot saaie vergaderingen
- de differentiatie vindt in hoofdzaak plaats op basis van funkties (diakonie, zending, evangelisatie, financiën enz.)
- in de struktuur is geen aandacht voor 'spiritualiteiten' en 'kategorieën'; het gaat dus slechts om een deel van de struktuur, namelijk de leidingstruktuur
- de struktuur is plat; dit heeft het onschatbare voordeel dat leiding en alle leden direkt kontakt met elkaar hebben.
- er zijn veel onderlinge kontakten.

Deze grondvorm bestaat nog in de meeste gemeenten maar vooral na ±1960 komt zij onder druk te staan, waarbij met name drie faktoren van invloed waren. Allereerst werden de vergaderingen van de kerkeraad in toenemende mate als onwerkbaar ervaren. Dit had vooral te maken met de grote omvang van de kerkeraden, met name uiteraard in grotere gemeenten; kerkeraden van meer dan 100 ouderlingen waren geen uitzonderingen. En dat maakte het onderlinge beraad haast onmogelijk, terwijl daaraan in toenemende mate behoefte bestond door wat we hier als tweede faktor noemen: de voortdurende groei van de agenda's van de kerkeraden. Dit verschijnsel hing weer samen met allerlei ontwikkelingen, zoals: een nieuwe visie op de funktie van de gemeente (meer en meer brak het inzicht door dat de kerk zich met maatschappelijke vragen dient bezig te houden), de ontzuiling (waardoor heel wat zaken die 'vroeger' op de agenda van christelijke verenigingen stonden nu op die van de kerkeraad kwamen), de grote dynamiek in samenleving en kerk (waardoor ook in de kerk het besef groeide van de noodzaak van 'education permanente', wat weer leidde tot een hele nieuwe werksoort van vorming en toerusting) en het ontstaan van nieuwe fundamentele problemen in de gemeente (kerk en jeugd; pluraliteit). Een 'gewone' kerkeraad kan al die problemen niet aan en ook dat dwong tot veranderingen. Daarbij kwam nog als derde faktor een sterk aksent op de mondigheid van het 'gewone' gemeentelid. Begunstigd door het algemeen kultureel klimaat van die jaren, waarin een sterk aksent werd gelegd op mondigheid en emancipatie, werden oude noties als het 'ambt aller gelovigen' en het 'algemeen priesterschap' opnieuw ontdekt. En waar dit werd doordacht, ook naar de struktuur toe, leidde dit er toe dat de klassieke struktuur ongeveer op haar kop werd gezet. Het aksent verplaatste zich van het bijzondere ambt, naar het algemene ambt. De gemeente werd ontdekt als subjekt van het pastoraat, van het diakonaat, ja van de gemeente. En in de lijn daarvan hamerde een rapport als 'Kerk in Perspektief' het er als het ware in: 'de gemeente is draagster van de bedoelingen van de kerk'.

model 2: het werkgroepenmodel Deze en andere ontwikkelingen leidden tot voorstellen voor een andere struktuur die door de generale synode van de gereformeerde kerken ook als mogelijkheid is aanvaard. Die 'nieuwe struktuur' is, wat de Gereformeerde Kerken in Nederland betreft, uitvoerig beschreven in het boekje 'Gemeentestruktuur in Perspektief' (1982), waaraan we hier het een en ander ontlenen.
De belangrijkste uitgangspunten voor een nieuwe struktuur zijn volgens deze schets:
,,a. De gemeente moet open staan voor de uitdagingen van de samenleving (...)
b. De gemeente is de draagster van de bedoelingen van de kerk. Dat wil zeggen: gemeente-zijn is een verantwoordelijkheid van de gehele gemeente en niet alleen van de kerkeraad en een aantal kommissies. Het ambt heeft met name een stimulerende en koördinerende taak'' (7).
Daarnaast worden nog enkele andere uitgangspunten genoemd: de noodzaak van ,,een overzichtelijk en werkbaar geheel'', een verschuiving van taken van kerkeraad naar allerlei groepen, ,,een goede kommunikatie en koördinatie binnen de gemeente'', e.d.
Op basis van deze uitgangspunten wordt een schets van een nieuwe struktuur gemaakt waarvan we de belangrijkste elementen kort als volgt weergeven:
1. Er worden kontaktpersonen aangesteld die ieder ongeveer 10 adressen bezoeken.
2. Er worden sektieberaden opgericht. De grenzen daarvan vallen als regel samen met die van de ouderlingenwijk. Van dit beraad maken deel uit de kontaktpersonen die in deze wijk werken alsmede de wijkouderling en eventueel de wijkdiaken.
3. Er worden funktionele groepen gevormd rond de kernfunkties van de gemeente zoals pastoraat, diakonaat en toerusting (beraadsgroepen); deze kunnen voor de behartiging van deeltaken weer andere groepen in het leven roepen (werkgroepen).
4. De sekties en beraadsgroepen moeten ,,zo zelfstandig mogelijk kunnen funktioneren. Het gaat om een zo groot mogelijke delegatie van verantwoordelijkheden en bevoegdheid naar sekties en beraadsgroepen. De kerkeraad krijgt een meer koördinerende taak''.
5. De kerkeraad wordt samengesteld uit één lid van elke beraadsgroep en elke sektie. Omdat deze samenstelling een dominant kenmerk van dit model is spreken we van het 'werkgroepenmodel'.
De nieuwe struktuur kan als volgt in beeld wordt gebracht:

Figuur 7: Schets van het werkgroepenmodel

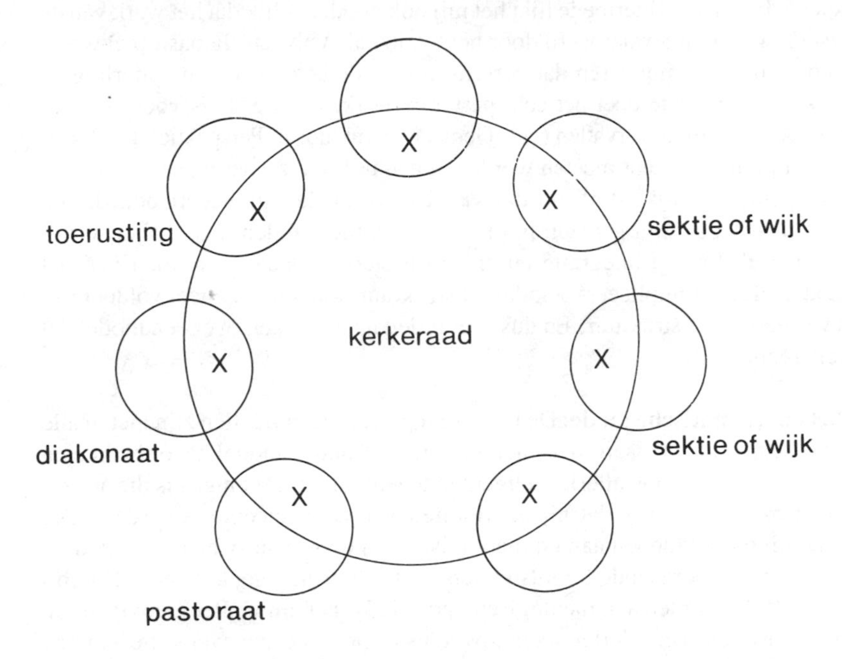

ontleend aan: Gemeentestruktuur in Perspektief, 1982, 9

De belangrijkste taak van de kerkeraad is de integratie van het werk van sektieberaden en beraadsgroepen. ,,Deze raad moet er voor zorgen dat al het werk dat in een gemeente plaatsvindt op elkaar wordt afgestemd. (...) De kerkeraad wordt het ontmoetingspunt waar het overleg plaatsvindt inzake de koördinatie van al het werk van de gemeente en waar tevens het uiteindelijke beleid vastgesteld wordt. Een en ander op basis van de voorstellen van de beraadsgroepen en na overleg met de gemeente'' (36).
6. Om de verantwoordelijkheid van de gemeente bij het vaststellen van de hoofdlijnen van het beleid tot zijn recht te laten komen, vindt het rapport een gemeenteberaad noodzakelijk.

Een voordeel van deze nieuwe struktuur is dat erkend wordt dat naast de funkties verkondiging, pastoraat en diakonaat ook andere zoals vorming en toerusting essentieel zijn. Het rapport honoreert dit door voor die funkties een plaats in te ruimen in het centrale beleidsorgaan. Bovendien wordt het subjekt-zijn van gemeenteleden meer dan in de klassieke struktuur erkend. Maar voor deze winstpunten moet een zware prijs betaald worden: het direkte kontakt tussen leiding en leden, dat betekent hier tussen kerkeraad en gemeenteleden, gaat verloren. De afstand wordt vergroot, want er schuift een laag tussen: 'het sektieberaad'. Bovendien lijkt het kontakt een beperktere inhoud te krijgen, wat ook tot uiting komt in de naam kontaktpersoon. En ook dat is een

verliespunt, zeker in onze tijd waarin zelfs een zeker taboe lijkt te rusten op het spreken over het geloof. In verband hiermede lijkt het mij ook noodzakelijk dat het werk van de kontaktpersoon wordt opgewaardeerd door het te zien als volwaardig pastoraal werk. En dat zou ook moeten impliceren dat verschil tussen de bezoeken van ouderling en kontaktpersoon — de eerste doet het echt pastorale werk, de tweede is voor het eenvoudiger kontakt — komt te vervallen (vgl. Gemeentestruktuur in Perspektief,1982,40). Dat zou ook tot uiting gebracht moeten worden in een naamsverandering.
Het werkgroepenmodel lijkt sterk op dat van Likert en dat impliceert ook dat de bezwaren die daar tegen zijn gerezen in principe ook hier gelden: het is tijdrovend, formeel, de nadruk ligt op integratie en er wordt sterk gedacht in termen van het 'systeemmodel'. En dat impliceert ook dat dit struktuurmodel niet geheel voldoet aan de kriteria van een vitale struktuur. En dus is er reden na te denken over een model dat hieraan meer recht doet.

model 3: het charismatische model De beschreven struktuurmodellen zijn niet in alle opzichten bevredigend en daarom is het nodig een nieuw model te ontwikkelen waarvan we in de praktijk ook allerlei elementen tegenkomen. De enige eis die aan dit model gesteld mag worden is dat hij de vitaliteit van de gemeente bevordert. Dat impliceert dat hij moet voldoen aan de theologische en de sociaal-wetenschappelijke kriteria die we in de voorgaande hoofdstukken als belangrijk tegenkwamen. Daarbij moet vooral gedacht worden aan theologische noties als 'het ambt aller gelovigen' en 'leiding als dienst' en aan allerlei sociaal-wetenschappelijke gegevens die kunnen worden samengevat in het begrip 'partijen-in-een-systeemmodel'.
Model 3, waarin deze gegevens serieus worden genomen, kenmerkt zich door vier struktuurelementen:
1. er is speelruimte voor groepen en stromingen
2. de eenheid wordt benadrukt
3. de gemeentevergadering fungeert als centraal beleidsorgaan
4. de kerkeraad richt zich in het bijzonder op finalisatie.
Met deze centrale struktuurelementen hangen weer andere samen zoals we zullen zien. Over elk van deze elementen enkele opmerkingen.
In de eerste plaats noemden we de *grote speelruimte voor allerlei groepen*. Dat impliceert de vorming van groepen die niet alleen bepaalde taken hebben, maar ook alle bevoegdheden — dus legitieme macht — om die uit te voeren. Om tot uitdrukking te brengen dat mensen hun taak in deze groepen verrichten krachtens hun ambt — het ambt aller gelovigen — hecht ik er aan deze groepen niet aan te duiden als funktionele groepen of iets dergelijks, maar als ambtsgroepen.
Bij de vorming van deze groepen bestaat er een voorkeur voor groepen die een 'komplete taak' of een 'volledige dienst' verzorgen, waarop zij, en alleen zij aangesproken kunnen worden. Dat betekent dus bijvoorbeeld een voorkeur voor een ambtsgroep 'dienst aan de samenleving' boven een situatie waarin verschillende groepen zoals diakonie en evangelisatiekommissie zich ieder vanuit eigen invalshoek met de samenleving bezig houden.

Afhankelijk van hun taak hebben dergelijke groepen een meer permanent of een meer gelimiteerd bestaan. Als het laatste het geval is, dan is het van belang dat bij de instelling van deze groepen vastgesteld wordt wanneer zij zullen worden ontbonden. Zo kan worden voorkomen dat mensen nodeloos worden vastgehouden.
Welke groepen ingesteld zouden moeten worden hangt uiteraard af van de visie die de gemeente heeft op haar roeping en daarnaast van de problemen die zij ziet in de eigen gemeente en in de samenleving. Maar dit laten wij nu verder rusten daar het volgende hoofdstuk daarover handelt.
Uit de voorgaande paragrafen zal duidelijk zijn geworden dat dit ruim baan maken voor allerlei groepen evenzeer geldt voor groepen die gevormd zijn op basis van het behoren tot een bepaalde kategorie, bijvoorbeeld sekse, of spiritualiteit. Bij dit laatste kunnen we bijvoorbeeld denken aan gemeenten waarbinnen verschillende typen kerkdiensten tot ontwikkeling zijn gekomen. Iets dergelijks kan uiteraard alleen in grotere gemeenten.
Voor een vitale gemeentestruktuur is in de tweede plaats nodig dat het vergroten van de speelruimte van allerlei groepen gepaard gaat met een versterken van de eenheid. Deze *gerichtheid op eenheid* is het tweede struktuurelement. Het is interessant er hier aan te herinneren dat in de OO hierover in bijna religieuze termen wordt gesproken. Zo spreekt Mastenbroek in dit verband van de noodzaak van een gemeenschappelijke 'missie' en een gedeeld 'credo'. In de volgende twee hoofdstukken komen we hier op terug. Hier beperken we ons tot de opmerking dat voor het versterken van de eenheid ook van groot belang is intensieve kommunikatie tussen de groepen. Daarbij gaat het om rechtstreekse kontakten, in een informele sfeer. De verzorging van een zondag voor het werelddiakonaat bijvoorbeeld vraagt om samenwerking tussen de ambtsgroep eredienst en de diakonie. Welnu, laten zij kontakt met elkaar opnemen, direkt, zonder tussenkomst van de kerkeraad. En bij voorkeur informeel: niet steeds per brief, maar bijvoorbeeld na een kerkdienst, of door even te bellen of door een vergadering van de ander te bezoeken. En wat hier gezegd is over deze twee groepen geldt natuurlijk ook voor de andere. Ook daar moeten tempovertragende en motivatieremmende tussenschakels worden vermeden.
Om de kommunikatie te bevorderen is het uiteraard ook van belang dat zij elkaar kennen en weet hebben van elkaars aktiviteiten. Dat kan op tal van manieren bevorderd worden, bijvoorbeeld door:
- de horizontale mobiliteit te bevorderen (bijvoorbeeld door iemand die lid is geweest van de diakonale ambtsgroep nu eens te vragen voor de ambtsgroep 'eredienst', gesteld uiteraard dat de betreffende persoon daar belangstelling voor heeft)
- mensen die van een ambtsgroep lid worden officieel in een kerkdienst te bevestigen en daarbij te vertellen wat hun taak inhoudt; het is bovendien volstrekt onduidelijk waarom dat wel gebeurt bij ouderlingen en diakenen maar niet bij leden van andere ambtsgroepen
- schriftelijke informatie; een eigen blad is hierbij van belang
- het scheppen van ontmoetingspunten en ontmoetingsmomenten waar iedereen welkom is en alle groepen aanwezig zijn en men elkaar 'en passant' even kan aanschieten.

Dat wordt door velen niet alleen als gezellig maar ook als funktioneel ervaren. Op die manier kan de koördinatie tussen de groepen in belangrijke mate gestalte krijgen. Uiteraard moet dit groeien. In gemeenten waarin men er als het ware in is opgevoed om alles via de voorzitter te doen en alles via de kerkeraad te regelen zullen tegen deze manier van koördineren uiteraard veel weerstanden zijn. En wie vreest dat er van die onderlinge beïnvloeding niet veel terecht zal komen en daarom geneigd is zijn toevlucht te zoeken in de oude struktuur, waarin de kerkeraad integreert, moge ik herinneren aan deze bevinding van Mastenbroek: ,,Relatief kleine en autonome eenheden beïnvloeden elkaar veel effektiever (...) dan hogerhand zou kunnen doen'' (1984,14).
Uiteraard gaat het niet alleen om de kommunikatie tussen groepen onderling maar ook om die tussen de groepen en de gemeente. Die kommunikatie kan bevorderd worden door groepen te vragen wijkavonden (mede) te organiseren, bijdragen te leveren aan een gemeentezondag of een kerkdienst. Het initiatief daartoe kan worden genomen door de groepen zelf, maar eventueel ook door kerkeraad of gemeentevergadering. In gemeenten waar een tweede kerkdienst wordt gehouden zouden die diensten meer gebruikt kunnen worden voor onderling beraad, waaraan de verschillende ambtsgroepen afwisselend een bijdrage zouden kunnen leveren. Zo wordt de gemeente gekonfronteerd met wat de 'vredesgroep', de groep 'Conciliair Proces' of de vrouwenkontaktkring bezielt en welke plannen zij hebben. Daar kan een gesprek over ontstaan en zo kan de medeverantwoordelijkheid van allen gestalte krijgen.
De beleidsbepalende gemeentevergadering is het derde struktuurelement. Voor het houden van een dergelijke vergadering zijn elk jaar ten minste twee aanleidingen: de afsluiting van een jaar en de start van het nieuwe jaar. Hier ontmoeten groepen elkaar om met elkaar èn met alle andere gemeenteleden het gevoerde beleid te evalueren en gezamenlijk nieuw beleid te ontwikkelen, uiteraard op basis van door groepen opgestelde plannen. Aan de orde dient ook te komen de vraag welke nieuwe groepen gevormd moeten worden en — niet minder belangrijk — welke groepen klaar zijn met hun taak en dus opgeheven kunnen worden. Deze vergaderingen onderstrepen de facto nog eens dat allen behoren tot het 'koninklijk priesterschap' en dat allen medeverantwoordelijk zijn voor het geheel. De gemeentevergadering is het centrale beleidsorgaan.
In een dergelijke struktuur krijgt de kerkeraad een geheel eigen funktie. Doordat in deze gemeente taken èn bevoegdheden zijn toebedeeld aan groepen wordt dit kollege in principe — namelijk als de dingen lopen zoals ze behoren te lopen — ontslagen van veel routinewerk: verslagen bespreken, rapporten goedkeuren, plannen fiatteren, groepen en hun aktiviteiten koördineren, enz. Zo krijgt dit kollege de kans zich te concentreren op zijn eigenlijke taak en daarin valt de nadruk niet op het koördineren, — zoals telkens weer dreigt te gebeuren — maar op het finaliseren. De kerkeraad is primair *een finaliserende kerkeraad*. Dit is het vierde en laatste struktuurelement. In dit kader heeft de kerkeraad drie met elkaar samenhangende funkties:
a. *waken over de identiteit van de gemeente* Dat betekent bezig zijn met de vraag: ,,Zijn wij gemeente van de Heer, zijn wij bezig met de dingen van de Heer, zijn wij

kerk?''. Deze algemene vraag kan nader worden gekonkretiseerd in deelvragen, bijvoorbeeld de volgende:
- Zijn wij een gemeenschap waarin de verbondenheid met de Heer en met elkaar konkreet gestalte heeft gekregen? Ervaren gemeenteleden de gemeente als een plaats waar ieder zichzelf mag zijn en waar ruimte is voor de ander? waar mensen zich geborgen weten en uitgedaagd worden? (koinonia)
- Hoe is onze omgang met God, zowel persoonlijk als gemeenschappelijk? Welke plaats heeft gebed, omgang met de bijbel en meditatie in het leven van de gemeente? (vieren)
- Blijkt uit wat wij als gemeente doen en zijn, dat we de bondgenoot zijn van ,,wees en weduw' en ontheemde''? Hebben we een 'woord voor de wereld', ook als het gaat om vragen als gerechtigheid, vrede, relaties tussen mensen en volkeren? (dienen)
- Is er sprake van groei in deze opzichten of juist van afbrokkeling? Pogen wij in ons persoonlijk leven en als gemeente vast te stellen wat in onze konkrete situatie 'de wil van God is, wat goed en aanvaardbaar en volkomen is'? (leren)
Natuurlijk kunnen deze vragen ook geheel anders gesteld worden (vgl. bijvoorbeeld Bakker en Schippers,77e.v.).
b. *mensen en groepen helpen en ondersteunen en 'de eenheid' (de gemeenschap) te bevorderen* Er zijn tal van gemeenteleden en groepen bezig met een of meer van deze vragen. De taak van de kerkeraad is hen hierbij te helpen en tegelijkertijd de eenheid te bewaren. Dat kan leiden tot konkrete taken zoals:
- informatie geven
- mensen en groepen bemoedigen
- ruimte scheppen voor groepen zodat zij anderen van dienst kunnen zijn
- gemeenschappelijke bezinning stimuleren, onder meer over de vraag hoe zij de opbouw van de gemeente kunnen dienen
- groepen met elkaar in kontakt brengen en ook op andere manieren de kommunikatie vergroten
- bemiddelen in konflikten
- kommunikatie bevorderen.
Om tot uitdrukking te brengen dat het in de relaties met deze groepen niet gaat om heersen, maar om dienen, is het van belang dat de bestaande procedures worden omgedraaid en de groepen niet bij de kerkeraad op bezoek gaan, maar de kerkeraad bij de groepen.
c. *voorwaarden scheppen* Tenslotte zijn er nog allerlei andere taken te verrichten die meer liggen in de voorwaardelijke sfeer:
- materiële middelen ter beschikking stellen
- meezoeken vakatures te vervullen
- gemeenteberaden (mee)voorbereiden
- maatregelen nemen die de kompetentie verhogen (bijvoorbeeld door de mogelijkheden om kursussen bij te wonen te vergroten enz.)
Het is van groot belang dat deze zaken niet de aandacht van de eigenlijke taken afleiden. En dus zal het zaak zijn deze zoveel mogelijk te delegeren.

De centrale karakteristieken van dit model kunnen als volgt in beeld worden gebracht (Figuur 8). Omdat in dit model het aksent ligt op gemeenteleden als subjekten die charismata hebben ontvangen, spreken we van het charismatische model.

Figuur 8: Schets van het charismatische model

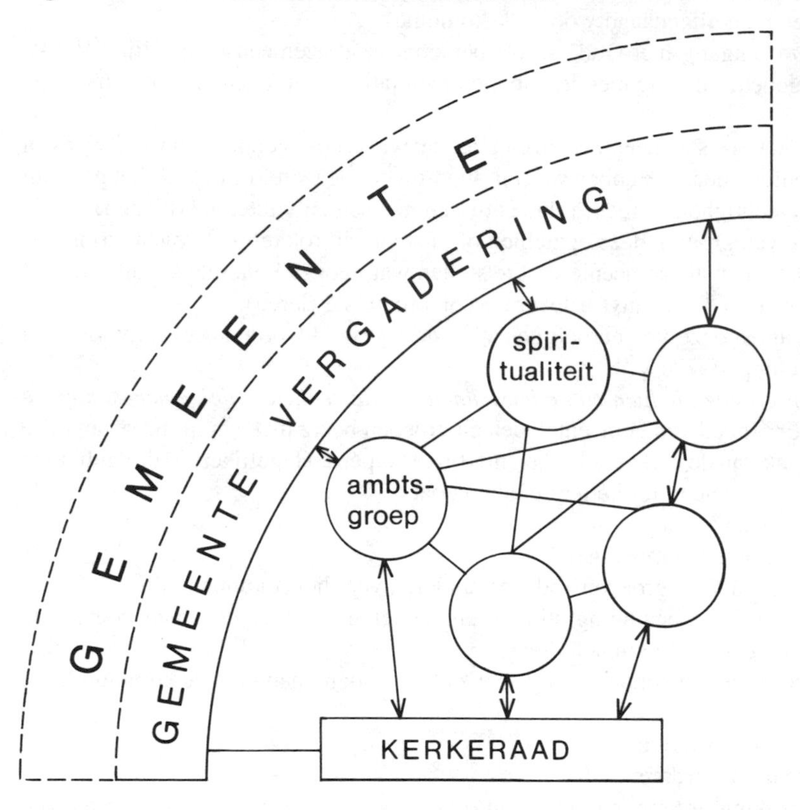

In deze schets willen we tot uitdrukking brengen dat de gemeente open is naar de samenleving, de gemeentevergadering het eigenlijke beleidsorgaan is, de groepen onderling met elkaar communiceren en de kerkeraad een dienende funktie heeft; hij staat niet bovenaan (zoals in model 1), niet in het centrum (zoals in model 2), maar onderaan.

Om deze taken goed te kunnen vervullen is het van belang dat de kerkeraad een betrekkelijk klein kollege is — niet groter dan 12 à 15 personen — en samengesteld wordt met het oog op deze taken. Daarnaast kan het wellicht van belang zijn dat de ambtsgroepen in de kerkeraad vertegenwoordigd zijn, maar noodzakelijk is het niet en het is ook zeker geen garantie dat de kerkeraad zich nu ook met deze taken gaat bezig houden. Noodzakelijk is wel dat dit kollege zodanig wordt samengesteld dat het affiniteit heeft voor de verschillende dimensies van de opdracht van de gemeente èn dat

het als het ware van binnen uit kan meemaken wat anderen aan wie leiding gegeven moet worden, beleven. Dat is gegeven met het pastoraal karakter van leiding-geven. Eén van de vooronderstellingen van het pastoraal handelen is namelijk: over een situatie kunnen denken en een situatie kunnen beleven vanuit de ander (Hendriks/Rijken-Hoevens,1976,7-18). Dat betekent dat de kerkeraad gevarieerd moet zijn samengesteld met name wat betreft affiniteit tot de verschillende *funkties van de kerk*, *sociale positie* en wat betreft *spiritualiteit*. Het gevaar is immers groot dat er een dominante koalitie ontstaat die eenzijdig is samengesteld, die onbedoeld maar niettemin nadrukkelijk haar stempel op het geheel drukt en daarmee afbreuk doet aan de vitaliteit van de gemeente.
Elementen van dit model zien we ook in de realiteit. De hervormd/gereformeerde gemeente in de Bijlmer bijvoorbeeld biedt een voorbeeld van een struktuur waarin groepen elkaar intensief beïnvloeden en elkaar regelmatig ontmoeten in een informele sfeer, vooral ook na de kerkdienst. De gereformeerde kerk van Hoofddorp is een voorbeeld van een gemeente waarin systematisch gepoogd wordt ruimte te scheppen voor de verschillende spiritualiteiten — wat leidde tot drie typen van kerkdiensten — terwijl tevens nadrukkelijk gepoogd wordt de eenheid te bewaren (onder meer door de predikanten te laten rouleren, door gemeenschappelijke werkgroepen in te stellen en door het (groot)huisbezoek territoriaal te organiseren). Een interessant voorbeeld is ook de gereformeerde kerk van Oss, die al in het begin van de zeventiger jaren konsekwent uitging van het ambt aller gelovigen, wat onder meer leidde tot een sterk aksent op de gemeentevergadering, zelfstandigheid van groepen en de instelling van een kerkeraad (die daar overigens anders genoemd werd) die als hoofdtaak kreeg de 'kritische begeleiding van de gemeentegroepen' — waarbij het vooral ging om het aan de orde stellen van de 'waartoe- vraag' — en in de struktuurschets onderaan werd geplaatst.
Zo is er veel meer te noemen. Overigens gaat het in de praktijk veelal niet om een geheel nieuwe struktuur, maar om een vermenging van 'oude' en 'nieuwe' elementen. Dat leidt gemakkelijk tot frikties. Dat is bijvoorbeeld het geval in de gemeente X waar wel sterk de nadruk wordt gelegd op de zelfstandigheid van de groepen, de kerkeraad zichzelf wil verstaan als dienst, maar waarin de gemeentevergadering niet tot ontwikkeling is gekomen. Hierdoor ontwikkelde de kerkeraad zich nolens volens toch weer tot het centrale beleidsorgaan.

Terwille van de overzichtelijkheid vatten we de belangrijkste elementen van de drie modellen in een schema samen.

Schema 6: Typering van de drie modellen op basis van 9 kriteria

Kriteria	Model I het klassieke model	Model II het werkgroepen-model	Model III het charisma-tische model
1 grondstruktuur	systeemmodel	systeemmodel	partijen-in-een-systeemmodel
2 kommunikatie in hoofdzaak:	– vertikaal – formeel	– vertikaal – formeel	– horizontaal – informeel
3 integratie vooral via:	kerkeraad	afgevaardigden (linking-pins)	rechtstreekse kontakten tussen groepen
4 'motor' van de struktuur	kerkeraad	kerkeraad	ambtsgroepen
5 hoofdfunktie v.d. kerkeraad	'regeren'/ besturen	koördineren	finaliseren
6 beheersend gezichtspunt	'span of control'	'span of control'	'span of support'
7 samenstelling v.d. kerkeraad	ouderlingen, diakenen, predikanten	afgevaardigden	mensen die affiniteit hebben tot funkties en spiritualiteiten
8 gelaagdheid	plat	gelaagd	plat
9 centraal beleidsorgaan	kerkeraad	kerkeraad en gemeentevergadering	gemeentevergadering

Het is natuurlijk duidelijk dat hiermede niet alles is gezegd. Het ging dan ook niet om een tekening van een komplete struktuur, maar slechts om een schets van enkele elementen die dienstbaar zijn aan de vitalisering van de gemeente. We zijn ook niet verder ingegaan op het kontakt vanuit de gemeente met individuele gemeenteleden. Het zal duidelijk zijn dat dit niet komt doordat wij dat aspekt onbelangrijk vinden, maar omdat wij daarover in het vorige hoofdstuk uitvoerig hebben gesproken.

6.4. Samenvatting

Samenvattend kan worden gezegd dat de struktuur van de gemeente de vitaliteit van de gemeente zowel kan belemmeren als bevorderen.
De struktuur bevordert de vitaliteit als:

- ambtsgroepen, kategorieën en stromingen een eigen speelruimte hebben

- er konsekwent gedelegeerd wordt; dit impliceert spreiding van macht. Het werkt positief als er ambtsgroepen gevormd worden voor een 'komplete' taak of dienst
- er gemeentevergaderingen worden gehouden waarin het beleid wordt vastgesteld en geëvalueerd
- er een intensieve en niet-formele kommunikatie is tussen de groepen onderling en tussen de groepen en de gemeente
- de kerkeraad haar hoofdaandacht niet richt op het koördineren, maar op het finaliseren
- de kerkeraad gevarieerd is samengesteld wat betreft affiniteit met betrekking tot de funkties van de gemeente, kwa kategorieën en kwa spiritualiteit.

Het zal duidelijk zijn dat een struktuur die aan deze elementen voldoet niet altijd mogelijk is. Van groot belang is bijvoorbeeld het klimaat en met name het beeld dat er bestaat over 'gewone' gemeenteleden. Van niet minder belang is de rolopvatting van de leiding. Als de leiding zichzelf ziet als het hoogste orgaan dan zal deze struktuur niet volledig gerealiseerd kunnen worden. Ook kwam terloops reeds ter sprake dat ook het besef van gemeenschappelijke doelen en een gemeenschappelijke identiteitsconceptie van grote betekenis zijn. In de volgende twee hoofdstukken gaan we daar uitgebreid op in.
Dit alles maakt nog eens des te meer duidelijk hoe zeer de vijf door ons onderscheiden faktoren samenhangen.

7. Inspirerende doelen en aantrekkelijke taken

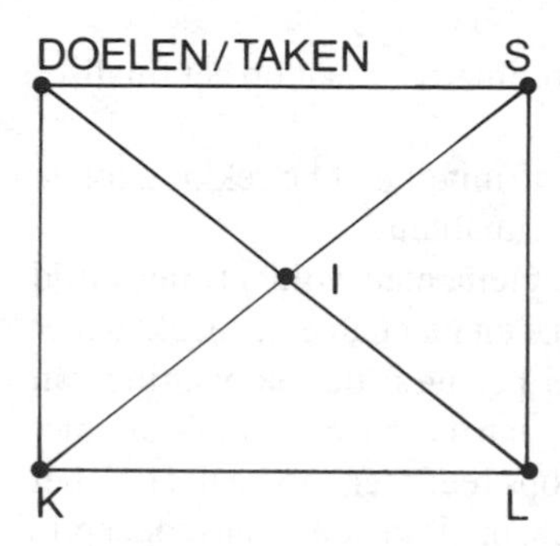

7.1. *Het belang van doelen en taken*

De vitaliteit van een organisatie wordt niet alleen bepaald door de vormgeving van het klimaat, de leiding en de struktuur, maar ook — sommigen zeggen zelfs vooral — door de kwaliteit van de doelen en de taken. Onder een doel verstaan we datgene waarnaar wordt gestreefd. Een taak is het werk dat iemand of een groep op zich genomen heeft. Beide hangen in principe nauw met elkaar samen. Met een taak wordt iets beoogd; dat noemen we het doel. Het doel vraagt om realisering en dat leidt — vaak via werkdoelen — tot het formuleren van taken. Allerlei kenmerken van die doelen en die taken hebben zoals gezegd grote invloed op de vitaliteit van een organisatie. Bij de doelen zijn vooral van belang de mate waarin zij manifest, konkreet, gemeenschappelijk en inspirerend zijn. Bij de taken speelt met name een rol de mate waarin zij mensen de kans geven als subjekt te funktioneren. Zo althans meen ik allerlei onderzoeksgegevens te mogen interpreteren. Het belang van beide faktoren en van hun onderlinge samenhang wordt in de volgende paragrafen uitgewerkt.

7.2. *Stimulerende doelen en aantrekkelijke taken*
opmerkingen vanuit de sociale wetenschappen

7.2.1. *Stimulerende doelen*

manifeste doelen Een organisatie heeft per definitie doelen, zeker als we haar met Etzioni zien als een instituut ,,weloverwogen gevormd en aangepast om bepaalde doeleinden te bereiken'' (1966,11). Dat geldt ook voor de kerk, immers de kerk heeft

een opdracht gekregen en is met het oog daarop gevormd. Perrow heeft er op gewezen dat we moeten onderscheiden tussen de officiële doelen — zoals we die bijvoorbeeld omschreven vinden in akten — en de operationele doelen, die in de realiteit worden nagejaagd. De term doel of bedoeling gebruiken wij in deze laatste zin.
Een organisatie heeft dus doelen. Dat is enerzijds evident, maar anderzijds ook weer niet, want die doelen kunnen als het ware wegzakken. Etzioni spreekt in dit verband van het verwisselen van doelen. Hiervan is sprake als een organisatie haar officiële doel in de praktijk vervangt door een ander doel waarvoor zij niet was opgericht, waarvoor geen middelen aan haar werden toegewezen en waarvan niet bekend is dat zij dit nastreeft (22).
Een veel voorkomende vorm hiervan is het verschijnsel dat de organisatie wordt van middel om een doel te bereiken tot *doel in zichzelf*.

> Een van de eersten die daarop heeft gewezen is Michels in een studie over de socialistische beweging in het Europa van vóór de eerste wereldoorlog. Daarin beschrijft hij een ontwikkeling waaraan naar zijn mening organisaties niet kunnen ontkomen en die hij daarom aanduidt als een 'ijzeren wet'.
> Die ontwikkeling komt kort samengevat hierop neer. In de middenjaren van de 19e eeuw ontstond er een socialistische beweging. Zij had een duidelijk doel: het realiseren van de klassenloze maatschappij. Om dat doel te bereiken schiep zij partij- en vakbondsorganisaties. Die hadden voor hun funktioneren leiders nodig op allerlei niveau's. Die leiders kregen al spoedig belangen in de organisatie, die gekoppeld waren aan hun positie en die zij dus wilden handhaven. Verlies van die posities zou immers voor hen betekenen een terugkeer naar hun vroegere leven en hun oude posities — die van arbeider — waarin zij weinig in tel waren en een laag inkomen ontvingen. Om dat te voorkomen streefden de leiders er naar hun positie veilig te stellen en dus de organisatie in stand te houden. Dit leidde er toe dat zij steeds minder geneigd waren risiko's te nemen uit angst dat zij het bestaan van de organisatie in gevaar zouden brengen. Uiteindelijk leidde deze ontwikkeling er toe dat het doel van de klassenloze maatschappij steeds meer op de lange baan werd geschoven en uiteindelijk zelfs min of meer opgeofferd werd voor het in stand houden van de organisatie. Het middel, de organisatie, werd tot op zekere hoogte tot doel in zichzelf.
> Aan dit gevaar ontkomen ook kerken niet. Een aanwijzing in die richting kunnen we vinden in de studie van H.R. Niebuhr over 'the social sources of denominationalism'. Hierin wijt hij het ontstaan van steeds weer nieuwe religieuze groepen aan het feit dat de kerken de belangen van hun leden niet weten te overstijgen. Daarbij speelt onder meer een rol de vrees dat de leden de kerk de rug zullen toekeren als zij zich in hun belangen aangetast voelen. De kerken slagen er zo niet in ,,to resist the temptation of making their own self- preservation and extension the primary object of their endeavor'' (1975,21). Dat het hier om een zeer ingewikkeld probleem gaat, waar we niet al te gemakkelijk over moeten spreken, is nog eens uiteengezet door

Mady Thung onder de titel 'De organisatie van een dilemma' (1982).
Doelen kunnen ook wegzakken als het instandhouden van de organisatie zo veel tijd en energie vergt, dat er in de praktijk weinig meer overblijft om zich te wijden aan de doelen, waar het uiteindelijk allemaal om begonnen was. Selznick beschrijft deze situatie die ook in kerkelijke kring maar al te bekend is, als volgt: ,,Het bestaan van een organisatie als een gespecialiseerde en essentiële aktiviteit werpt problemen op die geen noodzakelijke (en vaak een tegenovergestelde) betrekking hebben op de beweerde of 'oorspronkelijke' doeleinden van de organisatie. Het dagelijks gedrag van de groep wordt geconcentreerd op specifieke problemen en doeleinden die in de eerste plaats intern van belang zijn. Aangezien deze aktiviteiten een stijgend deel van de tijd en gedachten van de deelnemers in beslag gaan nemen, komen deze vervolgens — uit het oogpunt van het feitelijk gedrag — in de plaats van de beweerde doeleinden'' (gecit. door Etzioni,25).
Een derde faktor die er toe kan leiden dat het doel vervaagt, is het besef dat het oorspronkelijke doel niet te realiseren is. Men kan op deze situatie reageren door de organisatie op andere nuttige doelen te richten. Ook kan een nevendoel, bijvoorbeeld onderlinge gezelligheid, al dan niet bewust tot hoofddoel verheven worden.
Het op de achtergrond raken van de doelen heeft grote gevolgen voor de vitaliteit van de organisatie: de organisatie verliest haar dynamiek, en dat kan ook moeilijk anders, want ook voor haar geldt dat er geen wind is voor hen die geen haven hebben; de struktuur verliest haar 'ziel' en haar zin, en dat komt vooral hierin tot uiting dat de aandacht gericht wordt op koördinatie. En dat alles heeft uiteraard grote invloed op de participatie van 'gewone' mensen: het effekt van het meedoen wordt minder, — zeker gezien vanuit de organisatie — want daarvoor is nodig dat mensen doelgericht bezig kunnen zijn; en ook het plezier neemt af. En dat komt doordat één van de redenen dat mensen plezier in een aktiviteit hebben is, dat zij de betekenis van een aktiviteit voor het realiseren van het doel inzien. En dat kan niet meer want dat doel is immers weggezakt. Het is dan ook geen wonder dat de OO eensgezind is in haar advies aan organisaties: zorg dat de doelen manifest zijn en blijven.

konkrete doelen Van niet minder belang is dat deze doelen of bedoelingen worden geoperationaliseerd in werkdoelen en in taken/aktiviteiten. Er worden ook wel andere termen voor deze driedeling gemaakt, maar wij geven aan deze de voorkeur omdat zij het meest aansluiten bij het kerkelijk spraakgebruik. Die terminologie is natuurlijk ook niet zo belangrijk; het gaat er slechts om aan te geven dat er een ontwikkeling moet zijn van abstrakte doelen of bedoelingen via werkdoelen naar konkrete taken/aktiviteiten. Het *doel* van een organisatie kan bijvoorbeeld zijn, het bevorderen van de gerechtigheid. Als één van de *werkdoelen* kan worden gesteld: solidair zijn met de allerarmsten. Dit kan weer leiden tot konkrete *taken/aktiviteiten* zoals zelf-organisaties steunen, voorlichting geven, de ontmoeting arrangeren tussen uitkeringsgerechtigden en anderen, enzovoort. In beeld gebracht:

Figuur 9: Verband tussen doelen, werkdoelen en taken

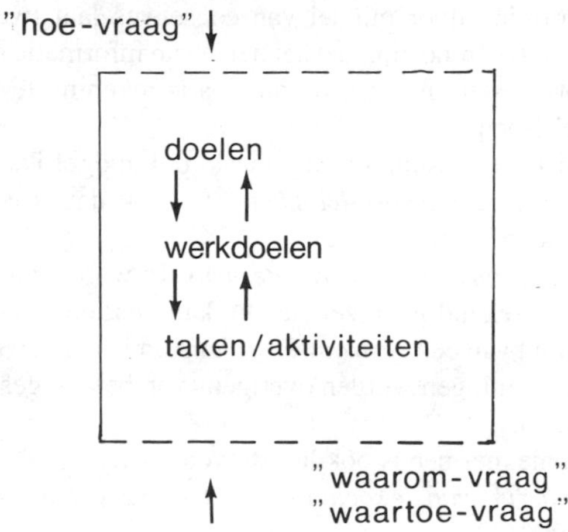

Met Lissenberg kunnen we zeggen dat we dit rijtje op twee manieren kunnen lezen: van boven naar beneden, waarbij we ons laten leiden door de 'hoe-vraag': 'hoe kunnen wij dat doel realiseren?' en 'hoe die werkdoelen?'; en van beneden naar boven, maar dan vanuit de 'waarom- ' of 'waartoe- vraag'. Die tweede beweging is vooral ook nuttig als de organisatie haar aktiviteiten evalueert. De redenering kan daarbij als volgt zijn: Wij verrichten die en die aktiviteiten. Waartoe eigenlijk? En als er werkdoelen blijken te zijn komt opnieuw de vraag: Waartoe eigenlijk? Uiteindelijk moet dit leiden tot de vraag wat deze te maken hebben met de identiteit van de organisatie (zie volgende hoofdstuk). Naarmate we er beter in slagen die relaties te leggen, zal de effektiviteit en de vreugde in het bezig zijn toenemen, gesteld dat we er in slagen gemeenschappelijke doelen te formuleren. Slagen we daar niet in dan zal het effekt en de vreugde juist verminderen. Daarmede stuiten wij op het derde element dat hier genoemd moet worden: de betekenis van gemeenschappelijke doelen.

gemeenschappelijke doelen Op de betekenis van gemeenschappelijke doelen is door velen gewezen, maar zeer in het bijzonder door William G. Ouchi in zijn Theorie Z. De naamgeving verwijst naar de bekende studie van Douglas McGregor over wat hij noemt theorie X en theorie Y. In hoofdstuk 4.2 werd hier iets over gezegd. De theorie van Ouchi bouwt daarop verder en dat brengt hij tot uiting in de titel van zijn studie: 'Theorie Z'. De kern van zijn theorie is de beschrijving van de meest effektieve organisatie: de Z-organisatie. Daarin komen we tal van elementen tegen die wij in het voorgaande hebben getypeerd als kenmerken van een vitale organisatie, zoals:

- *gezamenlijke besluitvorming*; iedereen voor wie een beslissing konsekwenties heeft, participeert aan de besluitvorming. Dit is een lange weg, maar het loont deze te volgen, want als een beslissing eenmaal tot stand gekomen is, dan wordt deze goed uitgevoerd; de mensen staan er achter — zolang gaat men door — en zij weten door hun participatie wat er precies beoogd wordt.

- *besluitvorming op basis van consensus*. Dit veronderstelt *open kommunikatie*. Besluitvorming door middel van consensus laat twee dingen zien die voor de Z-organisatie typerend zijn: dat het delen van informatie en waarden een goede zaak is èn dat de organisatie inderdaad van zins is rekening te houden met de mening van de 'gewone' leden (78).
Deze wijze van besluitvorming maakt ook mogelijk:
- *kollektieve verantwoordelijkheid*. En ook dat is een typisch kenmerk van de Z-organisatie (53).
- *erkenning van de waarde van de mens*. Er wordt van uit gegaan dat ieder voor haar of zijn taak berekend is en zelfstandig kan werken, zonder nauwkeurig toezicht, want men gaat uit van een *vertrouwensrelatie* en van de *eigen verantwoordelijkheid* van de mensen. Trainingen worden overigens van belang geacht om hun mogelijkheden nog te vergroten.
In harmonie hiermee is ook het streven naar:
- *vermindering van de sociale afstand*. ,,In Z-organisaties heerst daarom een sfeer van gelijkheid'' (80).
Het meest centrale kenmerk is hiermee nog niet genoemd:
- een *gemeenschappelijk doel*. Hiermee staat èn valt de Z-organisatie. Het gezamenlijke doel maakt het manifest worden van allerlei eerder genoemde kenmerken eerst mogelijk. Het gezamenlijke doel is de basis van het wederzijdse vertrouwen en de kollektieve verantwoordelijkheid; het maakt het ook mogelijk dat zonder nauwkeurig toezicht wordt gewerkt.
Dit kan alleen op basis van vertrouwen. ,,Dit vertrouwen berust weer op de zekerheid dat men eenzelfde doel nastreeft en een ander geen schade wil berokkenen'' (80). Zonder dit gemeenschappelijke doel is ook gezamenlijke besluitvorming en zeker het werken via konsensus niet goed denkbaar.
Gemeenschappelijke doelen zijn dus van grote betekenis. Dat geldt zowel voor de organisatie als geheel als voor elk van de werkgroepen daarbinnen. Daarom is het belangrijk daarnaar te streven en dat wordt dan ook gezien als een van de centrale aandachtspunten van de leiding. Als het belangrijkste middel om hiertoe te komen zien Blake en Mouton het gemeenschappelijk vaststellen van de doelen (1986,111). Daardoor worden de doelen van de leden en het doel van de organisatie geïntegreerd tot een gemeenschappelijk doel. Dat heeft als effekt dat mensen inhoudelijk achter de doelen staan; deze zijn dan niet alleen doelen van de organisatie, maar ook van henzelf. Zij worden ,,daarmede van 'werknemers' 'medewerkers' '' (MANS,1986,53).

inspirerende doelen Tot dusver ging het bij doelen vooral over de funktie die zij hebben voor klimaat, organisatie en leiding. Daaraan moet nu nog worden toegevoegd dat ook de inhoud zelf van grote betekenis is. De vitaliteit hangt namelijk in belangrijke mate af van het al of niet inspirerend zijn van de doelen. Daarover wordt overigens in de OO weinig gesproken, wat waarschijnlijk komt doordat de OO zich vooral bezig houdt met utilitaire organisaties. Des te meer aandacht is hiervoor in de nog steeds vrij vage beweging die zich aandient onder de naam transformatie van

organisaties en opereert binnen de bredere beweging van de 'new age'. Sterk wordt hierin benadrukt dat voor het vitaliseren van organisaties essentieel is een doel dat de mensen inhoudelijk aanspreekt. Maar dit druk ik veel te vlak uit. Het gaat namelijk om een 'zending', een 'groots doel', 'een hoog doel' (Spencer,1986,121), een 'nobele missie' (Kiefer/Senge,1986,99), een 'spirituele missie' (Zwart,1986[a],37) om de samenleving te dienen. ,,De preoccupatie met eigen overleving overstijgend, ligt haar bestaansreden in de unieke bijdrage die zij kan leveren ten behoeve van een betere wereld'' (Kiefer c.s.,1986,97). Het gaat dus om een visie op de eigen organisatie. Deze veronderstelt een bepaalde kijk op de problematiek van de samenleving. Het een hangt nauw samen met het ander. ,,Alleen een visie hebben is nutteloze, ongegronde dagdromerij (...). Als je geen enkele visie hebt is er niets anders dan de huidige situatie'' (Adams,1986,123e.v.).
Die missie is van het grootste belang; zij geeft niet alleen richting aan alle aktiviteiten, maar verschaft ook een gemeenschappelijke identiteit. Het besef een missie te hebben is, zo wordt gesteld, het centrale kenmerk van een type organisatie dat aangeduid wordt als 'metanoïsche organisatie'.

> Als kenmerken van dit type organisatie noemt men de volgende: (1)doelgerichtheid en visie; (2)gelijkgerichtheid van de leden van de organisatie dank zij identifikatie met de missie; dit maakt o.m. open kommunikatie mogelijk; (3)respekt voor de mens, wat zich onder meer uit in hoge verwachtingen over zijn mogelijkheden; en dat heeft weer vergaande konsekwenties voor de leiding, die primair als taak heeft leersituaties te scheppen; (4)een struktuur die gekenmerkt wordt door eenvoud en het funktioneren van kleine autonome werkeenheden; (5)een balans tussen rede en intuïtie, wat onder meer betekent een grote ruimte voor het eksperiment.

Hoewel er over getwist kan worden in hoeverre er werkelijk sprake is niet alleen van nieuwe termen, maar ook van nieuwe inzichten, in ieder geval is waardevol dat er zo nadrukkelijk gewezen wordt op de betekenis van inspirerende, het belang van het eigen voortbestaan overstijgende, doelen.
Doelen inspireren, zo kunnen we het voorgaande samenvatten,als zij verbonden zijn met het besef een 'missie' te vervullen en als zij relevant zijn voor een bepaalde problematiek. Dat lijkt mij een juiste stelling waaraan ik nog zou willen toevoegen dat het daarnaast ook nodig is dat het nastreven van deze doelen als zinvol wordt beleefd. Daarop zijn tenminste twee faktoren van invloed: 'geloof' in eigen mogelijkheden en 'geloof' in de veranderbaarheid van de situatie waarop die doelen zijn gericht. Ook dat laatste is van belang want het is immers niet bepaald inspirerend om paarlen voor de zwijnen te werpen.
Doelen zullen derhalve inspireren als zij ervaren worden als groots in zichzelf, als relevant — gezien de problematiek — èn als haalbaar.

7.2.2. *Aantrekkelijke taken*

Of mensen met plezier en met effekt bezig zijn hangt ook af van de aard van de taken: datgene wat er gebeuren moet, wat er aan de orde is. Daarop wordt sterk de nadruk gelegd door De Sitter. Ook hij ziet het belang van de faktoren die inmiddels aan de orde zijn geweest — klimaat, leiding, struktuur — maar het scharnierpunt ligt bij hem bij de kwaliteit van de taken of het werk; de inhoud van de taak beïnvloedt de struktuur, roept als het ware een bepaalde stijl van leiding-geven op en leidt tot bepaalde kommunikatieprocessen (klimaat). De kwaliteit van de taak heeft dus grote invloed op alle aspekten van de organisatie; ten goede of ten kwade. In onze samenleving, zo stelt De Sitter, vooral ten kwade omdat de *kwaliteit van het werk* vaak gering is. En van geringe kwaliteit is vooral sprake als mensen weinig speelruimte krijgen om zelf beslissingen te nemen — ten gevolge van een ver doorgevoerde scheiding van beleid en uitvoering — en als de taken, mede door ver doorgevoerde splitsing van taken, al te simpel zijn. En dat laatste uit zich in de klachten dat mensen beneden hun niveau werken, dat de taak niet interessant, niet uitdagend is, en niet de kans biedt om zich te ontplooien. Een dergelijke vormgeving van de taken heeft vergaande konsekwenties. Allereerst wat betreft de *motivatie*, die (zeer) gering wordt. En daaruit trekt *de leiding* niet zelden de konsekwentie dat zij haar taak op een bepaalde manier moet opvatten: mensen achter de broek zitten en hen kontroleren. Ook wordt zo de gedachte versterkt dat je weinig aan 'gewone' mensen kunt overlaten en dus vooral hen heel simpele dingen moet vragen, waardoor de kwaliteit van de taken gering blijft of nog geringer wordt. Zo houdt het systeem zichzelf in stand. Ook blijft op deze manier een *organisatiestruktuur* bestaan die gekenmerkt wordt door een scherpe scheiding tussen 'de leiding' en 'de gewone mensen'; zij bezetten verschillende machtsposities en hebben verschillende belangen. Tussen die twee kategorieën ontstaan gemakkelijk tegenstellingen waardoor de *kwaliteit van de relaties* weer negatief wordt beïnvloed.
Dit alles heeft vergaande *gevolgen* die zich uiten in: non-participatie (ziekte, vertrek) geringe inzet, geringe kwaliteit van het werk, vervreemding (De Sitter, 1982, 46,48,103,148-154); kortom: weinig plezier, weinig effekt.
Maar zoals de lage kwaliteit van het werk een negatief proces in werking stelt, zo is het ook mogelijk dat een verbetering van de kwaliteit van de taken het tegengestelde proces losmaakt. Tegen die achtergrond is het uiteraard uiterst relevant na te gaan wat mensen in hun werk belangrijk vinden. Daarnaar is veel onderzoek gedaan en daaruit blijkt dat ,,met name de inhoudelijke werkaspekten, zoals ontplooiingsmogelijkheid, dingen doen die je het beste kunt, interessant werk en zelfstandigheid'' hoog scoren. Het gaat om ,,gevarieerd, geschoold werk waarin je iets leert en vaardigheden kunt ontwikkelen en waarin je beschikt over beslissingsruimte en een beetje zelfstandigheid'' (149). Kortom om werk waarin je als subjekt kunt funktioneren (vgl. hoofdstuk 3).

> De Sitter baseert die uitspraak op een groot aantal onderzoekingen. Onder meer grote surveys op het gebied van arbeidsoriëntaties van werknemers in andere landen, zoals bijvoorbeeld de BRD, de VS en Zweden. Deze melden dezelfde feiten: ,,gebrek aan invloed en zelfstandigheid zijn kernen van

onvrede en horen, meer dan het loon, tot de variabelen die het sterkst correleren met algemene gevoelens van onvrede met de werksituatie. Tegelijkertijd gaat het hier om variabelen die een uitgesproken samenhang vertonen met verzuimcijfers''. Het 'Work in America Report' kwam tot gelijkluidende konklusies: ,,Arbeid wordt als een onmisbaar element in het leven beschouwd, en jongeren en ouderen verschillen hierover niet van mening. De jongeren zijn echter kritischer en spreken uitdrukkelijker hun wensen uit naar *interessant werk, waarbinnen ruimte bestaat om ook zelf beslissingen te nemen en te leren*''. In een samenvattend overzicht somt de Zweed Gardell op wat mensen het minst waarderen op hun werk:
- strak en te gedetailleerd toezicht
- werk dat het gebruik van eigen vaardigheden niet toestaat
- werk waarin verantwoordelijkheid en eigen initiatief niet worden gewaardeerd
- werk dat geen ruimte biedt voor het zelf plannen en beslissen over de manier van werken.

Deze elementen komen ook naar voren in het Europeesch Waardenonderzoek (Halman e.a.,1987,170e.v.). Daaruit bleek bovendien dat er ook andere aspekten in het werk zijn die belangrijk worden gevonden, zoals: prettige mensen om mee te werken, werk waar mensen in het algemeen waardering voor hebben en werk dat nuttig is voor de maatschappij. Op iets soortgelijks wordt ook gewezen door Blake en Mouton (1986, 164e.v.): het werkt stimulerend als de taak van betekenis is voor het realiseren van het doel van de organisatie.

Het lijkt mij aannemelijk dat dit alles in principe ook geldt voor de taken die binnen de gemeente worden verricht; bijvoorbeeld in de kerkeraad, de evangelisatiekommissie en de diakonie. Het schaarse onderzoek wijst ook in die richting. Daarbij denk ik dan in het bijzonder aan onderzoek onder pastores waaruit blijkt dat bij hen dezelfde faktoren een rol spelen. Uit de bespreking door Keizer van literatuur over pastores blijken de volgende aspekten van het werk van invloed te zijn op hun tevredenheid: de *inhoud van het werk* (de taak moet duidelijk zijn, het moet als betekenisvol worden ervaren, ook voor het grote geheel) en de *ondersteuning en waardering* voor hun werk en hun inzet (1988,35). Uit zijn eigen onderzoek onder gereformeerde en hervormde predikanten blijkt vooral het grote belang van een duidelijke taakidentiteit — ,,een duidelijk beeld hebben van eigen taken en mogelijkheden'' — en van steun en waardering (van kerkeraad, gemeente en thuis) (122e.v.).

Er zijn dus tal van faktoren die van invloed zijn op de tevredenheid met een taak. Verschillende auteurs hebben geprobeerd deze faktoren te groeperen. Een voor onze thematiek zeer interessante is die van Keuning en Eppink die gezichtspunten van Herzberg en Maslow kombineren.

Zij delen de faktoren in navolging van Herzberg in twee sets van faktoren in:
- werkintrinsieke faktoren; zoals de aard van het werk, prestaties kunnen leveren, verantwoordelijkheid hebben, erkenning krijgen. Deze zijn de eigenlijke 'satisfiers' of 'motivatoren'. Het gaat dus om kenmerken van de eigenlijke taak.

- werkekstrinsieke faktoren; algemene voorschriften en procedures, wijze van leiding-geven, verhouding tot de leiding, werkomstandigheden. Faktoren derhalve die in de hoofdstukken over klimaat en leiding aan de orde zijn geweest. Het gaat hier om kenmerken van de werksituatie waarin de taak wordt verricht. Centraal daarin staan de behoeften aan veiligheid en zekerheid.
De gedachte is — en daar is de verbinding met Maslow — dat eerst als aan deze laatste faktoren voldoende aandacht is besteed, ,,de werkintrinsieke faktoren in staat zijn effektief te werken, en individuen bij geval eerst dan komen tot optimale prestaties'' (Keuning/Eppink,1986,297).
Het komt dus hier op neer: de aantrekkelijkheid van een taak wordt bepaald door de werkintrinsieke faktoren (zij zijn de motivatoren), maar deze faktoren kunnen eerst hun werk doen als er voldoende aandacht is voor de werkekstrinsieke faktoren. Dat betekent in het begrippenkader dat wij hier hanteren, dat *een positief klimaat* en een *stimulerende leiding* als zodanig geen invloed hebben op het al of niet aantrekkelijk zijn van de taken of aktiviteiten; dit wordt bepaald door *kenmerken van de taak*. Maar als het klimaat niet positief is, en de leiding niet stimulerend, dan zal de taak, hoe die er verder ook uitziet, niet als aantrekkelijk worden ervaren.

7.3. De opdracht van de gemeente
opmerkingen vanuit de praktische theologie

7.3.1. Inspirerende doelen

De gemeente heeft met andere organisaties gemeen dat zij bepaalde doelen heeft. Haar vitaliteit hangt er mede van af of zij zich daarvan bewust is — dus of zij manifest zijn — of de leden van de gemeente het daarover eens zijn, althans wat de hoofdzaken betreft en of zij er in slaagt die te konkretiseren in inspirerende werkdoelen.

de bedoelingen van de gemeente Dat de gemeente bepaalde doelen heeft is duidelijk. Zelfs kan worden gezegd dat er, althans in de theologie, wereldwijd een grote mate van eenstemmigheid bestaat over de centrale doelen of grondfunkties (Bäumler,1974) van de gemeente. Daarbij kan gedacht worden aan de trias: eenheid, getuigenis en dienst, die in de oecumenische diskussie zo'n grote rol heeft gespeeld (Ratzmann,1980). Er zijn uiteraard allerlei variaties daarop in omloop, niet ieder gebruikt ook dezelfde termen en niet allen interpreteren deze op dezelfde wijze, maar toch mag worden gezegd dat deze drie doelen worden gezien als de existentialen van de gemeente, zonder welke de gemeente niet denkbaar is. De gemeente is essentieel een gemeenschap (de eenheid) die in Woord (getuigenis) en daad (dienst) naar haar Heer verwijst (de eenheid in de veelheid). Essentieel is verder dat deze drie ten nauwste samenhangen, zodat het wellicht beter is hen aan te duiden als drie dimensies van de roeping van de gemeente dan als drie grondfunkties. Woord en daad mogen niet uit elkaar worden getrokken, en ook in relatie tot elkaar behoren ze gedragen te worden door een

gemeenschap. Met Schippers zijn we van mening dat de samenhang duidelijk wordt zodra de nog formele kategorieën eenheid, getuigenis en dienst worden gevuld: liefde, waarheid en gerechtigheid (Hendriks e.a.,1984,87).
In de laatste tijd is er op gewezen dat het leren in deze trits tekort komt. Daarom is men ook wel gaan spreken over vieren, leren en dienen, waarbij dan de gemeente in haar samenkomsten vooral een vierende gemeenschap is, terwijl het getuigenis vooral in het leren doorklinkt.
Steeds weer klinken deze elementen door in de beschouwingen over de bedoelingen van de kerk. Zo spreekt Haarsma van de verkondiging van het evangelie in velerlei vorm, de viering van de liturgie en de dienst aan de mensen (1985,22). Lehmann noemt als de drie kerntaken van de geloofsgemeenschap: het getuigenis van het evangelie, de lofprijzing en de dienst (1972). Dingemans, om nog een voorbeeld te geven, vat zijn ideeën samen in een voorstel voor een nieuw kerkordeartikel waarin een gemeente omschreven wordt als ,,de gemeenschap van hen die geroepen zijn
rondom Woord en sacramenten
om de Naam des Heren te prijzen
zijn Naam te belijden
en te getuigen van het heil voor deze wereld;
om te volharden in onderling dienstbetoon
de eenheid te bewaren
en zich te oefenen in geloof, hoop en liefde;
om gerechtigheid en recht te bevorderen;
om op te komen voor armen, verdrukten, achtergestelden en minderheden
en zich in te zetten voor vrede voor alle mensen'' (1987,58).
Ook hierin is de genoemde trias te herkennen.
De konklusie mag nu zijn dat men zich over het geheel genomen bewust is van deze gronddoelen en dat zij bovendien vrij algemeen gedeeld worden. En dit is uitermate belangrijk. Maar daarmede is het verhaal nog niet uit, want voor het vitaliseren van de gemeente is het noodzakelijk dat deze gronddoelen worden gekonkretiseerd in werkdoelen.

kreatief omgaan met weerstanden Tot die noodzakelijke konkretisering komen vele gemeenten maar moeizaam. Daarbij spelen verschillende faktoren een rol, naar mijn mening vooral de volgende:
- het ontbreken van een traditie; in kerkelijke gemeenten is men veelal niet gewend te denken in termen van het ontwikkelen van werkdoelen. Dat hangt ook samen met bepaalde weerstanden daartegen in de ekklesiologie. De wortels daarvan reiken wellicht tot in het manco van de reformatorische leer van de kerk dat Barth signaleerde. In de overgeleverde klassieke leer wordt de vraag van het 'waartoe' van de kerk niet gesteld. Zij maakt de indruk over de kerk te spreken als doel in zichzelf (Barth,1959,876e.v.).
- de druk van de lopende zaken; het kost vaak al zoveel tijd om 'de zaak' draaiende te houden dat er onvoldoende tijd overblijft voor bezinning op de doelen, hoewel velen dit wel willen en het ook als een verademing beleven als het eens gebeurt. Alle tijd en

energie dreigt zo gestoken te worden in het eigen funktioneren.
- een ongunstig tijdsperspektief; tenminste in een aantal kerken overheerst een gevoel van malaise dat zich onder meer uit in een tamelijk pessimistische toekomstverwachting. Er heerst daar een sfeer waarin mensen het gevoel hebben dat zij met al hun inspanning de loop der dingen toch niet kunnen beïnvloeden. En dat is niet bepaald een omgeving om inspirerende doelen te formuleren, want daarvoor is niet alleen nodig probleembesef, dat is er wel, maar ook vertrouwen dat aktie zinvol is, en dat laatste ontbreekt in deze gemeenten.
- innerlijke onzekerheid; we hebben een 'zending', een 'missie'. Maar hoe breng je die als er nauwelijks aandacht voor is? We hebben 'een woord voor de wereld', maar raakt dat woord ons zelf eigenlijk wel?
- preokkupatie met het eigen voortbestaan; door allerlei ontwikkelingen in kerk, kultuur en samenleving kan de gemeente zich zó bedreigd voelen dat zij geheel in beslag genomen wordt door de vraag naar het eigen voortbestaan. Daardoor dreigt vooral de opdracht van de gemeente 'naar buiten' uit het zicht te verdwijnen. Bonhoeffer noemt dit „het kardinale punt: een kerk in staat van zelfverdediging, geen durf om zich in te zetten voor anderen" (Bonhoeffer,1972,315).
- angst voor konflikten; bij het ontwikkelen van konkrete doelen ontstaan gemakkelijk verschillen van mening die weer kunnen leiden tot destruktieve konfliktprocessen. Om die te vermijden kan men zwichten voor de verleiding 'de zaak' maar te laten rusten.
Deze en andere faktoren belemmeren de ontwikkeling van konkrete inspirerende werkdoelen en daarmee indirekt de vitalisering van de gemeente. En dus zal er moeten worden gereageerd op die belemmeringen, die we — in de wetenschappelijke betekenis van het woord — ook kunnen aanduiden als weerstanden. Het is een misverstand te denken dat die belemmeringen kunnen worden overwonnen door de problematiek van bijvoorbeeld de gemeente nog eens in geuren en kleuren te beschrijven, of door de opdracht van de kerk nog eens fors te onderstrepen in de hoop en de verwachting dat mensen daardoor toch wel in beweging zullen komen. Zo werkt het niet. Nodig is mensen serieus nemen en dat betekent in deze situatie, ingaan op de belemmerende faktoren zoals de genoemde. Dat is de les van Lewin die, toegepast op ons onderwerp, op het volgende neerkomt. In elke situatie zitten stimulerende en remmende faktoren. Belangrijke stimulerende faktoren zijn het ervaren van problemen en het besef dat er een kloof is tussen wat we zijn en wat we behoren te zijn. Dergelijke faktoren doen de behoefte ontstaan aan verandering, maar dat leidt niet automatisch tot beweging, want er zijn gelijktijdig ook faktoren die ons daarvan afhouden. Wat het ontwikkelen van een beleid betreft gaven we daar verschillende voorbeelden van. Er is met andere woorden een krachtenveld van stuwende en remmende faktoren. Dit veld kan als volgt in beeld worden gebracht:

Figuur 10: Een krachtenveld van stimulerende en remmende krachten

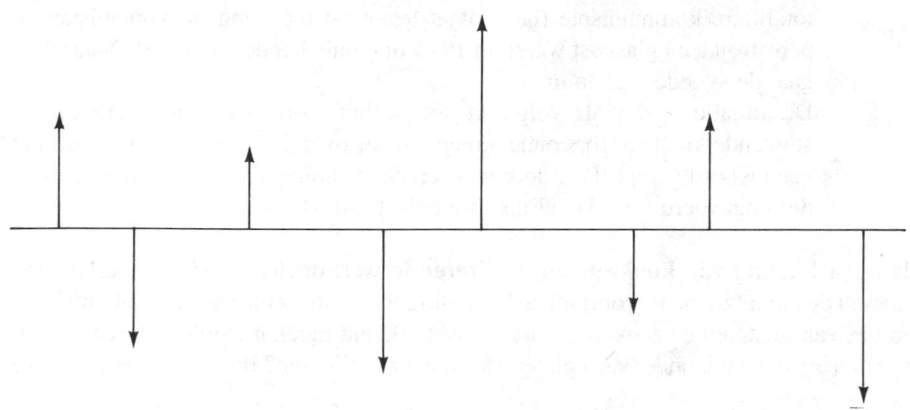

De horizontale lijn staat hier voor de bestaande situatie. De pijlen boven de streep symboliseren de krachten die streven naar verandering; de pijlen eronder, de weerstanden. De lengte van de pijl symboliseert de intensiteit van de kracht.
Aangetoond is door Lewin c.s. dat mensen eerder in staat zijn om tot verandering te komen als de weerstanden worden weggenomen of verminderd dan wanneer de stuwende krachten nog eens worden versterkt. Worden de stuwende krachten versterkt zonder dat de remmende faktoren worden ingekort dan wordt de spanning in het systeem sterk opgevoerd.
We kunnen dat verduidelijken met een plastisch voorbeeld van een heteluchtballon. In de ballon zitten allerlei krachten die haar stuwen op te stijgen, maar door touwen en verankeringen — weerstanden — wordt zij op haar plaats gehouden. De ballon kan nu op twee manieren tot opstijgen komen. Allereerst kan het vuurtje steeds harder worden opgestookt zodat de lucht steeds meer wordt verhit; de stuwende krachten worden opgevoerd en de spanning in het systeem wordt steeds groter. Het is ook mogelijk de touwen los te maken, d.w.z. de weerstanden te verminderen.
In de praktijk wordt lang niet altijd naar deze les geluisterd. Daarin proberen we namelijk nogal eens mensen over de streep te trekken — de horizontale lijn in figuur 10 — niet door de weerstanden serieus te nemen (de pijlen onder de streep), maar door de stuwende krachten nog eens ekstra te vergroten. En het resultaat is duidelijk: de spanning wordt opgevoerd en mensen voelen zich onder druk gezet.

> Een typisch voorbeeld hiervan is het konflikt over de kruisraketten in de gereformeerde kerken. In 1984 spreekt de synode van deze kerken zich ondubbelzinnig uit tegen het dreigen met (het gebruik van) kruisraketten, waarbij zij onder meer zegt dat dit ,,in strijd is met een leven in de navolging van Christus''. Er zijn tal van mensen die zich met dit besluit niet kunnen verenigen, hoewel zij de zorgen van de synode, bijvoorbeeld voor een wereldramp, delen. Als zodanig werkt dit in de richting van aanvaarding van het besluit. Maar gelijktijdig werken in hen ook allerlei krachten die het hen niettemin onmogelijk maken con amore mee te gaan, zoals de overtuiging

dat de kerk zich niet met politiek moet bemoeien en de angst voor het totalitaire kommunisme (het Sovjet-leger zat toen nog in Afghanistan en perestrojka en glasnost waren in 1984 nog onbekende woorden). Maar daar gaat de synode niet op in.
De situatie is dus als volgt: in het besluit worden de naar verandering stuwende krachten fors onderstreept, maar over de weerstanden wordt met geen woord gerept. Daardoor worden de spanningen in deze kerken geweldig opgevoerd (vgl. Hendriks/Stoppels,1986,64e.v.).

de ontwikkeling van konkrete en inspirerende werkdoelen Konkrete werkdoelen vloeien dus niet 'zo maar' voort uit de bedoelingen van de gemeente. Zij zullen in een proces van luisteren en zoeken geleidelijk ontwikkeld moeten worden. Twee vragen zijn hierbij in het bijzonder van belang: *Hoe* kan dat gebeuren? *Wie* heeft hier een taak?

Wat betreft de eerste vraag lijkt het mij van belang te wijzen op de noodzaak om systematisch te werk te gaan. Daarin zal er voor gezorgd moeten worden dat de uiteindelijke werkdoelen aan drie kriteria voldoen:
A zij moeten *relevant* zijn: dat is het geval als zij van direkte betekenis zijn voor reële vragen, behoeften en problemen; van mensen, van (groepen in) de samenleving, of van de kerk. Dit veronderstelt de bereidheid om te luisteren.
In de tweede plaats is van belang dat zij:
B *mogelijk* zijn. Dat is wat anders dan gemakkelijk zijn. Het gaat wel degelijk om uitdagende doelen, om 'meer dan het gewone', om doelen dit het belang van het eigen voortbestaan overstijgen. Maar tevens zal rekening gehouden moeten worden met de mogelijkheden van de gemeente. Daaraan zitten twee aspekten:
- de gaven van de gemeente(leden): mensen moeten niet overvraagd worden. De mogelijkheden liggen overigens niet eens en voorgoed vast, zij kunnen integendeel groeien. Veel hangt daarbij af van het klimaat, de leiding, 'geloof' in de toekomst en van ervaringen in het verleden.
- kenmerken van de situatie. De situatie kan zodanig zijn dat mensen het gevoel hebben dat allerlei werkdoelen irreëel zijn. En dat demotiveert.
Tenslotte moeten die werkdoelen:
C in duidelijke relatie staan tot *de bedoelingen* van de gemeente. Is er een relatie met de 'zending' van de kerk? Hebben die werkdoelen te maken met vieren, leren, dienen? Om werkelijk te kunnen inspireren zal de relatie van de werkdoelen tot alle drie kriteria helder moeten zijn. Die samenhang kan als volgt in beeld worden gebracht:

Figuur 11: De verankering van inspirerende werkdoelen

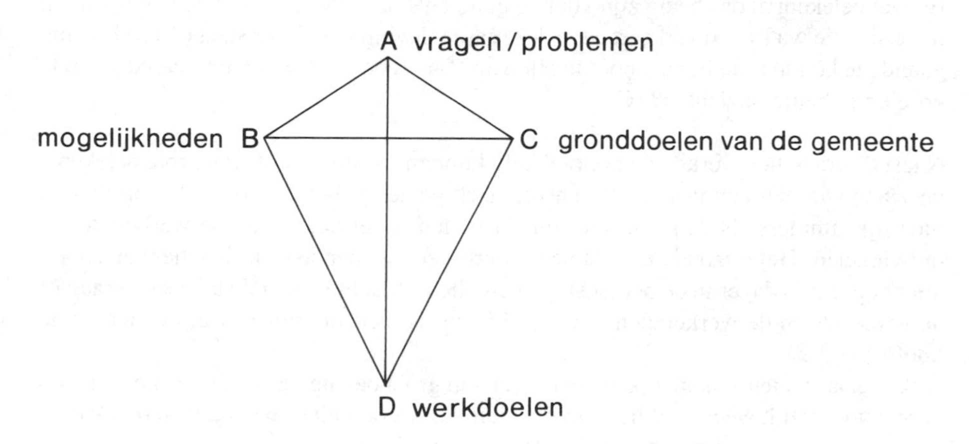

Die relaties kunnen op twee manieren tot stand worden gebracht.
Het is allereerst mogelijk te beginnen bij A en geleidelijk toe te werken naar D. Dit lijkt de aangewezen weg voor beginnende groepen en in het algemeen in situaties waarin van een beleid nog geen sprake is. We beginnen bij het zo scherp mogelijk formuleren en analyseren van vragen of problemen (A); betrekken die vervolgens op de bedoelingen of de gronddoelen van de gemeente waardoor het zicht op de problemen vaak nog verscherpt wordt (C). Uit die konfrontatie worden dan, rekening houdend met de mogelijkheden (B), konkrete werkdoelen afgeleid (D).
Het klinkt zeer vanzelfsprekend, maar in de praktijk gaat het vaak niet op die manier. Het gaat veel rommeliger en daar is ook geen enkel bezwaar tegen, want het ontwikkelen van werkdoelen is geen lineair proces. Maar waar het om gaat is dat deze vier elementen in de loop van het proces op elkaar worden betrokken. En daaraan ontbreekt het niet zelden omdat we ons niet de rust gunnen om de situatie te analyseren of ons te bezinnen op onze roeping. En daarom stevenen we direkt af op het formuleren van werkdoelen, met als gevolg dat deze maar kort inspireren (Hendriks,1979). Het is geen wonder dat organisatie adviseurs — de opbouwwerkers in de gemeente — in dergelijke situaties nogal eens als taak hebben al te grote voortvarendheid af te remmen (vgl. Schein,1978,53).
Het is vervolgens ook mogelijk het proces te starten bij D, dus bij de werkdoelen die we in de praktijk nastreven. Dat is de aangewezen route voor groepen die al geruime tijd werken. Het aksent ligt hier primair op evaluatie. De gang van zaken kan hierbij in grote lijnen als volgt zijn: we doen dit en dat (wat precies?) en we streven in feite die en die doelen na (D); is dat zinvol gezien onze mogelijkheden? (B). Helpen we mensen, groepen, de gemeente op deze manier een antwoord te vinden op hun vragen en problemen? Welke zijn dat eigenlijk? (A). Worden de leden van de gemeente door wat er gebeurt geholpen om een zinvolle relatie met God te hervinden en te bewaren? (vieren), hun handelen in het leven van alledag te bezien in het licht van Gods

bedoelingen? (leren), en daarnaar te handelen? (dienen).
En wat betekent al ons bezig zijn voor de gemeente als geheel: Wordt ze geholpen om in de situatie waarin zij verkeert en in deze samenleving waarin zij staat (A) de lofzang gaande te houden, de bondgenoot te zijn van "wees en weduw' en ontheemde" en te groeien in beide opzichten? (C).

Naast de vraag hoe werkdoelen ontwikkeld kunnen worden is ook van grote betekenis de vraag wie hier een taak heeft. Theologisch gezien is het antwoord daarop niet zo moeilijk. Immers als de gemeente subjekt is dan is het haar zaak die werkdoelen te ontwikkelen. Het bijzondere ambt heeft hierbij een dienende taak. Zij dient er vooral attent op te zijn dat er in de beraadslagingen alle aandacht is voor de kritische vraag of de gemeente in de werkdoelen inderdaad bezig is met 'de dingen van de Heer' (zie hoofdstuk 4.3).
Ook sociaal-wetenschappelijk gezien is het van groot belang dat de gemeente zelf zich verantwoordelijk weet voor het ontwikkelen van werkdoelen, want alleen dan kan er een programma worden ontwikkeld, dat 'ons' programma is.
Juist omdat 'participatie van allen' zo belangrijk is, is het een geweldig probleem dat in de praktijk niet ieder meedoet. Dat geldt niet alleen voor gemeenteberaden en dergelijke, maar ook voor kleine groepen, zoals kerkeraden, diakonieën en vredesgroepen. Zelfs als allen aanwezig zijn en allen zich vrij voelen om invloed uit te oefenen, dan nog is het de vraag of de stem van allen doorklinkt. En dat komt vooral doordat in de gemeente vaak sprake is van een 'dominante koalitie' die haar stempel op het geheel drukt, wat er toe kan leiden dat het haar programma wordt, waarin aandacht is voor met name haar vragen.
Tegen die achtergrond is het van uitermate groot belang dat de 'participatie van allen' wordt bevorderd; dat impliceert ook voorzieningen in de strukturele sfeer. Daarnaast is het van groot belang de samenstelling van allerlei ambtsgroepen kritisch te bezien. Maar ook is nodig een manier van denken die niet alleen rekening houdt met de aanwezigen, maar met allen; die niet uitgaat van de 'feitelijke deelgenoten' maar van de 'potentiële deelgenoten' (Van Nijen,1983). Voor het ontwikkelen van inspirerende doelen is dus nodig een vorm van inklusief denken.

7.3.2 Aantrekkelijke taken

De werkdoelen zullen tenslotte vertaald moeten worden in bezigheden of taken van mensen en groepen. Om daar met effekt en met plezier mee bezig te kunnen zijn moeten zij aantrekkelijk zijn. Dat zijn zij soms wel, soms niet. Als de taken niet aantrekkelijk zijn heeft dat voor de vitaliteit van de gemeente ernstige gevolgen: mensen doen hun werk met tegenzin — en dat werkt door in de omgeving —, zij zijn na afloop van hun werkperiode niet meer bereid nog eens een taak op zich te nemen of laten zich zelfs (voorlopig?) niet meer zien in de gemeente. Zij zijn het beu. Dit betekent dat het bijzonder nuttig is die taken — van de pastorale werkers (de kontaktpersonen), de ouderling, het lid van de evangelisatiekommissie enz. — te bezien op hun aantrekkelijkheid. Zoals we zagen zijn vele faktoren daarop van invloed, maar één daarvan haal ik hier nog eens naar voren: de mogelijkheid om te leren. Daarbij gaat het om een algemene behoefte, maar in het kader van de kerk mag hierbij toch ook gedacht worden aan de vraag of de uitvoering van de taak iets 'oplevert' voor het eigen geloof; wordt men er zelf ook door verrijkt? We kunnen dit ook uitdrukken in de participatietermen van Van Nijen en de vraag als volgt stellen: leidt de *deelname* aan bijvoorbeeld de kerkeraad, die er naar streeft anderen te *doen delen* in het evangelie er ook toe dat men daar zelf (meer) *deel aan krijgt*? Van een automatisme is in ieder geval geen sprake.

Die mogelijkheden om te leren en te groeien moeten daarom geschapen worden. En dat betekent in ieder geval dat er ruimte wordt gekreëerd voor het delen van persoonlijke inzichten en ervaringen: de eigen visie op 'de zaak', de eigen beleving van tekorten, eigen hoop, twijfel, geloof en ongeloof. En dit geldt niet alleen voor gemeenteleden op gemeentevergaderingen, maar ook voor werkgroepen, waaronder de kerkeraad. Ook daar moet de ruimte zijn om te delen wat ons ten diepste bezig houdt. Zeker, de ambtsgroepen zijn geen gespreksgroepen; maar dat betekent niet dat het eigen geloof en de eigen visie op kerk en samenleving niet ter sprake mogen komen, wel dat het daarbij niet mag blijven.

We moeten overigens vooral geen tegenstelling maken tussen een open gesprek over wat ons bezielt en de taak waarvoor we als gemeente of groep zijn samengekomen, want de ervaring wijst uit dat aandacht voor elkaars persoonlijke inzichten de taak ten goede komt! Een gesprek over de kerkdienst in bijvoorbeeld de ambtsgroep 'kerkdiensten' wordt niet opgehouden door een gesprek waarin wij elkaar deelgenoot maken van wat wij zelf in de kerkdienst beleven en niet beleven, maar wint daardoor aan waarde. Een gesprek over wat het geloof voor ons zelf betekent als het er werkelijk op aankomt kan helpen om te groeien in geloof, maar het helpt ons ook om een pastoraal gesprek te voeren. En dit geldt mutatis mutandis natuurlijk evenzeer voor de andere werkgroepen.

Aandacht hebben voor elkaars diepste intenties is dan ook geen onzakelijk gedoe, maar is zeer zakelijk want het komt 'de zaak' ten goede. Ook, omdat dit de mogelijkheden van de leden om er wijzer van te worden, er van te leren, vergroot. En dat versterkt als zodanig weer de aantrekkelijkheid van de taak. Ik ben het dan ook eens met Derksen als hij stelt dat allerlei groepen hun werk uiteraard verrichten ten dienste van anderen maar daar direkt aan toevoegt dat een voorwaarde voor het goed verrichten van die taak is ,,dat deze vrouwen en mannen zelf ook willen groeien aan het werk dat zij verrichten, er volwassener en geloviger van willen worden. Dat veronderstelt ruimte en tijd om bij elkaar op verhaal te komen en elkaar vragen te stellen naar wie zij zelf als gelovigen zijn, naar wat hen bezielt en motiveert als gelovigen te leven en te werken. Het veronderstelt dat dit uitdrukkelijk ter sprake komt'' (1989,114e.v.). Dit geldt in onze tijd, waarin de vanzelfsprekendheid van het geloven is ondergraven, meer dan ooit.

7.4. Samenvatting

De vitaliteit van de gemeente hangt in belangrijke mate samen met de kwaliteit van doelen en taken.
Bij de doelen is vooral van belang dat zij:
- manifest
- gemeenschappelijk
- konkreet en
- inspirerend zijn.

En dat vraagt dat die doelen gemeenschappelijk worden geformuleerd, en dat bij de vaststelling van de werkdoelen rekening gehouden wordt met de mogelijkheden van de gemeente, de problematiek van gemeenteleden, gemeente en samenleving en dat zij in een zinvolle relatie staan met de gronddoelen van de gemeente.
De voorwaarden waaraan taken in de gemeente moeten voldoen, vatten we vragenderwijs samen:
- is de taak duidelijk?
- is de taak interessant? Dat wil zeggen: geeft de taak de mogelijkheid om te leren, zelfstandig bezig te zijn en zelf beslissingen te nemen? En: sluit zij aan bij de eigen mogelijkheden, wensen en behoeften?
- is de taak te realiseren?
- is er een duidelijk verband tussen de taak en reële vragen?
- is de taak een uitvloeisel van de bedoelingen van de kerk?
- wordt het werk gewaardeerd?

Interessant is ook dat opnieuw bleek hoe zeer de door ons genoemde faktoren met elkaar samenhangen. Een bijzonder belangwekkend gegeven is ook dat leiding en klimaat wel negatief invloed kunnen uitoefenen op de aantrekkelijkheid van de taken — leiding en klimaat kunnen het plezier in de taak vergallen — maar zij kunnen als zodanig de taak niet aantrekkelijk maken. Of taken aantrekkelijk zijn wordt primair bepaald door andere faktoren.

8. Een stimulerende identiteitsconceptie

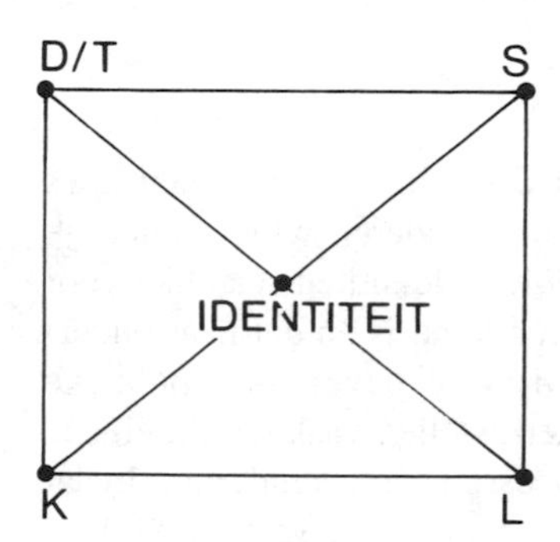

8.1. Het belang van een identiteitsconceptie

We zagen tot dusver dat vier faktoren in belangrijke mate bepalen of mensen met plezier en met effekt meedoen. Als vijfde en laatste faktor — 'last but not least' — is nu aan de orde de identiteit of beter de identiteitsconceptie van een organisatie. We geven de voorkeur aan dit laatste begrip omdat dit tot uitdrukking brengt dat we bij identiteit niet denken aan een filosofisch of systematisch-theologisch begrip, maar aan een empirische kategorie.
In het algemeen geldt dat organisaties met een duidelijke en gemeenschappelijke identiteitsconceptie voor mensen aantrekkelijker zijn dan organisaties waarbij hiervan geen of in mindere mate sprake is. Dit betekent overigens niet dat een duidelijke en gemeenschappelijke identiteitsconceptie altijd de aantrekkelijkheid vergroot; van belang is uiteraard ook de inhoud daarvan en met name of deze in harmonie is met de faktoren die in het voorgaande werden beschreven als faktoren die een positieve invloed hebben op de aantrekkelijkheid van de organisatie.
Dat organisaties met een duidelijke en gemeenschappelijke identiteit als regel een positieve invloed hebben op de vitaliteit van een organisatie komt onder meer doordat dergelijke organisaties er gemakkelijker dan andere in slagen duidelijke doelen te ontwikkelen en openheid in de kommunikatie te bevorderen. Ook andere faktoren spelen een rol zoals we zullen zien. Maar voordat we daar op in gaan zullen we eerst de begrippen identiteit en identiteitsconceptie definiëren.
Dat is noodzakelijk omdat die begrippen vaag zijn. Zó vaag dat wel is voorgesteld het begrip identiteit in het verband van organisaties maar niet meer te gebruiken. We volgen die suggestie niet op, vooral ook omdat het begrip identiteit een grote rol speelt

in organisaties en in het bijzonder ook in diskussies in de kerken. En dat is voor ons een belangrijk gegeven omdat we er aan hechten bij die diskussie aan te sluiten. Wel maakt de vaagheid van het begrip het uiteraard nodig duidelijk aan te geven wat wij er onder verstaan. Daarmee wordt dan ook begonnen.

8.2. Identiteitsconceptie
opmerkingen vanuit de sociale wetenschappen

identiteit en identiteitsconceptie Het begrip identiteit wordt in en door organisaties veelvuldig gebruikt. Het duikt vooral op als organisaties anderen willen duidelijk maken wie zij zijn en wat zij willen (Laeyendecker,1974,4). Identiteit staat hier voor het eigene van een organisatie, iets dat voor haar kenmerkend is en dat haar onderscheidt van andere groeperingen. Organisaties, vooral normatieve, zoals politieke partijen, vakverenigingen, onderwijsinstituten en kerken, stellen vaak dat dit eigene onopgeefbaar is en behouden dient te blijven in alle processen van verandering. In dat eigene achten zij de kontinuïteit van de organisatie gelegen: als zij dát verliest, verliest zij haar identiteit. De term identiteit duidt zo enerzijds op het eigene, het onderscheidene en anderzijds op het blijvende in de verandering.
Organisaties doelen daarop als zij zeggen dat zij ondanks alle veranderingen in wezen onveranderd zijn. Maar wat is het wezen en wie zal dat bepalen? Laeyendecker, aan wie wij in deze paragraaf het een en ander ontlenen, laat zien dat deze vragen niet op bevredigende wijze beantwoord kunnen worden. En datzelfde geldt voor de vraag wat onveranderd is gebleven. Wijst men op abstrakte waarden dan is het probleem dat er moeilijk waarden zijn te ontdekken die uniek zijn voor deze ene organisatie. En wat is dan nog het onderscheidene? Zoekt men het in konkretiseringen van waarden dan is het probleem dat deze in de loop van de tijd voortdurend veranderen. En wat is dan nog het blijvende?
En wat voor organisaties als zodanig geldt, geldt ook voor de kerken (Meerburg, 1981,303 e.v.).
De konklusie ligt dan ook voor de hand: als we identiteit opvatten als het eigene en het onderscheidene dat gelijk blijft in alle verandering, dan is het begrip identiteit niet bruikbaar. En die konklusie trekt Laeyendecker dan ook, en wij vallen hem daarin bij. Dat betekent evenwel niet dat het begrip identiteit daarmee onbruikbaar is geworden, want het kan ook in een andere betekenis worden gebruikt, namelijk als de zelfdefinitie van een groep; als datgene waarin een groep uitdrukt wat zij als het haar eigene ziet en waarin zij anders is dan andere groepen. Het gaat daarbij niet om zogenaamd 'objektieve feiten', maar om de perceptie van de feiten zoals die leeft onder de leden van een groep. En dat zijn twee heel verschillende zaken waarvoor in de kulturele antropologie ook wel twee verschillende termen worden gebruikt, namelijk respektievelijk kulturele en etnische identiteit (Tennekes,1986,35).
Onder identiteit in die tweede betekenis wordt dus verstaan de zelf-definitie van een groep waarin de groep uitdrukt wat zij ziet als het haar kenmerkende en onderscheidene in deze kultuur en in deze samenleving. En dat impliceert dat de identiteitsconceptie wordt ontwikkeld in interaktie met de omgeving. En dus heeft deze concep-

tie ook niet een inhoud die eens en voor al vastligt, maar integendeel één die verandert in de loop van de tijd; niet alleen omdat de groep zelf een ontwikkeling doormaakt, maar ook omdat de kultuur en de samenleving veranderen. Die veranderingen stellen de groep voor de opgave in het kader van de nieuwe kontekst aan te geven wat tegen die nieuwe achtergrond het haar kenmerkende en onderscheidene is. En dus moet die zelfdefinitie voortdurend veranderen.

Opnieuw moet worden gezegd dat wat voor organisaties als zodanig geldt, ook voor de kerk geldt (Brinkman, 1981,163 e.v.).

In die zelfdefinitie moet een groep aangeven '*wie zij is en wat zij wil*'. En dat pogen groepen dan ook vaak te doen, zoals Laeyendecker al stelde (1974,4).

Het zijn dezelfde vragen die mutatis mutandis ook aan de orde zijn bij de ontwikkeling van de identiteit van een individu. Ook daarin gaat het, zoals Riess stelt, om de vragen 'Wer bin ich?' en 'Was soll ich?'. En bij de beantwoording van die eerste vraag komen dan weer andere aan de orde: 'Wem gehöre ich an?' 'Wo komme ich her?' 'Wo gehe ich hin?' (1973,97).

Het begrip identiteit kan dus in twee betekenissen worden gebruikt: in meer 'objektieve' zin als het gelijkblijvende in alle verandering en in meer 'subjektieve' zin als zelfdefinitie. Ik gebruik het woord verder in de tweede betekenis. En dat is voor mij ook een ekstra argument om met Meerburg te spreken van identiteitsconceptie en niet van identiteit. De term identiteitsconceptie drukt naar mijn mening namelijk goed uit dat we te doen hebben met een opvatting over de werkelijkheid; iets wat door een groep ontwikkeld moet worden. Ik gebruik het woord in deze tweede betekenis, dus als zelfdefinitie, omdat de werkelijkheid die achter dat begrip schuil gaat voor organisaties belangrijke funkties heeft, met name ook voor het probleem dat ons hier bezig houdt: de vitaliteit van de organisatie. Daarop is door verschillende auteurs gewezen, waarvan wij hier twee zullen noemen.

funkties van identiteitsconceptie Een interessante opvatting over de funktie van identiteit(sconceptie) heeft Zwart. Hij definieert identiteit als de centrale opgave van de organisatie in de ruime zin van de 'raison d'être' van de organisatie. De wijze waarop de organisatie die opgave formuleert is van doorslaggevende betekenis, zowel voor het optreden naar buiten als voor strukturering naar binnen. ,,Deze centrale opgave drukt zich naar buiten toe uit in hetgeen de organisatie presteert aan dienstverlening in de wereld. Identiteit en maatschappelijke funktie zijn dus ten nauwste verbonden'' (1977,78). Naar binnen toe is zij het sluitstuk van de organisatie. De identiteit(sconceptie) is namelijk nauw verbonden met alle andere elementen van de organisatie, waartoe in zijn opvatting behoren de concepties (doelen en waarden), de relaties en de mensen. Deze vormen tezamen met de identiteit de vier zijnswijzen of 'modaliteiten' van de organisatie die onderling nauw samenhangen. Die samenhang drukt hij visueel uit in wat hij noemt 'het struktuurmodel'):

Figuur 12: Het struktuurmodel. De vier zijnswijzen van een organisatie en de wijze waarop ze verbonden zijn

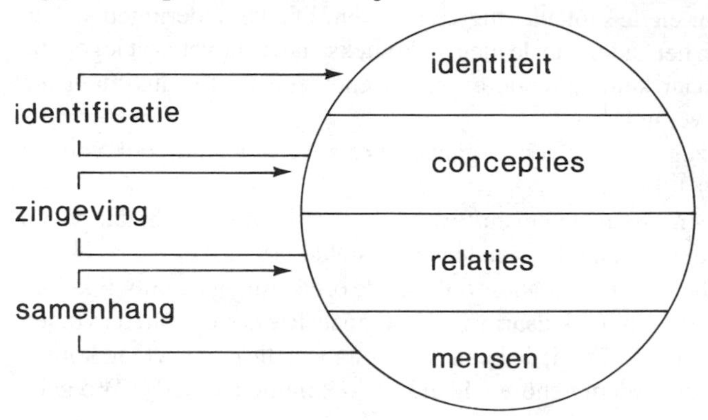

ontleend aan: C.J. Zwart, 1977, 76

De opvatting over de centrale opgave (de identiteitsconceptie) werkt door of drukt zich uit in bepaalde doelen en waarden (concepties); die concepties leiden tot een bepaalde strukturering van de relaties, en tot het 'aantrekken' van juist deze mensen.
Dit model impliceert natuurlijk niet dat Zwart van mening zou zijn dat de werkelijkheid van een organisatie altijd aan dit beeld beantwoordt. Uiteraard is hij bekend met het verschijnsel van disharmonie in een organisatie; bijvoorbeeld disharmonie tussen identiteit(sopvatting) en de doelen van een organisatie ('cultural lag') of tussen de doelen en waarden enerzijds en de strukturering van de relaties anderzijds ('structural lag'). Maar dat doet niets af aan de centrale betekenis van de identiteitsconceptie in zijn model, als de faktor die als het ware richting geeft aan het hele systeem. En in die zin komen we dit begrip ook bij anderen tegen, bijvoorbeeld bij Kilmann, die overigens niet spreekt van identiteitsconceptie maar van kultuur, waarvan de identiteitsconceptie evenwel het centrale element is. De kultuur is bij hem het ,,verbindend thema dat zin, richting en mobiliteit verschaft'' (56).
Een centrale funktie heeft de identiteitsconceptie ook bij Ouchi die voor ongeveer hetzelfde verschijnsel weer een ander woord gebruikt, namelijk filosofie. In de vorige hoofdstukken kwamen we hem reeds tegen als de man van de Z-organisatie, naar zijn mening het meest participatieve type organisatie. Dit heeft ondermeer de volgende kenmerken: open kommunikatie, besluitvorming via consensus, leiding als dienst, duidelijke doelen. Maar daarmee is het eigenlijke nog niet gezegd, aldus Ouchi, want ,,de basis van de Z-organisatie is zijn filosofie'', waaronder hij verstaat een ,,vast stelsel van idealen en doelen'' (1982,118).
In die filosofie moeten drie zaken aan de orde komen:
- de centrale doelen van de organisatie
- de plaats van gewone leden in de organisatie en de wijze waarop de relaties tussen hen vorm zullen krijgen

- de verhouding van de organisatie tot de buitenwereld: ,,haar plaats in de wereld''. ,,Hoe kijkt de organisatie aan tegen de heersende orde en hoe stelt zij zich op tegen de heersende orde, agressief of dienstverlenend?'' (124). Daarbij gaat het ook over de relatie tot andere verwante organisaties en tot 'het grote publiek'. Naar zijn mening zijn eigenlijk pas van hier uit de doelen te formuleren.

De filosofie in de zin van Ouchi kan dus inderdaad ook worden aangeduid als identiteitsconceptie; zij geeft immers antwoord op de vraag wie wij zijn en wat wij willen in relatie tot deze samenleving.

Met nadruk wordt door Ouchi gesteld dat het van groot belang is die filosofie op papier te zetten en dat in begrijpelijke taal te doen. De formulering hiervan is niet een zaak van de leiding, maar in principe van alle leden van de organisatie; die moeten de kans hebben daarop invloed uit te oefenen.

Van belang is nog er op te wijzen dat de verschillende elementen van zijn model nauw met elkaar samenhangen en elkaar vooronderstellen. Enerzijds is het bijvoorbeeld zo dat open kommunikatie veronderstelt dat de leden een gemeenschappelijke filosofie hebben; anderzijds vraagt het ontwikkelen van een gemeenschappelijke filosofie om open kommunikatie. Die interdependentie betekent niet dat we gevangen zitten in het 'kip of ei'-dilemma, zij impliceert wel twee andere dingen: de noodzaak van geleidelijke ontwikkeling en de bereidheid van de leiding om zich hiervoor in te zetten.

Een gedeelde filosofie of identiteitsconceptie is van grote betekenis: zij is de basis van een 'wij-besef'; zij maakt het eveneens mogelijk dat mensen met plezier meedoen; zij maakt ook het efficiënt met elkaar samenwerken mogelijk omdat de leden het met elkaar eens zijn zowel over de vraag hoe we in de grond van de zaak met elkaar moeten omgaan als over de vraag waar het uiteindelijk om gaat.

Samenvattend kan nu worden gezegd dat een duidelijke en gedeelde identiteitsconceptie een voorwaarde is voor een vitale organisatie.

8.3. Een volk geroepen om te verkondigen
opmerkingen vanuit de praktische theologie

De konklusie die we zojuist trokken maakt het relevant na te gaan hoe de situatie in dit opzicht is binnen de gemeente/kerk. Hoewel we hier zeer voorzichtig moeten zijn omdat er grote verschillen zijn tussen kerken en gemeenten, menen we niettemin te mogen zeggen dat hier grote problemen liggen. Deze komen op drie manieren tot uiting.

onzekerheid over de identiteit Allereerst in grote onzekerheid over wat het eigene en het onderscheidene van de gemeente in onze tijd in onze samenleving is; dus over wie zij nu is en wat vandaag haar opdracht is. Een illustratie daarvan geeft het hervormde rapport 'Gemeente- zijn in de mondiale samenleving'. Daarin wordt er aan herinnerd dat deze kerk zichzelf ziet als een ,,Christus belijdende geloofsgemeenschap'', die is ,,gesteld in de wereld om Gods beloften en geboden voor alle mensen en machten te

betuigen (...) in de verwachting van het Koninkrijk Gods'' (KO art. VIII). Maar deze duidelijke identiteitsconceptie is in de laatste decennia sterk ondergraven en de zekerheid die uit deze uitspraak spreekt heeft plaatsgemaakt voor ,,een groeiende onzekerheid. Hoe moet de gemeente Gods beloften en geboden betuigen voor alle mensen en machten, als zij zelf nauwelijks meer weet wat zij gelooft? De uitroeptekens in het hervormde zelfverstaan zijn vervangen door vraagtekens'' (9). Duidelijker kan haast niet worden uitgedrukt dat de onzekerheid beide aspekten van de identiteitsconceptie raakt.
Die situatie van innerlijke onzekerheid bestaat uiteraard niet alleen in deze kerk, maar ook in andere. Ook daar is niet zelden onzekerheid over haar identiteit.
Die onzekerheid kan gemakkelijk overgaan in fundamentele twijfel.
Een dergelijke situatie heeft volgens Schreuder vergaande gevolgen voor individuele christenen en voor de kerk/gemeente. Voor individuele christenen is het onder deze omstandigheden moeilijk hun persoonlijke identiteit als christen op te bouwen en te bewaren, want die wordt voor een groot deel afgeleid uit de groepsidentiteit van de christelijke gemeenschap. Ook de opvoeding wordt belemmerd, want wie kinderen tot christenen wil opvoeden, moet zeggen wat dat impliceert en moet daarvoor kunnen terugvallen op een ,,wel omschreven groepsidentiteit'' (Schreuder,1980,141).
Ook voor de kerk/gemeente heeft die onzekerheid grote gevolgen. Allereerst voor haar optreden naar buiten: de kerk kan nauwelijks meer een antwoord geven op de vraag wie zij is en waar zij voor staat. Maar ook voor het funktioneren van de groep naar binnen heeft het ontbreken van een specifiek religieuze groepsidentiteit vergaande gevolgen. Het handelen wordt onzeker, 'zo niet verlamd'. Er groeit een sfeer van onbehagen en de participatie vermindert: het aantal deelnemers loopt terug en de innerlijke betrokkenheid neemt af. ,,Groepen die het niet meer zien zitten zijn onaantrekkelijk''. Schreuder typeert die situatie kortom als anomisch, wat ongeveer staat voor sociale ontwrichting en individuele desoriëntatie.
Op deze situatie wordt heel verschillend gereageerd. Een aantal groepsleden konkludeert uit deze anomische situatie dat het blijkbaar niet meer hoeft; de gemeente zegt hun niets meer en ze verdwijnen in de indifferentie. Anderen nemen geen genoegen met het vakuüm en stappen over naar groepen met een duidelijke identiteit; links of rechts. Weer anderen trekken zich terug in een hooghartig individualisme; die reaktie zien we vooral onder intellektuelen, aldus Schreuder die herinnert aan het door Weber gesignaleerde verschijnsel van de 'Intellektuellenflucht'. Ook zijn er die van de nood een deugd maken en zich redden met formules als 'je moet met onzekerheden leren leven', een spelregel die, volgens Schreuder, theologisch vertaald werd in de idee van het volk Gods dat 'onderweg' is en het dus niet precies kan weten. ,,Groepen die in anomie verkeren en daaraan niets doen, gaan ten onder zo zeker als twee maal twee vier is'' (143). De opgave waarvoor de kerk staat is dan ook de formulering van een nieuwe identiteitsconceptie, maar dat is niet eenvoudig.
Schreuder waarschuwt hierbij voor verkeerde herstelpogingen zoals daar zijn: het ontlenen van een identiteitsconceptie aan een anderssoortige groep (daarvan is bijvoorbeeld sprake als de kerk haar identiteitsconceptie formuleert in politieke termen); het

zoeken van de identiteit in ondergeschikte punten; het aksentueren van struktuurelementen als zou daar het eigene en onderscheidene in schuilen; pogingen tot restauratie. Zelf meent hij een uitweg te zien in wat hij noemt de hiërarchische pluriformiteit waaronder hij verstaat gemeenschappelijkheid in een aantal kernzaken en pluriformiteit ten aanzien van andere elementen. Dit idee werkt hij overigens niet verder uit.

Voor de ontwikkeling van een identiteitsconceptie onder deze omstandigheden is het allereerst van belang dat het probleem wordt erkend en onder woorden wordt gebracht. Dat is niet eenvoudig, want er zijn allerlei krachten die dit belemmeren, zowel op het niveau van het individu als op dat van de gemeente. Vrees speelt daarbij een grote rol: de vrees om niet begrepen, misschien zelfs afgewezen te worden; vrees voor konflikten; vrees dat het op niets uit zal lopen. Wellicht wordt ook gevreesd dat het christelijk geloof de konfrontatie met fundamentele vragen en twijfel niet zal doorstaan (Hull,1983 en 1985). Het gaat hier om de vrees dat we zullen belanden in een situatie van aporie, waaruit geen uitweg meer aanwezig schijnt (Heitink,1988).
Het uitspreken van de eigen twijfel en onzekerheid is dus niet eenvoudig. Het is daarom van belang een situatie te scheppen die een open gesprek bevordert. Dat stelt eisen aan de wijze waarop het thema aan de orde wordt gesteld — het is van groot belang dat dit gebeurt in de vorm van een gezamenlijke vraag — maar het vraagt ook om een positief klimaat, voorts stelt het eisen aan de struktuur; met name kleine groepen zijn hierbij van belang (vgl. Andriessen/Heitink,1985) en het vraagt tenslotte om een type leiderschap dat primair ondersteunt en helpt. Kortom alle faktoren die in voorgaande hoofdstukken aan de orde kwamen zijn van groot belang.
Hoe het ook zij, het ontbreken van een identiteitsconceptie heeft vergaande gevolgen. Daarbij behoeven we niet alleen te denken aan gemeenten die hun identiteitsconceptie min of meer zijn kwijtgeraakt — daarover gaat het in de verhandeling van Schreuder — maar ook, zij het in mindere mate, aan gemeenten waar die identiteitsconceptie misschien 'ergens' nog bestaat, maar niet meer echt funktioneert; zij is als het ware weggezakt en de gemeente dreigt zichzelf genoeg te worden, wat leidt tot matheid en tot onaantrekkelijkheid.

pluraliteit in identiteitsconcepties De problematiek met betrekking tot de identiteitsconceptie kan zich in de tweede plaats voordoen in de vorm van het naast elkaar bestaan van twee of meer identiteitsconcepties in één kerk/gemeente. Er bestaat dan pluraliteit in identiteitsconcepties. En dat is een veel voorkomend verschijnsel, waarmede de kerk altijd heeft geworsteld. Dat blijkt bijvoorbeeld al uit de brief van Paulus aan de gemeente van Korinte. In die gemeente geven de leden verschillende antwoorden op de vraag wie zij zijn en aan wie zij behoren: ,,Ik ben van Paulus! En ik van Apollos! En ik van Kefas! En ik van Christus'' (I Kor. 1,12).
Een plurale kerk stelt hoge eisen aan de individuele gemeenteleden en aan de gemeente als zodanig (Meerburg,1981).
De gevolgen voor de individuele christenen moeten overigens naar haar mening niet worden overdreven, want we behoeven niet aan te nemen dat mensen hun lid-

maatschap van een kerk alleen inhoud kunnen geven als er sprake is van één duidelijke en gemeenschappelijke identiteitsconceptie. ,,Wel betekent een plurale situatie in een kerk dat de leden ervan, gekonfronteerd met tegenstrijdige identiteitsconcepties, meer op zichzelf worden teruggeworpen, dat 'duurzame reflektie' gevraagd wordt en dat is geen geringe opgave'' (312).

Ook voor de gemeente als geheel stelt het naast elkaar bestaan van verschillende identiteitsconcepties duidelijke problemen, maar dat hoeft het voortbestaan van de gemeente niet in gevaar te brengen, wanneer tenminste aan bepaalde voorwaarden is voldaan. De belangrijkste daarvan is dat de groeperingen, richtingen, dwarslagen of spiritualiteiten — kortom, de dragers van de verschillende identiteitsconcepties — relevante zaken gemeen hebben zoals: de oriëntatie op Jezus (hoe verschillend de konsekwenties misschien ook zijn die men daaruit trekt); de bijbel als gemeenschappelijk referentiepunt; en zo meer. Kortom, er dient sprake te zijn van een fonds aan gemeenschappelijke kultuur waaraan men refereert.

Vervolgens is van belang dat die verschillende groeperingen met elkaar in gesprek blijven en frekwent met elkaar overleg plegen. De noodzaak daarvoor is veel groter dan in een kerk/gemeente die denkt en handelt vanuit een en dezelfde identiteitsconceptie. ,,Omdat in deze kerk een consensus bestaat die gedragen wordt door de subeenheden, kunnen deze volstaan met een geringe mate van samenwerking. Zij hebben bij wijze van spreken aan een half woord genoeg om elkaar te begrijpen'' (Meerburg,1981,308).

Maar dat is hier niet het geval. En dat stelt weer eisen aan de struktuur van de gemeente — er dienen bijvoorbeeld ontmoetingsplaatsen te zijn — aan het klimaat, in het bijzonder aan de kunst van het communiceren en aan het leiding-geven. De leiding zal in het bijzonder bedreven dienen te zijn in de kunst van het konstruktief omgaan met konflikten. Dat is van groot belang omdat de situatie van pluraliteit per definitie een konfliktsituatie is. Van een konflikt is immers sprake als twee of meer groepen die tot elkaar in relatie staan, onderling niet te verenigen doeleinden nastreven. En dat is hier het geval (vgl. Hendriks/Stoppels 1986).

In een dergelijke situatie is de kans groot dat er een destruktief konfliktproces op gang komt. Dat is zelfs onafwendbaar als de groepen met behulp van machtsmiddelen streven naar een dominante positie. Dit leidt onherroepelijk tot verlies van vitaliteit en mondt uit in afnemende betrokkenheid en verminderende deelname, zelfs bij de winnaars! Van de leiding wordt in deze situatie van pluraliteit onder meer gevraagd dat zij de verschillende groepen helpen te ontdekken of achter de verschillende identiteitsconcepties toch niet zoveel gemeenschappelijks schuil gaat — het fonds aan gemeenschappelijke kultuur waarover Meerburg spreekt — dat hierin in beginsel een gemeenschappelijke identiteitsconceptie besloten ligt. Het is niet eenvoudig om die te ontdekken omdat konflikterende groepen, zeker als zij in een win-verlies-konflikt verzeild geraakt zijn, de neiging hebben dat wat scheidt te maksimaliseren en dat wat bindt te minimaliseren.

Het omgaan met konflikterende identiteitsconcepties stelt dus hoge eisen. Wat uit deze beschrijving vooral naar voren komt is de noodzaak te denken vanuit het 'partijen-in-een-systeemmodel'. Kenmerkend daarvoor is enerzijds dat de partijen een eigen speelruimte krijgen, terwijl anderzijds de eenheid wordt versterkt. Dat laatste komt in het voorgaande vooral aan de orde in het aksentueren van de betekenis van een fonds aan gemeenschappelijke kultuur en in de nadruk die gelegd wordt op de betekenis van het gesprek.

gesplitste identiteitsconceptie Tenslotte kan de problematiek met betrekking tot de identiteitsconceptie zich ook voordoen in de vorm van wat ik zou willen noemen de gesplitste identiteitsconceptie. Daarvan spreek ik als de beide identiteitsvragen — 'Wie zijn wij?' en 'Wat is onze opdracht?' — uit elkaar worden getrokken en de ene groep zich vooral bezighoudt met de eerste vraag en een andere met de tweede. Ook dat zien we frekwent. Een illustratie daarvan zijn twee geschriften die in 1988 zijn verschenen vanwege de Nederlandse Hervormde Kerk: het reeds genoemde 'Gemeente-zijn in de mondiale samenleving' en het rapport 'Kerk-zijn in een tijd van Godsverduistering'. In het eerstgenoemde rapport gaat het vooral om de vraag 'Wat staat ons te doen' en het antwoord is kort samengevat dat de gemeente zich moet solidariseren met gemarginaliseerden; hiervoor heeft zij kontakten met christenen elders in de wereld nodig. Het andere geschrift richt zich vooral op de vraag 'Wie zijn wij?'. In dat kader acht het vóór alles nodig dat we als gemeente het bijbels ABC weer leren verstaan. Tussen de dragers van deze beide concepties bestaat een spanningsrelatie. De eersten staan ,,fel kritisch'' ten opzichte van de gedachte van de bijbelstudie-sec; de anderen vragen of ,,het niet een illusie (is), te menen dat mensen, voor wie het Evangelie niets meer betekent, via een nieuw maatschappelijk engagement (op basis waarvan?) voor de betekenis van het Evangelie als vanzelf weer oog zouden krijgen?'' (Blei,1988,5). Ook dit verschijnsel is niet uniek voor de Nederlandse Hervormde Kerk; integendeel. Dat blijkt bijvoorbeeld uit de modellen van gemeente-zijn die Dulles in de ekklesiologie ontdekte: de kerk als heraut, als gemeenschap, als dienaar, als sakrament en als institutie (Dulles,1983). Het gaat daarin steeds om een antwoord òf op de vraag naar het 'Wie zijn we?' òf op de vraag naar het 'Wat is onze opdracht?'.
Die eenzijdigheid zien we ook in allerlei populaire schetsen van kerktypen en zelfs in bepaalde sociaal-wetenschappelijke typologieën, bijvoorbeeld in die van Thung en Schipper-Van Otterloo, waarin wel de vraag is opgenomen wat de rol voor de kerk in de samenleving is, maar waarin de vraag hoe de kerk zichzelf ziet als kriterium ontbreekt (1972,82).
Die eenzijdigheid staat naar mijn mening ook op de achtergrond van het uit elkaar groeien van het kerkelijk opbouwwerk — dat zich vooral bezighoudt met het interne funktioneren van de gemeente — en het maatschappelijk-aktiveringswerk, dat de gemeente vooral bij maatschappelijke problemen tracht te betrekken. Het feit dat beide werksoorten hun eigen organisaties hebben ontwikkeld maakt de problematiek nog scherper.
De splitsing van de identiteitsconceptie heeft vergaande gevolgen; zij leidt niet alleen gemakkelijk tot konflikten — dat heeft zij gemeen met elke andere situatie van pluraliteit — maar hierdoor wordt het ook onmogelijk een juist antwoord te vinden op

de vraag naar de identiteit. Een scheiding van beide vragen impliceert namelijk niet alleen dat één vraag over het hoofd gezien wordt, maar ook dat de vraag die wel aan de orde komt niet geheel beantwoord kan worden. Immers de vraag 'wie we zijn' eist een antwoord in onze historische kontekst; wie zijn wij in deze samenleving met deze specifieke problemen en kenmerken. Omgekeerd eist de vraag 'wat ons te doen staat' om een duidelijke bezinning op de vraag wie wij zijn, tot wie we behoren en wat ons dus (!) te doen staat.

Op de onverbrekelijke samenhang van deze elementen is ook gewezen door Van Kessel in een beschouwing over de christelijke identiteit van individuele mensen. Die is naar zijn mening in hoge mate problematisch geworden. Om daarin verandering te brengen acht hij drieërlei nodig: de ontwikkeling van een relatie tot God — daarvoor is een gebedskultuur nodig —, erkenning van het subjekt-zijn van de mens (hij spreekt van zedelijke autonomie bij de gratie Gods), en identifikatie met gemarginaliseerde mensen. Het gaat hier niet om een optelsom van drie elementen, maar om drie dimensies van de christelijke identiteit die elkaar vooronderstellen en beïnvloeden. De ,,kultuur van omgang met God — weerloze Overmacht, geprezen zij zijn Naam — is diepste bron van ware vrijheid en autonomie'' (1986,348). Zonder identifikatie met gemarginaliseerde mensen blijft echter het subjekt-zijn van de mens gemakkelijk hangen in de liberalistische sfeer waarin ieder tenslotte zelf maar moet uitmaken wat hij verantwoord vindt en dat leidt er weer gemakkelijk toe dat gelovigen ,,de kerk vooral zoeken als licht voor zichzelf en niet als licht voor de wereld'' (339).

Die lijn trekt hij ook door in zijn beschouwing over gemeenteopbouw; ook daar een verstrengeling van deze dimensies (Van Eyden/Van Kessel,1988).

We staan derhalve voor de opgave beide identiteitsvragen te kombineren. Hét voorbeeld daarvan lijkt mij te zijn de typering van de gemeente door Petrus: ,,Gij (...) zijt een uitverkoren geslacht, een koninklijk priesterschap, een heilige natie, een volk (Gode) ten eigendom, om de grote daden te verkondigen van hem, die u uit de duisternis geroepen heeft tot zijn wonderbaar licht'' (I Petr. 2:9).

Daaruit worden voor de gemeente ten minst vier zaken duidelijk:

-wie zij is: een heilige natie en een koninklijk priesterschap. Die laatste aanduiding zet tevens 'gewoon' gemeenteleden op hun plaats; zij worden alle opgenomen in de meest ambtelijke kategorie, die der priesters. Het principieel verschil tussen priester en leek, tussen ambtsdrager en 'gewoon gemeentelid' wordt daarmede opgeheven. En dat dient uiteraard konsekwenties te hebben voor de wijze van leiding-geven.

- tot wie zij behoort: zij is Gods eigendom
- waar zij vandaan komt: zij is niet ontstaan krachtens een besluit van mensen, maar door de roeping van God; het initiatief ligt aan de andere kant
- wat haar opdracht is: te verkondigen de grote daden Gods.

In deze tekst wordt derhalve een identiteitsconceptie gegeven waarin aan beide elementen in hun samenhang recht wordt gedaan.

8.4. Samenvatting

Samenvattend kan worden gesteld dat de vitaliteit van de gemeente wordt gediend door:

- een identiteitsconceptie waarin beide aspekten van identiteit worden geïntegreerd
- die identiteitsconceptie wordt gedeeld.

Deze elementen zijn van belang, niet alleen direkt, maar ook indirekt. Dat laatste omdat een dergelijke identiteitsconceptie funktioneel verbonden is met de elementen die we in de hoofdstukken 3-7 beschreven als faktoren die de vitaliteit van de gemeente vergroten.

Een duidelijk en gedeeld antwoord op de vragen wie we zijn en wat onze opdracht is bevordert het ontstaan van een stimulerend klimaat, vergemakkelijkt de ontwikkeling van konkrete doelen, vergroot de kans dat de struktuur helder is — niet in de laatste plaats doordat finalisatie gestimuleerd wordt — en maakt de mogelijkheden voor het ontwikkelen en het evalueren van een beleid groter. En dus is het ontwikkelen van een identiteitsconceptie een belangrijke opgave voor de gemeente.

Dat betekent overigens niet dat alle aandacht in de gemeente voortaan primair hierop gericht zal moeten worden; dat zou tekort doen aan de interdependentie van de vijf faktoren. Die interdependentie houdt in dat het verband wederzijds is; de identiteitsconceptie is van belang voor het ontwikkelen van de andere faktoren, maar evenzeer geldt dat deze faktoren van groot belang zijn om tot een gedeelde identiteitsconceptie te komen. Het ontwikkelen van een gemeenschappelijke identiteitsconceptie bijvoorbeeld vraagt om een stimulerend klimaat; met name een klimaat waarin mensen elkaar zien als subjekt en waarin gezamenlijk beraad normaal is. Het vraagt ook om een leiding die aandacht heeft èn voor 'de gemeenschap' èn voor 'de zaak'; anders gezegd een leiding die aandacht voor de vraag 'wie we zijn' weet te kombineren met aandacht voor de vraag 'wat is onze opdracht'. Ook het samen zoeken naar konkrete doelen is bevorderlijk voor de identiteitsconceptie, want in het kader daarvan komt de vraag 'waar gaat het tenslotte om', dus de vraag naar de identiteitsconceptie konkreet en op een natuurlijke manier aan de orde.

9. Samenvatting en samenhang

9.1. *De bomen en het bos*

In dit hoofdstuk vatten we de belangrijkste gegevens over de vitalisering van de gemeente samen en geven we een antwoord op de vraag welke faktoren de vitaliteit van de gemeente beïnvloeden. Eerst noemen we de belangrijkste aspekten van de verschillende faktoren, daarna gaan we nog kort in op de samenhang. Of om de beeldspraak van hoofdstuk 2 te kontinueren: eerst schetsen we de bomen, daarna het bos.

9.1.1 de bomen

Er zijn vijf faktoren die de vitaliteit van de gemeente beïnvloeden, in positieve of negatieve zin. We hebben die laatste mogelijkheid niet systematisch besproken om het verhaal niet langer te maken dan noodzakelijk is. Maar in deze samen vatting zullen wij twee ekstreme situaties beschrijven. Deze zijn te beschouwen als de polen van een kontinuüm, dat we ons kunnen voorstellen als een lijn met een aantal punten — bijvoorbeeld zeven — waarbij punt 1 de meest remmende situatie vertegenwoordigt en punt 7 de meest stimulerende situatie. Dit kan als volgt in beeld worden gebracht:

1 ---- 2 ---- 3 ---- 4 ---- 5 ---- 6 ---- 7

In werkelijkheid is de variatie natuurlijk veel groter, maar om de gedachtenvorming mogelijk te maken, beperken wij het aantal mogelijkheden. In deze samenvatting gaat het ons slechts om de posities 1 en 7.

Schema 7: De faktoren die de vitaliteit van de gemeente beïnvloeden; twee ekstreme posities

1 negatief	positief 7
A. KLIMAAT	
1. *beeld van 'gewone' gemeenteleden*	1. *beeld van 'gewone' gemeenteleden*
a. weinig aandacht en respekt voor mensen; zij worden min of meer gezien als objekt	a. er is aandacht en respekt voor mensen; zij worden gezien als subjekt

b. er is een tamelijk negatief beeld van 'gewone' mensen; zij willen eigenlijk niet – en moeten dus over de brug getrokken worden – en kunnen weinig – en moeten dus voortdurend geholpen en geleid worden

b. er is een tamelijk positief beeld van 'gewone' mensen; zij zijn mensen die uniek zijn, en in staat een bijdrage te leveren

2. *procedures*

a. **de kommunikatie:**

- is beperkt; mensen houden relevante informatie achter
- gaat vooral van boven naar beneden

b. **besluitvorming:**

beslissingen worden genomen:

- door het hoogste gezag
- door middel van macht; (meerderheid van stemmen; door de leider, e.d.)

c. **doelformulering:**

- de doelen worden vastgesteld door de leiding en van bovenaf gedropt

d. **invloed van 'gewone' gemeenteleden:**

- gewone gemeenteleden hebben geen invloed op het reilen en zeilen van de gemeente

2. *procedures*

a. **de kommunikatie:**

- is intensief; er is een brede stroom van relevante informatie; mensen communiceren frank en vrij
- gaat in alle richtingen: van beneden naar boven, van boven naar beneden en naar 'opzij'

b. **besluitvorming:**

beslissingen worden genomen:

- door het kollege dat de meeste informatie heeft;
- door allen die door het besluit geraakt worden
- door middel van konsensus

c. **doelformulering:**

- de doelen worden gezamenlijk vastgesteld.

d. **invloed van 'gewone' gemeenteleden:**

- gewone gemeenteleden hebben veel invloed op de algemene gang van zaken

B. LEIDING

1. *karakter:*

- de leiding ziet zichzelf en wordt gezien als 'het hoogste gezag'

2. *stijl:*

- de leiding probeert mensen te motiveren voor door een appèl te doen op gehoorzaamheid

1. *karakter:*

- de leiding ziet zichzelf en wordt gezien als 'dienares' van de gemeente

2. *stijl:*

- de leiding probeert mensen te motiveren door gezamenlijk beraad

3. *funkties:*

a. de leiding besteedt haar meeste tijd aan aktiviteiten in de voorwaardelijke sfeer (financiën, oplossing van konflikten, voorziening vakatures, e.d.)

b. er wordt afwisselend aandacht besteed aan 'de zaak' en 'de relaties'

c. de leiding heeft als konkrete taken:

- mensen/groepen te instrueren en de weg te wijzen
- mensen/groepen te kontroleren

voorwaarden:

a. de leiding luistert slecht
b. de leiding is defensief
c. de leiding is moeilijk te benaderen
d. de leiding is weinig kapabel
e. de leiding streeft naar handhaving van haar machtspositie

3. *funkties:*

a. de meeste tijd wordt besteed aan aktiviteiten die direkt verband houden met de identiteit van de gemeente

b. de leiding weet zorg voor 'de zaak' te kombineren met zorg voor 'de relaties'

c. de leiding heeft als konkrete taken:

- mensen en groepen te helpen hun weg te vinden
- mensen en groepen te ondersteunen en te bevestigen
- de betekenis van de doelen te onderstrepen, ook door in eigen gedrag uit te stralen dat het doel waarvoor men staat belangrijk is
- de relaties (de 'gemeenschap') te bevorderen

voorwaarden:

a. de leiding kan goed luisteren
b. de leiding is in staat te inkasseren
c. de leiding is gemakkelijk te benaderen
d. de leiding is kapabel
e. de leiding streeft naar vermindering van haar macht

C. STRUKTUUR

1 *karakter van de relaties:*

- een type relatie wordt verabsoluteerd (òf de 'Gemeinschaft' òf de 'Gesellschaft' òf de 'Organization')

2. *relaties individu-gemeente*

- mensen worden weinig of niet opgezocht; centraal staat het belang van de gemeente

3. *relaties tussen groepen:*

a. de struktuur is:
   - ingewikkeld
   - vertikaal

1. *karakter van de relaties:*

- er is ruimte voor alle drie typen relaties

2. *relaties individu-gemeente:*

- er is werkelijk kontakt met individuele gemeenteleden; centraal staat déze mens

3. *relaties tussen groepen:*

a. de struktuur is:
   - eenvoudig
   - plat

b1 de ambtsgroepen zijn:
- verantwoording schuldig aan de kerkeraad, die fungeert als centraal beleidsorgaan
- voornamelijk gevormd op grond van funkties

b2 bepaalde spiritualiteiten en sociale kategorieën vormen een dominante koalitie

c1 er is weinig kommunikatie tussen:
- de groepen
- groepen en kerkeraad
- groepen en gemeente

c2 de kommunikatie:
- is formeel
- is beperkt tot de leiding
- en verloopt via een hoger orgaan

d. de kerkeraad:
- weerspiegelt een dominante koalitie
- richt zich vooral op koördineren

b1 de ambtsgroepen zijn:
- verantwoording schuldig aan de gemeentevergadering, die fungeert als centraal beleidsorgaan
- voor een belangrijk deel gevormd op basis van een komplete taak

b2 er is ruimte voor de verschillende spiritualiteiten en sociale kategorieën

c1 er is een intensieve kommunikatie tussen:
- de groepen
- groepen en kerkeraad
- groepen en gemeente

c2 de kommunikatie:
- is informeel
- vindt ook plaats tussen de leden
- en verloopt direkt

d. de kerkeraad:
- is zodanig samengesteld dat er affiniteit bestaat met de opdracht van de gemeente en met de verschillende spiritualiteiten en kategorieën
- richt zich vooral op finaliseren

D. DOELEN EN TAKEN

1. *de doelen zijn:*
- min of meer weggezakt
- vaag en onduidelijk
- konfliktueus
- niet-inspirerend

2. *de taken zijn:*
- onduidelijk
- niet interessant
- (relatief) te hoog gegrepen
- weinig zinvol in eigen ogen
- niet van veel betekenis in de ogen van relevante anderen

1. *de doelen zijn:*
- manifest
- konkreet
- gemeenschappelijk
- inspirerend

2. *de taken zijn:*
- duidelijk
- interessant
- 'meer dan het gewone' maar uitvoerbaar
- verbonden met vragen van mensen en de bedoelingen van de kerk
- waardevol in de ogen van relevante anderen

E. IDENTITEIT

1. een aspekt van identiteit wordt verabsoluteerd
2. er zijn verschillende konflikterende identiteitsconcepties

1. beide aspekten van identiteit worden geïntegreerd in één conceptie
2. die conceptie wordt gedeeld

9.1.2. Het bos

Er is een duidelijke samenhang tussen de vijf faktoren. Dat bleek in de voorgaande hoofdstukken telkens weer. We zullen niet pogen al die verbanden nog eens te schetsen, want dat zou tot vele en ook nodeloze herhalingen leiden. Ik roep slechts een paar van die verbanden nog even in herinnering als illustratie van de stelling dat er verbindingen zijn tussen alle vijf faktoren èn dat die verbindingen interdependent zijn.
Laten we bijvoorbeeld ons uitgangspunt nemen in het klimaat. Gemeenteleden zien als subjekt, als priester, heeft een positieve uitwerking op het klimaat en bevordert de vitaliteit van de gemeente ook doordat hierdoor veel kreativiteit beschikbaar komt. Dit uitgangspunt heeft konsekwenties voor de leiding, want het gemeentelid zien als subjekt vraagt om een leiding die zichzelf verstaat als dienst en daarom als haar eigenlijke taak ziet helpen en ondersteunen. Om dat goed te kunnen doen moet zij voor alles luisteren. Een en ander stelt weer eisen aan de struktuur; er wordt gepleit voor een platte struktuur, voor vermindering van machtsverschillen en voor het afzien van prestigieuze statussymbolen. In meer algemene zin leidt het idee van leiding als dienst tot de opbouw van de struktuur vanuit het gezichtspunt van de 'span of support'.
Beklemtonen dat het gemeentelid subjekt is impliceert ook de vorming van (ambts)-groepen die zelf verantwoordelijk zijn en dus een eigen speelruimte krijgen; die dus een eigen taak hebben en beschikken over alle daarvoor nodige bevoegdheden. En dat betekent weer dat de leiding bevrijd wordt van allerlei koördinerend werk en zich dus kan concentreren op haar eigenlijke taak: bezig zijn met de identiteitsvragen: 'Zijn wij gemeente van de Heer, zijn wij bezig met de zaken van de Heer, zijn wij kerk?'.
Zó omgaan met mensen en zó leiding-geven is weer van grote betekenis voor de wijze waarop doelen worden ontwikkeld. Immers dit wordt in deze kontekst gezien als een zaak van de gemeenteleden. En dat is van groot belang want dat maakt het mogelijk dat er een werkelijk gemeenschappelijk programma tot ontwikkeling komt, wat weer een positieve invloed heeft op het klimaat en ook voor de vitalisering van de gemeente van grote betekenis is. Het proces van het samen zoeken naar konkrete doelen is ook bevorderlijk voor de ontwikkeling van een gemeenschappelijke identiteitsconceptie, want in het kader van dit zoekproces komt de vraag 'waar gaat het tenslotte om?' konkreet en op een natuurlijke manier aan de orde. De ontwikkeling van gemeenschappelijke doelen en een gemeenschappelijke identiteitsconceptie is van grote betekenis voor het beleven van 'de eenheid'.
De konstellatie van de verschillende faktoren maakt het dus mogelijk dat de verschillende (ambts)groepen enerzijds een eigen speelruimte krijgen, en anderzijds de eenheid beleven. Zo ontwikkelt de situatie zich steeds meer in de richting van het 'partijen-in-een-systeemmodel'.
Het gezamenlijk zoeken naar doelen en naar een antwoord op de identiteitsvragen vraagt uiteraard ook om het scheppen van ontmoetingsplaatsen — zoals een gemeentevergadering — dus om voorzieningen in de struktuur van de organisatie. De faktoren hangen inderdaad met elkaar samen.

We kunnen dat ook illustreren door de redenering vanuit een andere faktor op te bouwen, bijvoorbeeld vanuit de leiding. De leiding, en daarbij denken wij op het niveau van de gemeente aan de kerkeraad, heeft als centrale funktie bezig te zijn met de identiteitsvragen. Dat impliceert aandacht voor 'de gemeenschap' en 'de zaak'. Door die gezamenlijk te behartigen bevordert zij in hoge mate de vitaliteit van de gemeente. Immers het bevorderen van alleen 'de gemeenschap' — bijvoorbeeld door alle aandacht te richten op het klimaat — heeft als zodanig nauwelijks betekenis voor het al of niet inspirerend zijn van doelen en taken. Dus: een kerk die 'de gemeenschap' bevordert, wordt daardoor nog niet aantrekkelijk en zeker niet vitaal. En omgekeerd: ook als de doelen en taken op zichzelf de moeite waard zijn, dan nog hebben zij weinig aantrekkingskracht als het klimaat niet positief is en de leiding niet stimulerend. Het is duidelijk dat de beide identiteitsvragen 'Wie zijn we' en 'Waartoe zijn we er' niet ontkoppeld kunnen worden. En als dat toch gebeurt verliest de gemeente haar vitaliteit. De aard van de leiding is dus van zeer grote betekenis. Maar dat betekent niet dat we nu weer alle nadruk moeten leggen op déze faktor. Want zo leiding-geven vraagt om een bepaald klimaat — en daarmede om een bepaalde visie op het gemeentelid — om een struktuur waarin dit gezichtspunt gehonoreerd kan worden, enzovoorts. De vijf faktoren vormen een systeem. En dat impliceert dat elke opbouwpoging die zich alleen op één van de faktoren richt tot mislukken is gedoemd. *Een beleid dat gericht is op het vergroten van de aantrekkelijkheid en de vitaliteit van de gemeente moet dus aandacht hebben voor elk van de faktoren in hun onderlinge samenhang.*

Aandacht hebben voor de samenhang van deze vijf faktoren en voor de wijze waarop zij 'gevuld' worden is dus voor de vitalisering van groot belang. Dat is natuurlijk altijd al van belang geweest, maar het geldt voor 'vandaag' nog meer dan voor 'gisteren'. Want wat voor een kerk in een redelijk stabiele samenleving nog mogelijk is — qua leiding, struktuur en procedures, dus klimaat — is dat niet meer in een turbulente omgeving en dat maakt het ook onmogelijk te drijven op routines. Voor vitalisering van de gemeente in onze tijd is meer dan ooit nodig het gemeentelid te zien als subjekt en de leiding als dienst, samen te zoeken naar konkretisering van de doelen en een gemeenschappelijke identiteitsconceptie en ook samen een struktuur te ontwikkelen die hieraan dienstbaar is. Dat is een struktuur die fleksibel, eenvoudig en plat is, en waarin de diverse groepen een eigen speelruimte hebben maar ook samen 'de gemeenschap' kunnen beleven. Dáár gaat het om.

9.1.3. Konklusie

In hoofdstuk 1 werd de vraag aan de orde gesteld welke faktoren de vitaliteit beïnvloeden; dus er toe bijdragen dat mensen met vreugde en met effekt kunnen deelnemen. Het antwoord daarop luidt nu dat hiervoor een systeem van vijf faktoren van grote betekenis lijkt te zijn. Dit systeem is in het voorgaande reeds gevisualiseerd. Bij wijze van samenvatting geven we deze figuur nog eens weer.

Figuur 13: **Systeem van voorwaarden/aanknopingspunten om tot vitalisering te komen**

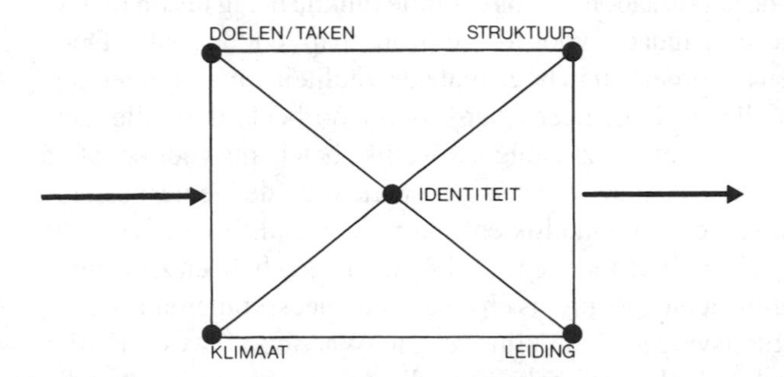

Dit schema kan nu in de plaats komen van het vraagteken in Schema 1, paragraaf 1.3. Werken aan een vitale gemeente betekent dus werken aan deze faktoren. *En wat voor de gemeente als geheel geldt, gaat ook op voor groepen daarbinnen, zoals bijvoorbeeld de kerkeraad*, maar ook voor de vormgeving van processen zoals dat van 'Samen-op-Weg' en het 'Conciliair proces'. Die vijf punten vormen tezamen de aanknopingspunten voor een beleid om de droom van een vitale gemeente wat dichterbij te halen. Op de vraag hoe dat zou kunnen gaan we in Deel III nader in. Maar eerst geven we nog enkele voorbeelden van pogingen tot revitalisatie van de gemeente waarin we dit systeem van faktoren in werking zien.

9.2. Twee praktijkvoorbeelden

*9.2.1 Revitalisering van de gemeente van Dumbarton**

1 **het proces** De kleine, methodistische gemeente van Dumbarton, een voorstad
2 van Washington, heeft een paar jaar in een ernstige krisis geleefd. Deze uitte zich
3 onder meer in een sterk verminderde participatie; eind zestiger jaren bezoeken 's
4 zondags nog slechts ongeveer vijftien personen de kerkdienst. De komst van een
5 nieuwe predikant, Ds. Kiely, betekent een keerpunt. Hij concentreert zich
6 allereerst op de kerkdienst en slaagt er in deze zó vorm te geven dat er een
7 informele sfeer ontstaat en de gemeenteleden de kans krijgen hieraan spontaan
8 en aktief deel te nemen. Daardoor worden vooral jonge gezinnen aangetrokken.
9 Er komen allerlei veranderingen in de kerkdienst, waartoe steeds gezamenlijk
10 wordt besloten. Ook komen er allerlei andere aktiviteiten tot ontwikkeling, zoals
11 vormings- en leergroepen.
12 Geleidelijk aan ontstaan er ook allerlei spanningen, vooral met betrekking tot
13 een intensieve kommunikatietraining, de financiën en de relatie kerk-samen-

* Dit proces is uitgebreid beschreven door Elisa L. DesPortes

14 leving. Als de spanningen steeds meer oplopen roept de predikant, die er dan
15 twee jaar staat, een gemeentevergadering bijeen om met elkaar de problemen uit
16 te spreken. Het is dan november 1970. Maar in plaats van tot een verzoening te
17 komen ontstaat er een win-verlies-situatie, met name tussen de mensen die het
18 belang van persoonlijke geloofsgroei benadrukken — en die met het oog daarop
19 de kommunikatietraining propageren — en de voorstanders van sociale aktie. In
20 de wintermaanden die dan volgen zijn er steeds weer nieuwe spanningen.
21 Op voorstel van de predikant, die zelf buiten de konflikten is gebleven, besluit de
22 kerkeraad hulp van buiten in te roepen. Het is dan zomer 1971. Die hulp komt in
23 de persoon van de predikant-opbouwwerker Ds. Ulrich. Deze is bereid te helpen
24 maar stelt als voorwaarde dat de kerkeraad instemt met zijn werkwijze, waarvan
25 de kern is het streven de hele gemeente bij het proces te betrekken. Kerkeraad en
26 opbouwwerker besluiten gezamenlijk dat de taak van de laatste is de gemeente te
27 helpen doelen te ontwikkelen, prioriteiten te stellen en een aktieplan voor de
28 uitvoering op te stellen.
29 Als eerste stap wordt een stuurgroepje opgericht dat met de predikant-opbouw-
30 werker zal samenwerken. Een van de eerste besluiten van dit groepje houdt in dat
31 zij de gemeente volledig op de hoogte zullen houden van alles wat er zich
32 afspeelt.
33 Eind september 1971 wordt de eerste van een tweetal gemeentevergaderingen
34 gehouden als eerste stap in het proces. Er doen 49 personen aan mee, dat is
35 eksakt de helft van het aantal volwassen leden. Nadat uiteengezet is wat de
36 bedoeling van deze avond is en welke plaats deze heeft in het hele proces gaan de
37 deelnemers uiteen in kleine groepen. Hierin krijgt iedereen de kans drie vragen te
38 beantwoorden:
39 1. Wat is voor mij in het leven van onze gemeente betekenisvol en bevredigend?
40 2. Wat verhindert dat ik in de gemeente meer bevrediging vind?
41 3. Wat zou voor mij het gemeenteleven bevredigender maken?
42 De antwoorden op deze vragen worden in de vergadering verteld en gezamenlijk
43 worden alle antwoorden gerubriceerd in hoofdkategorieën. Uit de rapportage
44 blijkt dat de deelnemers met name tevreden zijn met de kerkdiensten en met 'de
45 gemeenschap' ('fellowship'). Merkwaardig is dat 'gemeenschap' ook bovenaan
46 het lijstje met klachten staat tezamen met de onderwerpen organisatiestruktuur,
47 de maatschappelijke taak van de gemeente en leiderschap.
48 Op de tweede gemeenteavond wordt aan deze punten verder gewerkt. Iedere
49 groep moet lange en korte termijn-doelen formuleren, terwijl de groepen ver-
50 volgens samen de prioriteiten stellen. Als prioriteiten worden genoemd: het
51 regelen van de verantwoordelijkheden van gemeenteleden en pastor; de pro-
52 blematiek van de sociale aktie; evaluatie van de werkgroepen; regeling van de
53 financiën.
54 De sfeer op deze gemeenteavond wordt gekenmerkt door wederzijdse aan
55 vaarding. Een symptoom daarvan is dat uit de meerderheid het voorstel komt
56 voorrang te geven aan de kleinere groep 'sociale aktie'. Dat was een jaar geleden

57 wel even anders. De verandering wordt door de deelnemers in verband gebracht
58 met de werkwijze van de predikant-opbouwwerker die beklemtoonde dat ieders
59 mening belangrijk was en die ook de opmerkingen van iedereen op de 'flap'
60 schreef.
61 Een week daarna wordt een kerkeraadsweekend gehouden (vrijdagavond en
62 zaterdag) waarop de kerkeraad, geholpen door de opbouwwerker, een werkplan
63 opstelt om de prioriteiten uit te voeren. Een belangrijk aspekt daarvan is dat de
64 verantwoordelijkheid wordt gelegd op individuen en groepen en dat bepaald
65 wordt dat zij aan de gemeente zullen rapporteren. De volgende dag worden alle
66 besluiten in de kerkdienst meegedeeld.
67 Dit proces heeft vele positieve gevolgen. Ten eerste ontstaat er een zeer op-
68 gewekte sfeer. Ieder was zeer ingenomen met de plannen, want ieder kon zeggen
69 ,,And rightly, 'this is my program' ''. Ten tweede begonnen de leden zich
70 verantwoordelijk te voelen voor de financiën en voor de realisering van de
71 doelen: ,,there was a burst of creative effort to meet the goals''. Ten derde: ,,a
72 third change that took place was that new people began to join the church as
73 never before''.
74 De predikant, Ds. Kiely, beschrijft de situatie als volgt: ,,the atmosphere was
75 very good. Reconciliation was occurring. It became clear that people had not
76 only a voice but also a process by which they could become effective. The entire
77 work became credible because people saw a way for their words to be turned into
78 action. They learned that they could count on this process''.
79 Daarmee zijn uiteraard zeker niet alle problemen de wereld uit. Het eigenlijke
80 werk moet immers nog beginnen. Maar de gemeente is weer op weg zoals blijkt
81 uit het evaluatieverslag van mei 1972: de struktuur is verhelderd — het blijft
82 overigens voor predikant en kerkeraad moeilijk macht af te staan — de leer- en
83 vormingsaktiviteiten bloeien, de financiën zijn gezond, maar met de sociale
84 aktie gaat het moeizaam. En dat leidt tot de vraag in het evaluatierapport,
85 waaraan dit te wijten is: staan we er als gemeente wel werkelijk achter of is het
86 meer een kwestie dat we niet weten hoe we dit vorm moeten geven. En dat leidt
87 tot teleurstelling, bij sommigen zelfs tot hevige teleurstelling. Er wordt, zo is
88 hun bezwaar, te veel gepraat en te weinig gedaan. Een van hen brengt haar
89 gevoelens over het proces als volgt onder woorden: ,,I see real progress in human
90 relations and organization, but we haven't changed the character of the con-
91 gregation toward social action''. Velen stellen, als zij na ruim twee jaar terug-
92 kijken op het hele proces, dat er zeer veel verbeterd is maar dat de gemeente er
93 niet in is geslaagd ,,to discover their unique Christian identity. They point out
94 that they did not ask questions like that, so the issue was not addressed. It is an
95 issue that is high on their agenda for next year''. Bij identiteit van de gemeente
96 wordt gedacht aan ,,its reason for being and its overall purpose''.

kommentaar Het proces in deze gemeente kan worden getypeerd als een poging voorwaarden te scheppen voor vitalisering van de gemeente. Dat zien we allereerst in

aandacht voor en verandering van het *klimaat*; alle elementen die we in het voorgaande hebben beschreven als kenmerken van een positief klimaat komen hier terug. Dat komt allereerst hierin tot uiting dat gemeenteleden serieus worden genomen (regels 57-60, 9-10) en dat de gemeente gezien wordt als subjekt van haar eigen opbouwproces. Dat uitgangspunt beheerst de werkwijze van de predikant-opbouwwerker en het wordt ook opgenomen in het samenwerkingskontrakt tussen kerkeraad en opbouwwerker (27-28). Ook alle andere elementen van het klimaat komen we hier tegen: er is veel aandacht voor de kommunikatie met de gemeente (31-34); ieder heeft invloed op de besluitvorming (48-50); 'gewone' gemeenteleden hebben invloed op het reilen en zeilen van de gemeente (9-10,55); de doelen worden samen vastgesteld (50-53).
De *leiding* heeft hier werkelijk het karakter van dienst. Dat geldt om te beginnen voor de predikant-opbouwwerker: hij helpt en hij verstaat de kunst van het luisteren (62), hij ondersteunt mensen en is kapabel, wat onder meer blijkt uit zijn systematische manier van werken (43,27). Ook de kerkeraad is primair een helpende instantie; hij neemt de prioriteiten van de gemeente over en schept de voorwaarden voor de uitvoering daarvan (63-65). In dat kader komt er ook aandacht voor *de struktuur* waarin ook het uitgangspunt dat de gemeente subjekt is wordt gehonoreerd (25). Voor de vitalisering is ook van belang aandacht voor de *werkdoelen* en voor de wijze waarop deze worden ontwikkeld. Dat is een zaak van de gemeente. Zo ontstaat inderdaad een gemeenschappelijk (68-69) en inspirerend programma (76-78). Daarbij speelt zonder twijfel een grote rol dat de gemeente bij het ontwikkelen van doelen aan de goede kant begint: bij de mensen zelf en bij hun ervaringen en wensen (39-41).
Er is bij dit verhaal wel de kritische vraag te stellen, waar het ambt eigenlijk is. Daarmee bedoel ik niet waar het centrale gezagsorgaan zetelt, dat zijn goedkeuring aan het geheel moet hechten. Daar is geen behoefte aan, de gemeente is immers subjekt. Maar ik bedoel dit: waar is in dit hele proces het kollege dat de vraag stelt: ,,Zijn de dingen die we hier met elkaar aandragen 'de dingen van de Heer'?''. Anders gezegd: kunnen 'die dingen' in verbinding gebracht worden met de identiteit van de gemeente, dus met de vragen: 'Wie zijn wij?' en 'Wat is onze missie?'. Mogelijk aangevuld met vragen als deze: ,,Kunnen we over problemen die we als gemeente signaleren (40,83-84) nog iets anders, nog iets meer zeggen, als we onze feitelijkheid konfronteren met onze identiteitsconceptie? Komen er dan ook nog andere problemen naar voren?''.
De kerkeraad heeft voor deze vragen geen aandacht en de gemeente staat er niet bij stil; althans niet tijdig genoeg; een belangrijk aantal van hen betreurt het en neemt het zichzelf min of meer kwalijk (!) dat zij deze ambtelijke vraag niet zelf aan de orde heeft gesteld (93). En mogelijk kunnen we hierin ook een antwoord vinden op de vraag hoe het komt dat de gemeente weliswaar de 'social action' op de agenda zet, maar er eigenlijk geen raad mee weet. Waarom is het op de agenda gekomen: om de linkervleugel ter wille te zijn of zit het dieper? Een ramp is het overigens niet, want de vraag ligt nu nadrukkelijk op tafel en wordt gezien als een belangrijk punt om nu werkelijk verder te komen (94-95). Of dit punt ook inderdaad op de agenda is gekomen is mij overigens niet bekend, daar de beschrijving eindigt bij oktober 1972.

9.2.2. Het conciliair proces in Oegstgeest

1 **het proces** Het begint in 1987 heel simpel. Een gemeentelid, theoloog en
2 oud-medewerker van de zending, heeft gelezen dat ook in Nederland het con-
3 ciliair proces (voortaan cp) van start zal gaan en zij attendeert de plaatselijke raad
4 van kerken daarop. Die vraagt haar verdere initiatieven te nemen. Al spoedig
5 ontstaat een stuurgroep die zo wordt samengesteld dat daarin mensen zitten uit de
6 verschillende kerken, ieder met een eigen achterban (bijv. IKV, vrouwengroep,
7 milieugroep). Maar voordat zij door de raad van kerken worden benoemd gaat er
8 een brief naar alle kerkeraden en de parochieraad met de vraag of zij akkoord
9 gaan met deze personen èn of zij achter het cp staan. Ook dat laatste is voor de
10 stuurgroep in oprichting van groot belang, want 'als de kerkeraden niet achter je
11 staan, dan wordt het niets'.
12 De stuurgroep begint met een evaluatie van enkele projekten in de gemeente
13 waarvan niet zoveel is terecht gekomen, waaronder het diakonale projekt 'Gaven
14 delen wereldwijd'. Als mogelijke verklarende faktoren worden onder meer
15 genoemd:
16 – de kerkeraden waren niet gevraagd er achter te gaan staan
17 – men had zich niet verzekerd van de medewerking van de predikanten
18 – de zelfwerkzaamheid werd niet geprikkeld; integendeel, de gemeenteleden
19 'kregen het op een presenteerblaadje' en 'alles kwam kant en klaar van boven'.
20 Die werkwijze lijkt de stuurgroep onjuist. Er moet aandacht besteed worden
21 aan de vraag hoe het grondvlak in elkaar zit en 'wat er leeft in de gemeente'.
22 'We moeten van onderaf beginnen en dan naar boven'. Dat wordt de beleids-
23 lijn.
24 Het eerste doel van de stuurgroep is het bekend maken van het cp in de kerken
25 van Oegstgeest. Dat gebeurt op verschillende manieren maar het hoogtepunt is
26 het gezamenlijk vieren van het pinksterfeest op het terrein van het zendingshuis.
27 Hieraan doen vijf plaatselijke kerken mee. De gemeenteleden worden op ver-
28 schillende wijze geattendeerd op dit pinksterfeest. In de eigen kerkdienst op
29 Pinksteren worden de mensen nog eens opgewekt aan het feest deel te nemen.
30 Aan de paaskaars in de kerken wordt een fakkel ontstoken die mee zal gaan naar
31 het terrein van het zendingshuis waar zij samen met de fakkels van de andere
32 kerken geplaatst zal worden in één standaard als symbool van de oekumene. Het
33 meest opvallende in de kerkdiensten zijn manden met felgekleurde papieren
34 veren, gemaakt door schoolkinderen. Die veren worden aan de gemeenteleden
35 uitgereikt met het verzoek die mee te nemen naar het feest om daar een zeer grote
36 vogel te bekleden, 'zodat u er aan meewerkt dat deze vogel als symbool van de
37 Heilige Geest kan opgaan in onze gemeente'. En daarmee wil men uitdrukken,
38 'dat wij met alle christenen samen ons willen laten bezielen door de Heilige
39 Geest. Dan zal het onmogelijke mogelijk zijn'.

* Dit proces is uitgebreider beschreven door J. Hendriks, 1989

40 Het wordt een groot feest waar veel meer mensen komen dan verwacht — niet
41 250 maar 500 — en waar van alles gebeurt:
42 – er wordt samen gegeten in groepen van 25 personen; de maaltijd bestaat uit
43 brood en vis
44 – er wordt een inleiding gehouden over het cp
45 – kinderen laten ballonnen op met een cp-boodschap
46 – het klankbeeld Jona wordt vertoond, waardoor de deelnemers worden bepaald
47 bij de wereld waarin wij leven, een Ninevé-Nú
48 – er zijn stands van allerlei aktiegroepen: IKV, Greenpeace, Quakers enz.
49 Dat was een grootse start. Maar hoe nu verder? Voor de stuurgroep is in ieder
50 geval één ding duidelijk: er zal gewerkt worden van onderop. Dat betekent dat de
51 nadruk komt te liggen op de vraag: 'Wat denk jij nu *zèlf*!'. En om dat proces niet
52 te blokkeren wordt besloten de geloofsbrief van de landelijke raad van kerken
53 niet te verspreiden. In plaats daarvan worden drie vragen geformuleerd die
54 hierop neer komen:
55 1. Wat hebt u in de laatste maand *in uw eigen* leven als onrecht ervaren?
56 2. Zijn er ook in de *kerkelijke gemeente* dingen die u als onrecht ervaart?
57 3. Zijn er in de *samenleving in Oegstgeest* dergelijke dingen?
58 De brief met deze drie (verder uitgewerkte) vragen wordt aan alle kerkgangers
59 uitgereikt en ook naar alle mogelijke groepen gezonden: van bijbelgroep tot
60 aktiegroep. De brief wordt ook gepubliceerd in het huis aan huis bezorgde
61 oekumenisch kerkblad. Tot 1 januari 1989 kunnen reakties worden ingezonden.
62 Dat betekent voor de stuurgroep 'wachten'. En dat is moeilijk. Dan begint het
63 verwerken van de vele schriftelijke reakties (ongeveer 100) tot een eigen ge-
64 loofsbrief. En ook bij het opstellen daarvan wordt iedereen — niet alleen
65 degenen die gereageerd hebben — uitgenodigd mee te doen. Dat loopt uit in een
66 geloofsbrief die eindigt met de 'verbindende woorden': 'Dat beloven wij elkaar'.
67 Die geloofsbrief speelt een rol op het pinksterfeest 1989 dat — na de positieve
68 ervaringen van1988 — van meet af aan gezamenlijk wordt gehouden. Dus geen
69 aparte kerkdiensten meer: allen worden uitgenodigd samen te komen in één
70 dienst van woord en tafel. Weer is de vogel present, maar er staat nu ook een
71 grote wereldbol. Het wordt volgens deelnemers een indrukwekkend feest waar
72 meer dan duizend mensen aan meedoen. Eén van de hoogtepunten is de kerk-
73 dienst die begint met 'verzamelen op het kerkplein'; daarna: 'Zingend gaan we
74 de kerk in: "Kom, Schepper Geest, daal tot ons neer." '. De dienst loopt uit in
75 het voorlezen van de geloofsbrief, eindigend in 'Dat beloven wij elkaar'. Daarna
76 krijgen de kerkgangers de gelegenheid 'hun voetstapje — "dat u in de liturgie
77 vindt" — voorzien van hun handtekening, op de wereldbol te plakken; honder-
78 den voetstappen. 'We willen er mee uitdrukken dat wij samen op weg gaan — al
79 komen we maar één stapje verder in het komende jaar in de richting van
80 gerechtigheid, vrede en heelheid van de schepping'.
81 De stuurgroep gaat na dit feest verder. De eerste stap is nu het vinden van
82 gespreksleiders en het vormen van gespreksgroepen om zo verder te komen.

83 De stuurgroep wil blijven vasthouden aan haar tot nu toe gevolgde methode,
84 hoewel het verleidelijk is zelf als aktiegroep te gaan optreden. Dat willen ze niet,
85 want 'onze intentie is zó bezig te zijn dat zoveel mogelijk mensen zélf bezig zijn
86 met deze vragen. Het gaat er niet om dat zij onze suggesties overnemen, maar dat
87 zij de ernst van de vragen zelf ontdekken'. Voor de stuurgroep is vooral van
88 belang goed te luisteren; begrijpen waarom mensen denken zoals ze denken. Hen
89 eventueel helpen te ontdekken wat ze zelf vinden. Hen niet aanvallen. We
90 moeten hen blijven volgen, wel konfronteren met vragen, maar niet van boven
91 oplossingen aandragen.
92 De werkgroep houdt hier aan vast. Ook vanuit de pragmatische overweging dat
93 je met een wat meer aktie-achtige aanpak misschien wel de 20% bereikt die
94 aktief is, maar niet de overige 80%. Dan maar liever een magere geloofsbrief
95 waar 80% achter staat en dat uitdrukt in een voetstapje op de wereldbol. En wie
96 weet kunnen we volgend jaar de geloofsbrief nog wat uitbreiden. Maar hier ligt
97 niet het zwaartepunt. Het eigenlijke punt is dit: 'Het gaat er om dat mensen geen
98 objekten voor onze aktiviteiten worden ... dan wil je iets van ze'. Zo wèrkt het
99 niet en zo màg het niet. En in dat perspektief kunnen jouw plannen en jouw
100 antwoorden eerder blokkeren dan verder helpen. Dat zijn evenzoveel obstakels
101 voor mensen om zelf te ontdekken wie zij zijn en wat hen te doen staat. Het gaat
102 om wederzijds vertrouwen geven en wederzijds respekt hebben.

kommentaar Alle vijf faktoren die stimuleren dat mensen met vreugde en met effekt meedoen komen we in deze procesbeschrijving tegen. Dat blijkt allereerst uit het sterke aksent op het subjekt-zijn van de gemeenteleden waardoor het *klimaat* als het ware gestempeld wordt. Gemeenteleden worden niet gezien als objekten, die bekeerd moeten worden tot het standpunt van de stuurgroep — dat blijft voor haar overigens een verleidelijke gedachte (regel 84) — maar als subjekten die met respekt en met vertrouwen tegemoet getreden worden. Zij worden daarom ook gezien als mensen die medeverantwoordelijk zijn en die dus ook worden uitgenodigd om mee te doen, niet alleen aan de gesprekken, maar ook aan het formuleren van doelen zoals die worden verwoord in de geloofsbrief (61).
En vanuit die gedachte van het gemeentelid als subjekt krijgt de *leiding* — de stuurgroep — inderdaad het karakter van dienst, in de konkrete betekenis van mensen ondersteunen en helpen. Het gaat er om dat gemeenteleden ieder apart en samen tot inzicht en tot verandering komen en 'voetstapjes' zetten. De stuurgroep wil daarbij helpen, onder meer door het stellen van vragen die tot nadenken prikkelen (55-57) en door het beschikbaar stellen van informatie; vandaar de stands op de pinksterdagen. En met het karakter van de leiding als dienst harmonieert het aksent op het luisteren en volgen (88-89). De sterke nadruk op gezamenlijk overleg (8) maakt duidelijk dat de leiding kiest voor de hiermee harmoniërende stijl.
Opvallend is ook dat gestreefd wordt naar *inspirerende doelen*. Voor alle drie daarvoor essentiële voorwaarden is aandacht: de ernst van de problematiek, de opdracht van de gemeente en de mogelijkheden van de stuurgroep en van de gemeente. De aanwezig-

heid van de stands is een garantie dat de feitelijkheid scherp gepresenteerd wordt; in het klankbeeld 'Ninevé-Nú' worden feitelijkheid en opdracht op elkaar betrokken. Ook wordt er rekening gehouden met de mogelijkheden van stuurgroep en gemeente: eerst maar eens de bedoeling van het cp goed duidelijk maken (27-29); dan samen een geloofsbrief opstellen (63) en die geleidelijk uitbouwen (81-82). En als blijkt dat de mogelijkheden groeien dan wordt daar gebruik van gemaakt; daarom na de positieve ervaringen van het 'eerste' pinksterfeest, de tweede keer direkt samen in één kerkdienst samenkomen (68).

Er is eveneens aandacht voor dat de doelen gedeeld worden. Mede daarom worden die gezamenlijk geformuleerd (94).

Ook de *struktuur* heeft de aandacht. Er wordt gezocht naar een struktuur waarin enerzijds de eenheid kan worden beleefd, anders gezegd, waarin men samen gericht kan zijn op een gemeenschappelijk doel, en waarin anderzijds ruimte is voor gespecialiseerde eenheden die uitgenodigd worden de opbouw van de gemeente te dienen. Mensen komen bij elkaar, om *samen* iets te ondernemen (onder meer samen een vogel te maken), om *samen* te eten, om *samen* te luisteren en te kijken (bijvoorbeeld naar het klankbeeld) en kunnen zo de eenheid ervaren. Maar ook is er ruimte voor gespecialiseerde groepen die alle graag bereid zijn diensten te verlenen.

En in dit alles komt de *identiteit* nadrukkelijk aan de orde. Niet in die zin dat er zo uitgebreid over gesproken wordt, wel in die zin dat er van daar uit gedacht en gewerkt wordt. Nadrukkelijk wordt ook gepoogd het besef van een gemeenschappelijke identiteit als het ware op te roepen. Dat zien we heel duidelijk in het Pinksterfeest. Mensen komen samen bijna letterlijk onder de vleugels van de vogel, het symbool van de Heilige Geest. Daarmede wordt aangegeven wie zij zijn, maar ook dat zij een roeping hebben (38). Maar ook op andere manieren wordt herinnerd aan de eigen identiteit: het klankbeeld Jona legt een verband tussen de roeping 'toen' en 'de opdracht in een Ninevé-Nú'; ook de wijze van eten en de aard van het eten (brood en vis) onderstreept nog eens wie zij zijn en in welke traditie zij staan (42-43).

En zo doen mensen mee met vreugde en met effekt.

DEEL III

EEN WEG OM TOT VITALISERING TE KOMEN

10. Op weg

10.1. Inleiding

10.1.1. Vitalisering als noodzaak; een terugblik

Waar ging het om? Laat ik dat nog even mogen herhalen. We begonnen met te zeggen dat de wereld anders is geworden. En dat dit zo is wordt door niemand tegengesproken. We hebben als samenleving grote mogelijkheden èn we staan voor geweldige opgaven: om vrede en gerechtigheid te bevorderen — tussen volken, 'rassen', klassen en seksen — en om zorgvuldig om te gaan met al het geschapene. Kenmerkend voor onze samenleving is ook dat het christelijk geloof haar plausibiliteit voor velen heeft verloren, wat er ook toe leidt dat menigeen de wereld van kerk en geloof verlaat, niet zozeer uit liefde voor de tegenwoordige wereld, maar omdat ze niet kunnen geloven. 'Het wil er bij mij niet meer in!'.
In die veranderde en veranderlijke wereld leeft de gemeente. En dat brengt haar in grote innerlijke onzekerheid die tot uiting komt in hernieuwde aandacht voor de vragen: Wie zijn wij eigenlijk? En: Wat is onze roeping?
Die onzekerheid leidt in een aantal gemeenten tot een krisisachtige sfeer die gekenmerkt wordt door een neerwaartse spiraalbeweging: omdat de gemeente in voortdurende onzekerheid leeft, verliest zij haar aantrekkingskracht en kalft zij af; omdat zij afkalft wordt zij steeds onzekerder; daardoor durft zij het niet meer aan te streven naar 'meer dan het gewone', maar sluit zij zich af in een defensief isolement óf gaat zich aanpassen om zo nog enigszins aanvaardbaar te zijn; in beide gevallen heeft zij steeds minder te zeggen en daardoor wordt zij weer minder aantrekkelijk; met als gevolg... ; enzovoorts.
In die situatie staan we als gemeente voor de opgave opnieuw koers te zoeken. Daarvoor is het niet voldoende om de problematiek te analyseren, want daar vloeit geen beleid uit voort. Het is ook niet voldoende om te dromen van een vitale gemeente, want daarvoor geldt hetzelfde. Het werkt evenmin om de gemeente op te roepen toch vooral met vreugde mee te doen en zich meer in te zetten voor de zending van de gemeente, want dat is nu juist het probleem.
Nodig is het werken aan de voorwaarden waaronder die vreugde in het meedoen en het zich wijden aan de zending van de gemeente weer kan opbloeien. Dat betekent: werken aan een klimaat, waarin mensen elkaar aanvaarden en zien als subjekt; leiderschap op alle niveaus transformeren tot dienst; een struktuur scheppen waarin mensen en groepen een eigen speelruimte hebben èn de gemeenschap kunnen beleven; gemeenschappelijk doelen formuleren die ingaan op problemen, te maken hebben met het hart van het evangelie en vallen binnen de mogelijkheden van de gemeente; en dit alles

verantwoorden voor en betrekken op de identiteitsvraag.
Dat werd uitgewerkt in Deel II. Maar hoe kunnen we daar nu aan werken? Dat is de vraag die nu aan de orde is.

10.1.2. Hoe kunnen we werken aan vitalisering?

de effektiefste weg Het juiste antwoord op die vraag is dat elke gemeente daar zelf een antwoord op moet zoeken! Dat harmonieert ook met het model van een vitale gemeente zoals beschreven in Deel II. Dat betekent, zelf beoordelen of er waarheid schuilt in het 'systeem van 5 faktoren', dat zeker niet te snel aannemen, en zelf een eigen weg zoeken om die voorwaarden te realiseren. Een eigen weg, dat is een weg die past bij de eigen mogelijkheden, inzichten en geschiedenis. Dat betekent uiteraard niet dat we niets van anderen zouden kunnen leren. Daarom blijft het ook zinvol allerlei ideeën aan te dragen en een bepaalde methode te beschrijven. Dat gebeurt dan ook in dit hoofdstuk. En natuurlijk achten we de weg die we zullen beschrijven een kwalitatief goede weg, maar daarmee willen we allerminst zeggen dat deze altijd de meest effektieve weg is. Want effekt is niet alleen afhankelijk van de kwaliteit van een methode, maar ook van de mate waarin die methode als wenselijk en mogelijk wordt aanvaard. Dat komt goed tot uiting in de formule:

$$E = K \times A$$

Dat is: het Effekt van een methode is het produkt van de Kwaliteit van die werkwijze en van de mate van Aanvaarding. Is de aanvaarding nihil, dan is zelfs als de methode kwalitatief van hoog niveau is, het effekt ook nihil. En dat impliceert dus dat een weg alleen effektief kan zijn als men er zelf achter staat.

tweeërlei situatie Bij de vraag hoe die voorwaarden gerealiseerd kunnen worden hangt veel af van de aard van de situatie. Daarbij is vooral van belang of het gaat om *nieuwe projekten* of om het *veranderen van bestaande situaties*.
In het eerste geval is het mogelijk het 'systeem van 5 faktoren' te gebruiken voor het ontwikkelen van een beleid. Dat betekent in een nieuw proces van meet af aan zorgvuldig aandacht geven aan de vijf faktoren in hun onderlinge samenhang. Werken aan de vitalisering van de gemeente is in een dergelijke situatie niet een nieuwe taak, die naast andere moet worden verricht, maar een nieuwe manier van werken. Het gaat hier dus niet om een keuze tussen óf werken aan vitalisering óf werken aan bijvoorbeeld het conciliair proces óf het ontwikkelen van een beleidsplan. Vitalisering betekent dus niet met andere dingen bezig gaan, maar anders met de dingen bezig gaan. We werken dan niet *aan* het 'systeem van 5 faktoren', maar *vanuit* dit systeem. Een proces van samen-op-weg bijvoorbeeld starten we dan met een gemeenteberaad dat zó wordt opgezet dat recht gedaan wordt aan het subjekt-zijn van de gemeenteleden en dat als het ware wordt gedemonstreerd wat we bedoelen met 'leiding als dienst'. Wat dat konkreet betekent zagen we in de casūs van Dumbarton en Oegstgeest (9.2). Enigszins anders ligt het als het gaat om het veranderen van bestaande situaties. Daarbij kunnen we zowel denken aan de gemeente als geheel, maar evenzeer aan

allerlei groepen binnen de gemeente, zoals de kerkeraad. Want ook voor die groepen geldt dat hun vitaliteit kan worden bevorderd door 'de vijf faktoren'. In dergelijke situaties begint het eigenlijke proces van vitalisering met het evalueren van de bestaande situatie. En dat betekent in het kader van vitalisering met elkaar onderzoeken hoe 'het systeem van 5 faktoren' in deze gemeente 'gevuld' is, om vervolgens op basis van die analyse, plannen te ontwikkelen om de situatie te verbeteren. En dat is uiteraard wel een aktiviteit die bij de andere taken komt. En dat kost dus tijd. Maar ook voor deze situatie geldt dat het van groot belang is, dat onze wijze van werken aan de vitalisering van de gemeente, een illustratie is van wat we daarmee bedoelen. In paragraaf 10.2.3 komen we hierop terug.
Maar er blijft een zeker onderscheid tussen het opzetten van nieuwe projekten en het veranderen van bestaande situaties. In dit hoofdstuk beperken wij ons verder tot dit tweede type situatie omdat dit de meest voorkomende en de ingewikkeldste is.
Die analyse van de feitelijkheid, die de basis vormt van het ontwikkelingsproces, kan uiteraard meer of minder grondig gebeuren. Tamelijk grondig gebeurt dit in de methode van de Survey-Guided Development. Kenmerkend voor deze methode is ook dat zij mogelijkheden biedt om zeer velen, in principe zelfs allen bij het proces te betrekken èn dat de gegevens betrekkelijk snel kunnen worden verzameld, zodat de vaart er in blijft. En dat zijn twee kenmerken die voor een vrijwilligersorganisatie, zoals de kerkelijke gemeente, van grote betekenis zijn. Daarbij komt nog dat deze methode is toegesneden op processen zoals die ons voor ogen staan, dus als methode om op systematische wijze te werken aan de verwezenlijking van voorwaarden voor vitalisering. Dit zijn voor ons redenen om de grondstruktuur van de weg om te werken aan vitalisering van de gemeente aan deze methode te ontlenen.

Overigens is het duidelijk dat er meerdere wegen zijn die tot vitalisering kunnen leiden. Dat zien we ook in de praktijk van de gemeente. Maar ook in de theorie van de OO zijn er verschillende benaderingen. Sommigen knopen aan bij het individu of de kleine groep, anderen bij de organisatie als geheel; de ene richt haar aandacht speciaal op sociale processen, de andere op inhoudelijke onderwerpen. Die verschillen in aangrijpingspunten en in aandachtspunten leiden tot verschillende methoden die alle hun voor en tegen hebben (vgl. Van der Vliert,1978).

10.1.3. Survey-Guided Development

De methode 'Survey-Guided Development', voortaan SGD, is ontworpen door het 'Institute for Social Research' van de universiteit van Michigan en vooral verbonden met de namen van Bowers, Franklin, Hausser, Pecorella en Wissler. Zij hebben deze methode vooral toegepast op normatieve organisaties, in het bijzonder onderwijsinstituten. Dietterich volgde hen in grote lijnen en paste deze methode toe in het kader van 'church vitalization', waarbij hij samenwerkte met Jane G. Likert (1987). Wij ontlenen aan hen zoals gezegd de grondstruktuur voor een methode om tot vitalisering te komen, maar volgen op een aantal essentiële onderdelen een eigen weg. Maar

voordat wij die eigen weg zullen beschrijven geven we eerst een korte impressie van de SGD op grond van literatuur van de genoemde auteurs.
Deze methode berust op twee bases: de organisatietheorie van Likert, die we in Deel II beschreven, en de theorie over survey-feedback van Floyd Mann.
Kenmerkend voor deze methode is dat gestreefd wordt naar verbetering van organisaties op basis van een uitgebreid onderzoek van de bestaande situatie. Daartoe wordt een uitvoerige gestandaardiseerde vragenlijst voorgelegd aan alle leden van de organisatie en aan alle groepen. Het onderzoek heeft dus de vorm van een survey. De resultaten worden aan alle leden meegedeeld. Op basis daarvan dienen de leden ook zelf vast te stellen waar de sterke en de zwakke plekken zitten, waaraan gewerkt moet worden, en waaraan prioriteit zal worden verleend. Men streeft dus naar ontwikkeling van de organisatie op basis van de gegevens van het survey-onderzoek. Vandaar de naam.
Het doel om door middel van empirisch onderzoek de ontwikkeling van een organisatie te dienen heeft deze methode gemeen met vele andere vormen van aktie- en handelingsonderzoek (vgl. Rijken-Hoevens,1986). Het onderscheidene van deze methode zit in het feit dat wordt uitgegaan van de stelling dat het organisatiemodel dat Likert aanduidde als 'System 4' de meest vitale organisatievorm is. Dat uitgangspunt beheerst hun methode. Allereerst in die zin dat die theorie de samenstelling van hun vragenlijst bepaalt; vrijwel alle vragen zijn operationalisaties van de twee door Likert als 'causal variables' aangeduide faktoren, leiderschap en klimaat. Dit model beheerst verder ook het hele ontwikkelingsproces, vooral ook in die zin dat het 'System 4' in dit proces fungeert als referentiepunt, zowel bij de evaluatie van de bestaande situatie als voor het ontwikkelen van een beleid. Dat het model die funkties heeft wordt ook duidelijk uit de fasen die het ontwikkelingsproces bij hen heeft; het start bij overleg over dit model, daarna volgen de gebruikelijke fasen van beschrijven, analyseren en handelen. Het 'institute' vindt dit van groot belang omdat het uitgaat van de gedachte dat de leden en groepen van de organisatie van dit model op de hoogte dienen te zijn en van de juistheid daarvan ook overtuigd moeten zijn, voordat de feedback van de resultaten van het onderzoek kan plaatsvinden. Want zonder dit model, worden de onderzoeksgegevens naar hun mening mededelingen zonder zin. ,,Morale surveys, consisting of a 'shotgun' collection of satisfaction-dissatisfaction items and geared either to no particular model or to a model not accepted *in advance* by the participants, often end up on the developmental scrap heap'' (Bowers and Franklin,1977,8).
Kortom, het model van het 'System 4' heeft derhalve de funktie van een door de leden gedeeld referentiekader, waarbinnen de antwoorden op de vele vragen van de survey een zin krijgen. De leden van de organisatie zijn hierdoor in staat een vergelijking te maken tussen de feitelijkheid van hun organisatie en het model en op grond daarvan inzicht te krijgen in de vraag hoe hun organisatie 'er voor staat'. Tevens kan uit de vergelijking van 'de feitelijkheid' en 'hoe het zou kunnen zijn' een spanning ontstaan die energie kan opwekken om in aktie te komen.
De introduktie van een model dat (ook) als ideaal fungeert heeft een grote positieve

funktie, met name doordat hierdoor de motivatie om aan de slag te gaan wordt versterkt. En dat komt mede doordat de verschillende werkdoelen die men zich op basis van het survey-onderzoek stelt, niet maar op zichzelf staande incidenten zijn, maar stappen op een weg naar een meer omvattend doel, de vitalisering van de organisatie. Zij staan met andere woorden in een breder kader waaraan zij hun zin ontlenen en dat fungeert als een 'wenkend perspektief'.
Ik ben met het 'institute' van mening dat het plaatsen van het onderzoek in het kader van een dergelijk doel belangrijk is, maar het model zoals zij dit hanteren acht ik, zeker voor de gemeente, niet bruikbaar. Dit model heeft namelijk, zoals in Deel II is uiteengezet, tenminste drie bezwaren: **1** het beperkt zich tot de faktoren 'klimaat' en 'leiding'; **2** het honoreert niet de fundamentele kritiek op het struktuurmodel à la Likert; **3** het model is theologisch gedraineerd want het heeft 'slechts' aandacht voor de effektiviteit en verwaarloost de vraag naar de legitimiteit.
Resumerend kan nu worden gezegd dat de methode van de SGD twee zaken omvat: een model van een vitale organisatie en een weg om tot verandering te komen. Het model zoals dat onder meer door Bowers en Franklin wordt gehanteerd nemen we niet over maar vervangen we door het 'systeem van 5 faktoren' dat in Deel II is beschreven; de weg, dus de werkwijze, nemen we als *een* mogelijkheid over, zij het in sterk vereenvoudigde vorm. Die weg zullen we nu beschrijven.

10.2. De weg van onderzoek en opbouw

Zoals bij elk opbouwproces staan we ook nu voor twee belangrijke vragen: 'Waar beginnen we?' Dat is de vraag naar de fasering. 'Wie draagt het proces?' Dat is de vraag naar het subjekt van het proces. Hoewel in de realiteit uiteraard beide vragen gelijktijdig aan de orde zijn, zullen zij hier achtereenvolgens worden besproken. Maar eerst zullen we nog ingaan op de noodzaak van geleidelijkheid in het proces. Niet alles kan ineens, zeker niet in een vrijwilligersorganisatie.

10.2.1. De kerkeraad als primair aanknopingspunt

Zoals gezegd is kenmerkend voor SGD dat de vragenlijst door alle leden van de organisatie wordt ingevuld. Dit is een van de sterke kanten. En zo zal het stellig ook in de gemeente dienen te gebeuren, maar het is niet eenvoudig. Een bijzonder probleem is dat een proces waarbij van meet af aan de hele gemeente is betrokken, de mogelijkheden van de gemeente, en met name die van de leiding, als regel te boven zullen gaan. Er zitten zelfs bepaalde risiko's aan als we dit toch zouden proberen. Het gevaar is dan groot dat de periode die ligt tussen het survey-onderzoek en de rapportage zo groot is, dat de deelnemers hun motivatie zullen verliezen.
Het proces zal daarom in een deel van de gemeente moeten beginnen en van daaruit geleidelijk moeten worden uitgebreid. Welke delen daarvoor in aanmerking komen hangt van de plaatselijke situatie af, maar in ieder geval zal hierbij ook de kerkeraad

moeten worden betrokken.
Allereerst omdat de kerkeraad als het centrale beleidsorgaan van grote betekenis is voor de vitalisering van de gemeente. Hij vertegenwoordigt immers één van de faktoren van 'het systeem van 5'. En daarmee wordt aangegeven dat de wijze waarop de kerkeraad leiding geeft van grote invloed is op de gemeente (zie hoofdstuk 4 en 6.3).
Het is bovendien dit kollege dat bepaalt of het proces in de gemeente überhaupt zal plaatsvinden. Ook is het van belang om (tenminste ook) bij de kerkeraad te starten om hen zodoende de kans te geven met deze methode 'in eigen kring' ervaring op te doen die hem naderhand bij het leiding-geven aan het proces van vitalisering van de gemeente tot groot praktisch nut kan zijn.
In deze paragraaf beperken wij ons in hoofdzaak tot het beschrijven van het proces van vitalisering in de kerkeraad. Dit lijkt ons geen bezwaar omdat de beschrijving van dat proces in deze groep niet principieel verschilt van dat in de andere groepen. Toespitsing van het betoog op één groep heeft bovendien het voordeel dat we konkreet kunnen worden, bijvoorbeeld bij de konstruktie van een vragenlijst.

10.2.2. De fasering van het proces

De fasering is altijd weer een moeilijk en ook riskant thema omdat we enerzijds voor de analyse en de planning een scherp onderscheid moeten maken tussen de verschillende fasen, terwijl we anderzijds terwille van een goede voortgang van het proces de indruk moeten vermijden dat het gaat om een lineair proces, waarin op ordelijke wijze fase na fase wordt afgewerkt. Zo gaat het niet en zo moet het ook niet gaan. Versterking van de motivatie bijvoorbeeld is zeker de eerste stap op weg naar vitalisering, maar het is niet een zaak die we kunnen vergeten als er eenmaal aandacht aan is besteed. Integendeel, het is een thema dat gedurende het hele proces een aandachtspunt moet blijven, omdat de situatie in dit opzicht voortdurend verandert.
En dat geldt mutatis mutandis ook voor de andere fasen in het proces. Ook de analyse van de problematiek bijvoorbeeld staat niet eens voor goed vast, want nieuwe informatie en een scherper zicht op het doel dat we ons stellen leidt tot een verandering in de diagnose. Kortom, in de realiteit is het proces veel rommeliger dan een uiteenzetting over fasen veelal suggereert.
Maar dat sluit uiteraard niet uit dat we moeten streven naar een duidelijke lijn in het proces. Daarom besteden we nu aandacht aan de fasen die als een grondstruktuur in het proces van vitalisering doorlopen moeten worden.
Het proces van vitalisering omvat de volgende vijf fasen:
1. motivatie en besluitvorming
2. onderzoek door middel van een survey
3. analyse en stellen van prioriteiten
4. uitvoering
5. evaluatie.
Deze fasen stellen we hier kort aan de orde, nu in de vorm van vijf vragen.

fase 1. *Vitalisering: een inspirerend werkdoel?*
Het eerste dat aan de orde moet komen is de vraag of het zinvol is bezig te zijn met vitalisering van de kerkeraad. Is het van belang 'het systeem van 5 faktoren' op de kerkeraad toe te passen? Is het van belang bezig te zijn met de vraag of we als kerkeraad met meer vreugde en met meer effekt bezig kunnen zijn? Is dat een inspirerend werkdoel? Zoals in hoofdstuk 7.3 gesteld zitten daar drie subvragen aan die we in het kader van de kerkeraad als volgt kunnen toespitsen:
(1) *hebben we bepaalde problemen?* Is het bezig zijn met het funktioneren van de kerkeraad daarvoor van betekenis?
(2) *is er een verband met onze centrale opdracht?* Is het bezig zijn met het funktioneren van de kerkeraad van belang met het oog op de opbouw van de gemeente tot een vitale gemeenschap? Zien we de opbouw van de gemeente als onze centrale opdracht? Het betekent ook dat aan de orde moet komen of we er in 'geloven' dat werken aan het 'systeem van 5 faktoren' — eerst in de kerkeraad, dan in de gemeente — zin heeft. Zijn we het daarover eens?
(3) *is dit werkdoel uitvoerbaar?* Daarover kunnen ernstige twijfels bestaan die te maken kunnen hebben met faktoren als:
- tijdgebrek
- het idee over onvoldoende deskundigheid te beschikken
- een gevoel van malaise, dat gemakkelijk leidt tot de idee dat 'bij ons' niets kan of helpt
- prioriteiten waar we mee bezig zijn en die we eerst willen afmaken
- onvoldoende zicht op wat er bij komt kijken, wat het proces van vitalisering inhoudt en wat ons te wachten staat.

En mogelijk zijn er nog andere faktoren. Die faktoren funktioneren als weerstanden, dus als krachten die ons weerhouden de vitalisering van de kerkeraad als werkdoel te stellen. Die weerstanden hebben een positieve funktie want zij voorkomen dat we ons hals over kop in avonturen storten die we misschien niet tot een goed einde kunnen brengen. En dat is erger dan er niet aan te beginnen, want een gemeenteopbouw proces heeft altijd gevolgen: het is steeds óf één stap vooruit óf twee stappen achteruit. Een reden te meer om die weerstanden serieus te nemen. Dat betekent allereerst ze nauwkeurig in kaart brengen. Daarbij kan wellicht Figuur 10 (hoofdstuk 7) goede diensten bewijzen en daarom roepen we deze nog even in herinnering:

Figuur 10: Een krachtenveld van stimulerende en remmende krachten

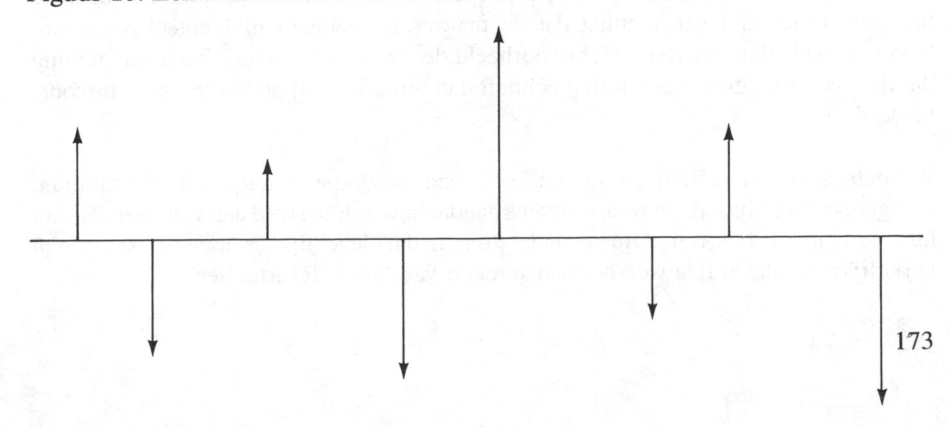

Weerstanden serieus nemen betekent vervolgens nagaan of we ze kunnen opheffen of verminderen. In termen van het schema gaat het er om of we enkele pijlen onder de streep kunnen inkorten of wellicht zelfs kunnen wegnemen. Met het oog hierop kunnen vragen aan de orde komen als: kunnen we tijd winnen door andere prioriteiten te stellen of door allerlei werk te delegeren? Kunnen we hulp van buiten krijgen? (bijv. van kerkelijke opbouwwerkers). Kunnen we wat meer zicht krijgen op het hele proces zodat we min of meer weten waar we aan toe zijn? (Wellicht kan dit hoofdstuk daarbij helpen).
Tenslotte zal de bezinning op de vraag of de vitalisering een inspirerend werkdoel is moeten uitmonden in een besluit waarin we uitspreken:
- of we ons die vitalisering al of niet als doel stellen
waartoe we ons precies verbinden (bijv. in het eerste jaar)
- hoeveel tijd we er in kunnen en willen investeren (bij voorkeur met data)
- wie de gangmakers van het proces zullen zijn.

fase 2. *Hoe is de situatie momenteel?*
De tweede stap is een onderzoek naar de feitelijke en de gewenste stand van zaken met betrekking tot de 'vijf voorwaarden' voor vitalisering. Werken volgens het grondpatroon van de methode van de SGD impliceert werken met een vragenlijst die door iedereen wordt ingevuld. Elke vraag wordt twee keer beantwoord: eerst hoe men de feitelijke situatie beleeft; daarna hoe men zich die wenst.
Ter verduidelijking geven we een voorbeeld. Om het klimaat op de kerkeraad te onderzoeken wordt onder meer de volgende vraag gesteld:

	Zeer weinig	Zeer sterk
In hoeverre zijn de gesprekken op de vergaderingen als regel open, frank en vrij?	Feit 1 --- 2 --- 3 --- 4 --- 5 --- 6 --- 7	
	Wens 1 --- 2 --- 3 --- 4 --- 5 --- 6 --- 7	

Er zijn dus zowel wat de feitelijke als de gewenste situatie betreft 7 antwoordmogelijkheden die lopen van 1 tot 7; dat is respektievelijk van 'heel weinig' tot 'zeer sterk'. Het oordeel over de feitelijkheid wordt aangegeven door een cijfer boven de streep te omcirkelen; de cijfers onder de streep zijn bedoeld om de gewenste situatie in beeld te brengen. Is iemand van mening dat de mate van openheid momenteel nogal onbevredigend is dan omcirkelt zij bijvoorbeeld de 2 boven de streep. Is zij van mening dat deze een zeer grote verbetering behoeft dan omcirkelt zij onder de streep bijvoorbeeld de 5.

We hebben een enquêtelijst voor een kerkeraad ontworpen waarin alle vijf faktoren zijn geoperationaliseerd en waarin tevens aandacht wordt besteed aan wat de leden aan hun participatie beleven. Om te onderstrepen dat deze lijst is toegespitst op een kerkelijke situatie zullen we voortaan spreken van 'visitatieformulier'.

De faktor 'leiding' komt op dit formulier twee keer voor: om het gedrag van de formele leiding in kaart te brengen (in het kader van de kerkeraad gaat het daarbij om het moderamen); vervolgens worden soortgelijke vragen gesteld over het gedrag van de leden ten opzichte van elkaar en ten opzichte van de leiding. Dit is een uitvloeisel van de gedachte dat het bij leiding enerzijds gaat om een officieel persoon of kollege, maar anderzijds om een funktie die over alle leden gespreid is. Zo is bijvoorbeeld het geven van hulp aan een ambtsdrager om haar werk te doen zowel een taak van de leiding als van haar kollega's.
Het visitatieformulier dat voor de kerkeraadsleden is bedoeld nemen we hier op als illustratie.

VISITATIEFORMULIER VOOR DE LEDEN VAN DE KERKERAAD*

A *Klimaat*

1 Nemen de leden van de kerkeraad elkaar serieus?	Feit 1 --- 2 --- 3 --- 4 --- 5 --- 6 --- 7 Wens 1 --- 2 --- 3 --- 4 --- 5 --- 6 --- 7
2 Behandelen de leden elkaar met respekt?	Feit 1 --- 2 --- 3 --- 4 --- 5 --- 6 --- 7 Wens 1 --- 2 --- 3 --- 4 --- 5 --- 6 --- 7
3 Krijgt u als regel de beschikking over *alle* informatie die van belang is om uw werk verantwoord te kunnen doen?	Feit 1 --- 2 --- 3 --- 4 --- 5 --- 6 --- 7 Wens 1 --- 2 --- 3 --- 4 --- 5 --- 6 --- 7
4 Laten de leden van de kerkeraad op de vergaderingen het achterste van hun tong zien?	Feit 1 --- 2 --- 3 --- 4 --- 5 --- 6 --- 7 Wens 1 --- 2 --- 3 --- 4 --- 5 --- 6 --- 7
5 Durft u als regel met uw eigen mening tevoorschijn te komen?	Feit 1 --- 2 --- 3 --- 4 --- 5 --- 6 --- 7 Wens 1 --- 2 --- 3 --- 4 --- 5 --- 6 --- 7
6 Voelt u zich vrij om de problemen die u bij het verrichten van uw taak tegen komt aan de orde te stellen?	Feit 1 --- 2 --- 3 --- 4 --- 5 --- 6 --- 7 Wens 1 --- 2 --- 3 --- 4 --- 5 --- 6 --- 7
7 In hoeverre zijn de gesprekken op de vergaderingen als regel open, frank en vrij?	Feit 1 --- 2 --- 3 --- 4 --- 5 --- 6 --- 7 Wens 1 --- 2 --- 3 --- 4 --- 5 --- 6 --- 7

Degenen die dit formulier willen gebruiken, raden wij dringend aan eerst de bladzijden 209 en 210 te lezen.

8 In hoeverre vindt u de wijze van besluitvorming op de kerkeraad bevredigend?	Feit 1 --- 2 --- 3 --- 4 --- 5 --- 6 --- 7 Wens 1 --- 2 --- 3 --- 4 --- 5 --- 6 --- 7
9 Betrekt de kerkeraad mensen/ groepen die met de gevolgen van een besluit te maken hebben bij de besluitvorming?	Feit 1 --- 2 --- 3 --- 4 --- 5 --- 6 --- 7 Wens 1 --- 2 --- 3 --- 4 --- 5 --- 6 --- 7
10 Hoeveel invloed heeft volgens u het moderamen op de gang van zaken?	Feit 1 --- 2 --- 3 --- 4 --- 5 --- 6 --- 7 Wens 1 --- 2 --- 3 --- 4 --- 5 --- 6 --- 7
11 Kunnen 'gewone' leden van de kerkeraad invloed uitoefenen op de gang van zaken in de kerkeraad?	Feit 1 --- 2 --- 3 --- 4 --- 5 --- 6 --- 7 Wens 1 --- 2 --- 3 --- 4 --- 5 --- 6 --- 7

B1 *Leiding – Leden*

12 In hoeverre ligt in de omgang van het moderamen met de kerkeraad het aksent op gemeenschappelijk beraad?	Feit 1 --- 2 --- 3 --- 4 --- 5 --- 6 --- 7 Wens 1 --- 2 --- 3 --- 4 --- 5 --- 6 --- 7
13 Helpt het moderamen u uw taak te verrichten? (bijv. met praktische adviezen, individuele gesprekken, informatie, lektuur, enz.)	Feit 1 --- 2 --- 3 --- 4 --- 5 --- 6 --- 7 Wens 1 --- 2 --- 3 --- 4 --- 5 --- 6 --- 7
14 Is het moderamen geïnteresseerd in de mate waarin u er in slaagt uw werk goed te doen?	Feit 1 --- 2 --- 3 --- 4 --- 5 --- 6 --- 7 Wens 1 --- 2 --- 3 --- 4 --- 5 --- 6 --- 7
15 Doet het moderamen iets met wat door u en de andere kerkeraadsleden ingebracht wordt?	Feit 1 --- 2 --- 3 --- 4 --- 5 --- 6 --- 7 Wens 1 --- 2 --- 3 --- 4 --- 5 --- 6 --- 7
16 Is het moderamen geïnteresseerd in uw persoonlijke omstandigheden?	Feit 1 --- 2 --- 3 --- 4 --- 5 --- 6 --- 7 Wens 1 --- 2 --- 3 --- 4 --- 5 --- 6 --- 7
17 Straalt het moderamen als het ware uit dat het werk van de kerkeraad van wezenlijk belang is?	Feit 1 --- 2 --- 3 --- 4 --- 5 --- 6 --- 7 Wens 1 --- 2 --- 3 --- 4 --- 5 --- 6 --- 7
18 Helpt het moderamen de kerkeraad als team te funktioneren?	Feit 1 --- 2 --- 3 --- 4 --- 5 --- 6 --- 7 Wens 1 --- 2 --- 3 --- 4 --- 5 --- 6 --- 7

19 Luistert het moderamen naar u ook als hij het met u oneens is?	Feit 1 --- 2 --- 3 --- 4 --- 5 --- 6 --- 7 -- Wens 1 --- 2 --- 3 --- 4 --- 5 --- 6 --- 7
20 Is het moderamen erkentelijk voor kritiek?	Feit 1 --- 2 --- 3 --- 4 --- 5 --- 6 --- 7 -- Wens 1 --- 2 --- 3 --- 4 --- 5 --- 6 --- 7
21 Neemt u gemakkelijk kontakt met het moderamen op?	Feit 1 --- 2 --- 3 --- 4 --- 5 --- 6 --- 7 -- Wens 1 --- 2 --- 3 --- 4 --- 5 --- 6 --- 7
22 Helpt het moderamen de kerkeraadsvergadering om tot duidelijke konklusies te komen?	Feit 1 --- 2 --- 3 --- 4 --- 5 --- 6 --- 7 -- Wens 1 --- 2 --- 3 --- 4 --- 5 --- 6 --- 7
23 In hoeverre is de macht tussen moderamen en kerkeraad goed verdeeld?	Feit 1 --- 2 --- 3 --- 4 --- 5 --- 6 --- 7 -- Wens 1 --- 2 --- 3 --- 4 --- 5 --- 6 --- 7

B2 *Leden – Leden*

24 Helpen de leden van de kerkeraad elkaar om hun taak te verrichten?	Feit 1 --- 2 --- 3 --- 4 --- 5 --- 6 --- 7 -- Wens 1 --- 2 --- 3 --- 4 --- 5 --- 6 --- 7
25 Helpen de leden van de kerkeraad het moderamen om zijn taak te verrichten((bijv. met praktische adviezen, informatie, lektuur, enz.)	Feit 1 --- 2 --- 3 --- 4 --- 5 --- 6 --- 7 -- Wens 1 --- 2 --- 3 --- 4 --- 5 --- 6 --- 7
26 Zijn de leden van de kerkeraad geïnteresseerd in de mate waarin u er in slaagt uw werk goed te doen?	Feit 1 --- 2 --- 3 --- 4 --- 5 --- 6 --- 7 -- Wens 1 --- 2 --- 3 --- 4 --- 5 --- 6 --- 7
27 Wordt er gereageerd op wat u inbrengt?	Feit 1 --- 2 --- 3 --- 4 --- 5 --- 6 --- 7 -- Wens 1 --- 2 --- 3 --- 4 --- 5 --- 6 --- 7
28 Hebben de leden van de kerkeraad oog en oor voor elkaars persoonlijke omstandigheden?	Feit 1 --- 2 --- 3 --- 4 --- 5 --- 6 --- 7 -- Wens 1 --- 2 --- 3 --- 4 --- 5 --- 6 --- 7
29 Stralen de leden van de kerkeraad als het ware uit dat het werk waarvoor zij samen staan van wezenlijk belang is?	Feit 1 --- 2 --- 3 --- 4 --- 5 --- 6 --- 7 -- Wens 1 --- 2 --- 3 --- 4 --- 5 --- 6 --- 7
30 Bevorderen de leden van de kerkeraad dat de kerkeraad als team funktioneert?	Feit 1 --- 2 --- 3 --- 4 --- 5 --- 6 --- 7 -- Wens 1 --- 2 --- 3 --- 4 --- 5 --- 6 --- 7

31	Luisteren de leden naar elkaar, ook als zij het met elkaar oneens zijn?	Feit 1 --- 2 --- 3 --- 4 --- 5 --- 6 --- 7 Wens 1 --- 2 --- 3 --- 4 --- 5 --- 6 --- 7
32	Luisteren de leden naar het moderamen, ook zij die het met het moderamen oneens zijn?	Feit 1 --- 2 --- 3 --- 4 --- 5 --- 6 --- 7 Wens 1 --- 2 --- 3 --- 4 --- 5 --- 6 --- 7
33	Kunnen de leden van de kerkeraad tegen kritiek?	Feit 1 --- 2 --- 3 --- 4 --- 5 --- 6 --- 7 Wens 1 --- 2 --- 3 --- 4 --- 5 --- 6 --- 7
34	Nemen de leden van de kerkeraad gemakkelijk kontakt met elkaar op? (bijv. voor overleg of advies)	Feit 1 --- 2 --- 3 --- 4 --- 5 --- 6 --- 7 Wens 1 --- 2 --- 3 --- 4 --- 5 --- 6 --- 7
35	In hoeverre zijn de leden van de kerkeraad er op uit de vergadering tot duidelijke konklusies te brengen?	Feit 1 --- 2 --- 3 --- 4 --- 5 --- 6 --- 7 Wens 1 --- 2 --- 3 --- 4 --- 5 --- 6 --- 7

C *Struktuur*

36	Zijn de verschillende 'geloofsbelevingen' binnen de gemeente vertegenwoordigd in de kerkeraad?	Feit 1 --- 2 --- 3 --- 4 --- 5 --- 6 --- 7 Wens 1 --- 2 --- 3 --- 4 --- 5 --- 6 --- 7
37	In hoeverre wordt iedereen gelijk behandeld ongeacht de kategorie waartoe zij of hij behoort? (man of vrouw, jong of oud, 'links of rechts', 'hoog of laag')	Feit 1 --- 2 --- 3 --- 4 --- 5 --- 6 --- 7 Wens 1 --- 2 --- 3 --- 4 --- 5 --- 6 --- 7
38	Hebt u als kerkeraad een open en zinvolle relatie met allerlei werkgroepen in de gemeente? (diakonie, werkgroep eredienst, vorming en toerusting, enz.)	Feit 1 --- 2 --- 3 --- 4 --- 5 --- 6 --- 7 Wens 1 --- 2 --- 3 --- 4 --- 5 --- 6 --- 7
39	Kent u de problemen waar deze groepen voor staan?	Feit 1 --- 2 --- 3 --- 4 --- 5 --- 6 --- 7 Wens 1 --- 2 --- 3 --- 4 --- 5 --- 6 --- 7
40	Bevordert u de samenwerking tussen deze werkgroepen?	Feit 1 --- 2 --- 3 --- 4 --- 5 --- 6 --- 7 Wens 1 --- 2 --- 3 --- 4 --- 5 --- 6 --- 7
41	Helpt u en ondersteunt u deze werkgroepen om hun werk te doen?	Feit 1 --- 2 --- 3 --- 4 --- 5 --- 6 --- 7 Wens 1 --- 2 --- 3 --- 4 --- 5 --- 6 --- 7

42 Hebben deze werkgroepen de bevoegdheid hun beleid zelf te maken èn uit te voeren?	Feit 1 --- 2 --- 3 --- 4 --- 5 --- 6 --- 7 Wens 1 --- 2 --- 3 --- 4 --- 5 --- 6 --- 7

D *Doelen en Taken*

D1 *Beleidspunten*

43 Heeft de kerkeraad beleidspunten waar prioriteit aan wordt gegeven?	O ja O nee Indien u deze vraag met nee beantwoordt, kunt u verder gaan met vraag 52

Als er dergelijke punten zijn:

44 In hoeverre zijn de kerkeraadsleden het er over eens dat juist hieraan prioriteit gegeven moet worden?	Feit 1 --- 2 --- 3 --- 4 --- 5 --- 6 --- 7 Wens 1 --- 2 --- 3 --- 4 --- 5 --- 6 --- 7
45 In hoeverre zijn deze prioriteiten konkreet uitgewerkt?	Feit 1 --- 2 --- 3 --- 4 --- 5 --- 6 --- 7 Wens 1 --- 2 --- 3 --- 4 --- 5 --- 6 --- 7
46 Vindt u die prioriteiten terug op de agenda?	Feit 1 --- 2 --- 3 --- 4 --- 5 --- 6 --- 7 Wens 1 --- 2 --- 3 --- 4 --- 5 --- 6 --- 7
47 Worden die beleidsprioriteiten van de kerkeraad door de leden gezamenlijk vastgesteld?	Feit 1 --- 2 --- 3 --- 4 --- 5 --- 6 --- 7 Wens 1 --- 2 --- 3 --- 4 --- 5 --- 6 --- 7
48 Hebt u zelf invloed op de vaststelling van de beleidsprioriteiten?	Feit 1 --- 2 --- 3 --- 4 --- 5 --- 6 --- 7 Wens 1 --- 2 --- 3 --- 4 --- 5 --- 6 --- 7
49 Staan deze prioriteiten in verband met wezenlijke vragen en/of problemen van mensen in de gemeente of in de samenleving?	Feit 1 --- 2 --- 3 --- 4 --- 5 --- 6 --- 7 Wens 1 --- 2 --- 3 --- 4 --- 5 --- 6 --- 7
50 In welke mate acht u deze prioriteiten haalbaar?	Feit 1 --- 2 --- 3 --- 4 --- 5 --- 6 --- 7 Wens 1 --- 2 --- 3 --- 4 --- 5 --- 6 --- 7
51 In hoeverre zijn deze prioriteiten direkt betrokken op waar het in de gemeente ten diepste om gaat?	Feit 1 --- 2 --- 3 --- 4 --- 5 --- 6 --- 7 Wens 1 --- 2 --- 3 --- 4 --- 5 --- 6 --- 7

D2 *De Agenda van de Kerkeraad*

52 In hoeverre vindt u de opzet en de gang van zaken op de kerkeraadsvergaderingen bevredigend?

Feit 1 --- 2 --- 3 --- 4 --- 5 --- 6 --- 7

Wens 1 --- 2 --- 3 --- 4 --- 5 --- 6 --- 7

In hoeverre zijn de agendapunten over het geheel genomen:

53 duidelijk?

Feit 1 --- 2 --- 3 --- 4 --- 5 --- 6 --- 7

Wens 1 --- 2 --- 3 --- 4 --- 5 --- 6 --- 7

54 interessant

Feit 1 --- 2 --- 3 --- 4 --- 5 --- 6 --- 7

Wens 1 --- 2 --- 3 --- 4 --- 5 --- 6 --- 7

55 uitvoerbaar

Feit 1 --- 2 --- 3 --- 4 --- 5 --- 6 --- 7

Wens 1 --- 2 --- 3 --- 4 --- 5 --- 6 --- 7

56 van wezenlijk belang voor de opbouw van de gemeente tot een vierende, lerende en dienende gemeenschap?

Feit 1 --- 2 --- 3 --- 4 --- 5 --- 6 --- 7

Wens 1 --- 2 --- 3 --- 4 --- 5 --- 6 --- 7

57 In hoeverre hebben de agendapunten te maken met wezenlijke vragen van mensen in de kerk of in de samenleving?

Feit 1 --- 2 --- 3 --- 4 --- 5 --- 6 --- 7

Wens 1 --- 2 --- 3 --- 4 --- 5 --- 6 --- 7

58 In hoeverre is doorgaans duidelijk wat *de bedoeling* van een agendapunt is? (bijv. ter informatie, voor onderlinge meningsvorming, voor besluitvorming)

Feit 1 --- 2 --- 3 --- 4 --- 5 --- 6 --- 7

Wens 1 --- 2 --- 3 --- 4 --- 5 --- 6 --- 7

59 Komt bij besprekingen van agendapunten, bij gelegenheid, ook uw eigen diepere overtuiging ter sprake? (uw eigen dromen van de kerk, uw eigen twijfel, hoop, beeld van de gemeente in de samenleving)

Feit 1 --- 2 --- 3 --- 4 --- 5 --- 6 --- 7

Wens 1 --- 2 --- 3 --- 4 --- 5 --- 6 --- 7

D3 *Ambtelijke Taken Buiten de Kerkeraadsvergaderingen*

In hoeverre zijn de taken die u als ambtsdragers hebt (*buiten* uw kerkeraadsvergaderingen):

60 duidelijk

Feit 1 --- 2 --- 3 --- 4 --- 5 --- 6 --- 7

Wens 1 --- 2 --- 3 --- 4 --- 5 --- 6 --- 7

61	interessant	Feit 1 --- 2 --- 3 --- 4 --- 5 --- 6 --- 7 Wens 1 --- 2 --- 3 --- 4 --- 5 --- 6 --- 7
62	uitvoerbaar	Feit 1 --- 2 --- 3 --- 4 --- 5 --- 6 --- 7 Wens 1 --- 2 --- 3 --- 4 --- 5 --- 6 --- 7
63	direkt betrokken op waar het in de gemeente ten diepste om gaat	Feit 1 --- 2 --- 3 --- 4 --- 5 --- 6 --- 7 Wens 1 --- 2 --- 3 --- 4 --- 5 --- 6 --- 7
64	betrokken op wezenlijke vragen/problemen van mensen in de gemeente of in de samenleving?	Feit 1 --- 2 --- 3 --- 4 --- 5 --- 6 --- 7 Wens 1 --- 2 --- 3 --- 4 --- 5 --- 6 --- 7

65 In hoeverre bent u voor uw werk voldoende toegerust?
Feit 1 --- 2 --- 3 --- 4 --- 5 --- 6 --- 7
Wens 1 --- 2 --- 3 --- 4 --- 5 --- 6 --- 7

66 In hoeverre wordt het werk dat u als ambtsdrager doet naar uw mening door de gemeente gewaardeerd?
Feit 1 --- 2 --- 3 --- 4 --- 5 --- 6 --- 7
Wens 1 --- 2 --- 3 --- 4 --- 5 --- 6 --- 7

67 In hoeverre heeft u de indruk dat het werk dat er door de ambtsdragers gebeurt in de praktijk effekt heeft?
Feit 1 --- 2 --- 3 --- 4 --- 5 --- 6 --- 7
Wens 1 --- 2 --- 3 --- 4 --- 5 --- 6 --- 7

E. *Identiteit van de Kerkeraad*

68 In hoeverre is het u duidelijk waar het in het ambtelijk werk tenslotte om gaat?
Feit 1 --- 2 --- 3 --- 4 --- 5 --- 6 --- 7
Wens 1 --- 2 --- 3 --- 4 --- 5 --- 6 --- 7

69 Spreekt u daar met elkaar over?
Feit 1 --- 2 --- 3 --- 4 --- 5 --- 6 --- 7
Wens 1 --- 2 --- 3 --- 4 --- 5 --- 6 --- 7

70 In hoeverre ziet u kans in de praktijk vooral dienend bezig te zijn?
Feit 1 --- 2 --- 3 --- 4 --- 5 --- 6 --- 7
Wens 1 --- 2 --- 3 --- 4 --- 5 --- 6 --- 7

71 In hoeverre slaagt u er als kerkeraad in tijd te besteden aan de vraag of uw gemeente in de diepere zin van het woord werkelijk gemeente van de Heer is?
Feit 1 --- 2 --- 3 --- 4 --- 5 --- 6 --- 7
Wens 1 --- 2 --- 3 --- 4 --- 5 --- 6 --- 7

F *Effekt voor de Ambtsdragers*

72 Gaat u als regel met plezier naar de kerkeraadsvergadering?	Feit 1 --- 2 --- 3 --- 4 --- 5 --- 6 --- 7 -- Wens 1 --- 2 --- 3 --- 4 --- 5 --- 6 --- 7
73 Verricht u als regel uw andere ambtelijke taken met voldoening? (dus kerkeraadsvergaderingen *niet* meegerekend)	Feit 1 --- 2 --- 3 --- 4 --- 5 --- 6 --- 7 -- Wens 1 --- 2 --- 3 --- 4 --- 5 --- 6 --- 7
74 Betekent het ambtelijk werk voor u persoonlijk een verrijking als gelovige?	Feit 1 --- 2 --- 3 --- 4 --- 5 --- 6 --- 7 -- Wens 1 --- 2 --- 3 --- 4 --- 5 --- 6 --- 7
75 In hoeverre wordt door uw ambtsdrager-zijn uw binding aan gemeente en kerk versterkt?	Feit 1 --- 2 --- 3 --- 4 --- 5 --- 6 --- 7 -- Wens 1 --- 2 --- 3 --- 4 --- 5 --- 6 --- 7

76 Als u alles nog eens overdenkt komt bij u misschien als reaktie op: *'Wat gek eigenlijk dat zij niet vragen naar......... terwijl dat naar mijn gevoel voor het funktioneren van de kerkeraad toch van belang is!'*
Als een dergelijke reaktie bij u opkomt wilt u dat punt of die punten dan hieronder meedelen?

De vragenlijst zoals die in de praktijk wordt gebruikt omvat daarnaast ook nog een toelichting en een serie persoonsvragen (zie bijlage 1). Die persoonsvragen maken het mogelijk de reaktie op de vragen te relateren aan bijvoorbeeld bepaalde kategorieën (zoals sekse en leeftijd) en aan de 'geestelijke ligging'. En dat maakt het mogelijk een antwoord te krijgen op vragen als: 'beleven vrouwen de situatie signifikant anders dan mannen?'; 'is er een verband tussen de beantwoording en het behoren tot een bepaalde spiritualiteitsgroep', en dergelijke.
De vragen zijn gestandaardiseerd. Dit is gebeurd om snelle mechanische verwerking van de gegevens mogelijk te maken, zodat de periode die verloopt tussen het invullen en de rapportage tot een minimum beperkt kan blijven. En dat is van groot belang om de belangstelling gaande te houden. Om een snelle verwerking van de gegevens mogelijk te maken is het ook aan te bevelen dat het formulier op een kerkeraadsvergadering wordt ingevuld. Dit heeft als grote voordelen dat het formulier mondeling kan worden toegelicht, dat er de garantie is dat ieder de lijst persoonlijk invult en dat de ingevulde lijsten direkt voor verwerking beschikbaar zijn. En dat zijn belangrijke voordelen voor een schriftelijk onderzoek.

fase 3. *Wat is de betekenis van de uitkomsten en waar gaan we aan werken?*
Als de gegevens zijn verwerkt volgt zo spoedig mogelijk de rapportage. De gegevens worden faktorsgewijs gegroepeerd. Om het overzicht niet te verliezen kunnen ook samenvattingen worden gegeven waarbij de vragen per subfaktor worden samengevoegd. De 11 vragen betreffende de faktor klimaat bijvoorbeeld kunnen zo

worden samengevoegd tot vijf cijfers die staan voor de vijf subfaktoren: beeld van mensen, kommunikatie, besluitvorming, doelformulering en invloed van 'gewone leden'.

De bedoeling van de rapportage is zicht te krijgen op de feitelijke en op de gewenste situatie, om zo tot aktiepunten te komen die de leden van de kerkeraad en de kerkeraad als geheel *helpen om beter te funktioneren*. Het doel is dus vitalisering van de kerkeraad om zo samen des te meer in staat te zijn de opbouw van de gemeente tot een vitale gemeenschap te dienen. Dat is het kader waarin alles plaats vindt en het is van het allergrootste belang dat allen zich daarvan bewust zijn.

Achtereenvolgens komen drie punten aan de orde.

a. presentatie van de gegevens. Ieder krijgt de kans kennis te nemen van de uitkomsten zodat men een impressie krijgt van de manier waarop anderen tegen de werkelijkheid aankijken èn hoe zij zich die wensen. Belangrijke aandachtspunten kunnen zijn: de sterke punten, de vragen waarvan de antwoorden ekstreme posities benaderen, de vragen waar 'feit' en 'wens' elkaar dicht naderen en de vragen waarbij beide scores juist sterk uiteenlopen.

Om het inzicht nog te verdiepen wordt ook de spreiding van de antwoorden gepresenteerd. Het maakt uiteraard voor de interpretatie van de gegevens veel uit hoe het gemiddelde cijfer van een vraag is samengesteld. Is bijvoorbeeld het gemiddelde 4 ontstaan doordat vrijwel allen een 4 omcirkelden of doordat een deel van de kerkeraad — misschien zelfs een bepaalde kategorie, bijvoorbeeld mannen of het moderamen — heel hoog scoorde, terwijl anderen heel laag scoorden?

Dan volgt de:

b. analyse van de gegevens. Daarbij gaat het primair om de vraag, wat de cijfers betekenen. Bij vragen waar dat niet duidelijk is kunnen mensen gevraagd worden te vertellen waarom zij gescoord hebben, zoals zij gescoord hebben. Aan welke ervaringen dachten zij toen zij een cijfer omcirkelden. Het betekent eigenlijk dat de abstrakte cijfers worden terugvertaald in ervaringen en gedragingen van mensen. (Het is overigens wel van belang de bespreking zoveel mogelijk toe te spitsen op de punten die mensen kennelijk hoog zitten).

In meer technische zin gesproken gaat het hier om feedback. Om dat proces goed te doen verlopen is het van belang dat dit volgens de regels van deze kunst gebeurt. Dat betekent dat men de volgende regels in acht neemt:

- er wordt slechts verteld hoe en waarom men reageerde zoals men deed, als daarnaar gevraagd wordt
- de opmerkingen die gemaakt worden zijn zoveel mogelijk beschrijvend; men onthoudt zich dus van een oordeel
- ieder spreekt slechts voor zichzelf; dus niet in termen van 'ieder weet natuurlijk wel dat...', maar 'ik vind dat...'
- iedereen drukt zich bij voorkeur uit in wat zij zelf voelt, ervaart en beleeft en vermijdt anderen daarin als schuldige of veroorzaker te betrekken. Dus wel 'ik kan niet tegen dergelijke uitspraken'; en niet 'jij maakt altijd van die kritische opmerkingen'.
- men geeft zijn impressies op basis van vrijwilligheid; niemand wordt gedwongen

iets te zeggen. Ook de schijn daarvan wordt vermeden en dus gaat men bij het vragen van feedback ook niet op de rij af.
Voor een goed verloop is van grote betekenis dat men zich steeds het gemeenschappelijke doel realiseert: *elkaar helpen* om zó te funktioneren dat men samen het gemeenschappelijke doel beter kan realiseren. *Zakt dit doel weg, dan is de kans aanwezig dat het gesprek uitloopt op een konfrontatie* tussen mensen en groepen.
Het is de bedoeling dat de analyse tenslotte uitloopt in het
c. vaststellen van aktiepunten. Dat zijn punten die naar de mening van de leden als eerste aangepakt moeten worden. Daarbij gaat het niet per sé en zeker niet automatisch om punten waarbij de grootste afstand bestaat tussen 'feit' en 'wens'. Dat is wel een indikatie, maar niet de enige. Een andere is bijvoorbeeld of men dit punt op dit moment aandurft en aankan.
De leden van de kerkeraad moeten het over de keuze van de aktiepunten eens worden; deze moeten samen worden vastgesteld. De leiding heeft als taak de kerkeraad hierbij te helpen, door het proces te bewaken en te struktureren.

Omdat deze drie punten — presentatie, analyse en keuze aktiepunten — nauw samenhangen is het van groot belang dat zij in dezelfde bijeenkomst worden besproken. Een goede mogelijkheid hiervoor biedt een ambtsdragersweekend (doorgaans vrijdagavond en de zaterdag) zoals die in verschillende kerken reeds wordt gehouden. De ervaringen daarmee zijn voorzover ik weet over het geheel genomen positief. Dat zal wel hiermee samenhangen dat dergelijke bijeenkomsten de mogelijkheid bieden om nu eens in alle rust en in een andere omgeving, vrij van de gebruikelijke agenda, samen bezig te zijn met een belangrijke thematiek; bovendien in een setting die een ontmoeting van mens tot mens mogelijk maakt, ook buiten het officiële programma om.
Deze opmerkingen kunnen we misschien het best samenvatten in de stelling dat het geheel zodanig gestruktureerd moet worden dat de vormgeving zelf een illustratie is van de betekenis van het 'systeem van 5 punten': elk lid zien als subjekt dat medeverantwoordelijk is en regels formuleren die daarmee harmoniëren, bijvoorbeeld wat betreft de besluitvorming; zich bewust zijn van het gemeenschappelijke doel en daardoor de kommunikatie laten beheersen; gemeenschappelijk aktiedoelen formuleren die belangrijk zijn èn die men aan kan; leiding opvatten als dienst aan het proces in de kerkeraad.

fase 4. *Hoe pakken we die aktiepunten aan?*
Zijn er eenmaal een aantal problemen gekozen waaraan de kerkeraad wil werken dan komt uiteraard de vraag aan de orde, hoe dat zou kunnen. Daarbij kunnen we bijvoorbeeld denken aan het probleem van de geringe openheid op vergaderingen. We gaan er nu maar even van uit dat er een groot verschil is tussen wat men ervaart en wat men wenst. Dat is niet uit de lucht gegrepen, want uit een proefonderzoek bleek dat vraag 4 de eerste vraag was waarbij een relatief grote afstand is tussen 'feit' en 'wens'. Oppervlakkig gezien zouden we verwachten dat deze informatie min of meer automa-

tisch zou leiden tot verandering. Maar zo eenvoudig ligt dat niet en dat komt doordat onze houding ten opzichte van allerlei zaken, als regel hecht gefundeerd is. Bem (1970) stelt dat onze houding ten opzichte van een thematiek berust op vier peilers, te weten:

1 logische redeneringen. Toegepast op het probleem van de geringe openheid op vergaderingen zouden we kunnen vermoeden dat de geringe bereidheid om open te zijn samenhangt met redeneringen als: om de agenda af te krijgen is het belangrijk dat zo weinig mogelijk mensen iets zeggen. Die redenering kan weer versterkt worden door andere, bijvoorbeeld de gedachte dat openheid in de diskussie snel leidt tot misverstanden die op hun beurt weer gemakkelijk uitmonden in konflikten. Zo kunnen er vele andere redeneringen zijn die alle de openheid afremmen.

2 emoties. Onze houding is ook verbonden met emoties. De geringe bereidheid tot openheid op vergaderingen kan bijvoorbeeld verbonden zijn met angst voor konflikten, angst om er alleen voor te staan en 'af te gaan', bezorgdheid voor de goede sfeer, vrees anderen te kwetsen.

3 gedrag. Een houding leidt tot bepaald gedrag; maar het omgekeerde geldt ook: bepaald gedrag versterkt die houding en houdt die in ieder geval in stand. Zo kan de geringe bereidheid om open te zijn bijvoorbeeld leiden tot bepaald gedrag: naar bepaalde zaken niet serieus luisteren, emoties onderdrukken — en thuis of in de wandelgangen afreageren —, bij de behandeling van bepaalde thema's de vergadering niet bezoeken. Dergelijke gedragingen zorgen er voor dat de houding in stand blijft.

4 relaties Onze houding heeft tenslotte ook een sociale basis: zij wordt als regel gedeeld door anderen met wie we in relatie staan, zoals bijvoorbeeld onze medeambtsdragers. Een verandering in opvatting kan er toe leiden dat we ons, in de ogen van anderen, vreemd gedragen en dat kan de relatie onder druk zetten. Vooral als we die relatie erg op prijs stellen kan dat voor ons een reden zijn om het bij het oude te laten. Ook daardoor wordt onze houding versterkt.

Hoe het ook zij, duidelijk is dat onze houding ten opzicht van bijvoorbeeld 'openheid op de kerkeraad' hecht gefundeerd is. Dit kan als volgt worden gevisualiseerd.

Figuur 14: De fundering van een houding

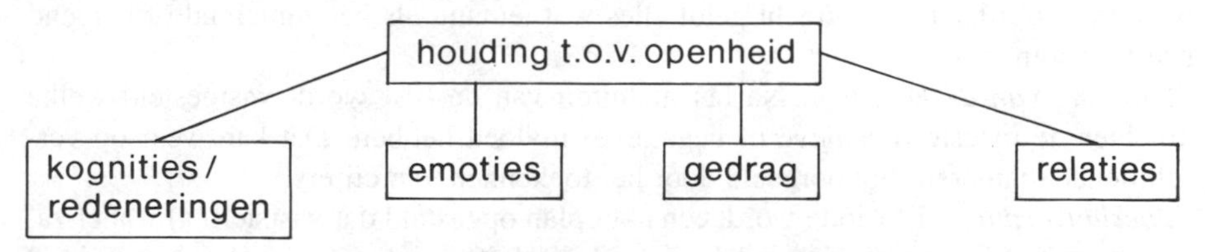

Dit geldt uiteraard evenzeer voor onze houding ten aanzien van andere thema's. En dat betekent dat we niet moeten verwachten dat het geven van informatie — bijvoorbeeld in de vorm van het presenteren van de uitkomsten van het onderzoek — voldoende is om een probleem op te lossen. Daar is meer voor nodig.

Er zijn uiteraard tal van manieren waarop problemen opgelost, in ieder geval aangepakt kunnen worden. We zullen niet pogen die hier te beschrijven. Dat is ook niet nodig want er zijn al diverse pogingen gedaan (zie bijv. Schein,1978,51e.v.). Het is hier wel de plaats te stellen dat het van groot belang is een werkwijze te kiezen die past bij het 'systeem van 5 faktoren'. Daaraan voldoet naar mijn mening de procedure die Adam en Schmidt (1977) beschrijven als 'krachtenveldanalyse'. Kenmerkend voor deze methode is namelijk dat de problemen gezamenlijk worden aangepakt en dat de leiding hierbij vooral de rol van helper heeft. De methode omvat de volgende vijf stappen:

1. stellen van het probleem. We gaan weer uit van het probleem van de geringe openheid. Uitgangspunt hierbij is uiteraard de wijze waarop de leden op de betreffende vraag of vragen hebben gereageerd. Relevant is ook informatie over de spreiding van de antwoorden. In kleine groepen of in pleno wordt het probleem vervolgens verduidelijkt. Dat dient naar mijn mening op twee manieren te gebeuren. Ten eerste door voorbeelden te noemen waarin de problematiek konkreet wordt. Ten tweede door te verduidelijken waarom dit het funktioneren van de kerkeraad nadelig beïnvloedt. Daarmede wordt weer de relatie gelegd met het doel waar het tenslotte om begonnen is.

2. gezamenlijk formuleren van een doel. Dat kan in dit geval zijn: grotere openheid in de gesprekken. Het is van belang dat dit doel gezamenlijk geformuleerd wordt.

3. analyse van het krachtenveld. Daarna worden de krachten genoemd die het realiseren van dit doel bevorderen of belemmeren. Deze worden in een voor ieder zichtbaar schema geplaatst en dat kan er als volgt uitzien:

Doel: Openheid in de vergaderingen bevorderen.

stimulerende krachten	remmende krachten
----------------------------	----------------------------
----------------------------	----------------------------
----------------------------	----------------------------
----------------------------	----------------------------

De door de leden van de kerkeraad genoemde krachten worden zonder kommentaar ('ohne Bewertung') opgenomen. Daarbij gaat het om konkreet gedrag, dus niet om wensen of oordelen. Als kracht geldt alles wat iemand als belemmerend of helpend heeft ervaren.

4. weging van de krachten. Na het afsluiten van de lijst wordt vastgesteld welke krachten de meeste (positieve of negatieve) invloed hebben. Dat kan weer op verschillende manieren, bijvoorbeeld door het toekennen van cijfers.

5. besluitvorming. Tenslotte wordt een aktieplan opgesteld dat vaststelt: a) wat er zal gebeuren; b) wie, wanneer iets zal doen om de besluiten uit te voeren; c) na hoeveel tijd geëvalueerd zal worden of er iets ten goede is veranderd.

Niet zelden heeft het zo samenwerken op zichzelf al een positief effekt.

fase 5. *Wat heeft het opgeleverd?*

Aan het eind van een bepaalde periode, bijvoorbeeld een jaar, wordt geëvalueerd. In

het kader van de grondstruktuur van de methode van de SGD gebeurt dit door voor de tweede maal het visitatieformulier in te vullen. Daaraan zitten overigens nogal wat haken en ogen omdat de lijst inmiddels bekend is en men de bedoelingen beter begrijpt en er daarom mogelijk anders tegen aan kijkt. Dat is overigens een probleem in veel longitudinaal onderzoek.
Overigens moeten we wel bedenken dat er op het moment van de tweede meting een tamelijk lange periode is verstreken, wat in ieder geval betekent dat men niet meer weet wat men bij de eerste gelegenheid heeft ingevuld. Bovendien gaat het niet om de zogenaamde objektieve stand van zaken, maar om het beeld dat mensen daarvan hebben. Een en ander maakt een tweede meting met hetzelfde formulier interessant. Het is overigens wel van belang om daarnaast ook te streven naar andere informatie, bijvoorbeeld via een mondelinge evaluatie en door 'objektieve' gegevens met elkaar te vergelijken (bijvoorbeeld de ontwikkelingen in de mate van de absentie).

10.2.3. Het subjekt van het proces

In de vorige paragraaf is uiteengezet welke fasen een vitaliseringsproces doorloopt. Nu gaat het om de vraag wie dit proces zullen dragen, dus wie de gegevens zullen analyseren en interpreteren, enzovoort. Er zijn in dit opzicht ten minste vier verschillende antwoorden te geven die het karakter van de methode van werken vergaand bepalen (Hendriks,1988). Hierin worden als de eigenlijke dragers van het proces respektievelijk gezien:
a. **de officiële leiding en eventuele adviseurs** Zij analyseren de gegevens en stellen op basis daarvan plannen op die ze vervolgens proberen te 'verkopen' aan de leden. (Het moderamen kan deze houding hebben naar de kerkeraad en de kerkeraad kan op zijn beurt op deze wijze met de gemeente omgaan). De leiding fungeert hier als *ekspert*, die het weet of moet weten. (Dit is de kern van het ekspertmodel).
b. **de leden** Alle nadruk ligt hier op de leden; zij zijn de eigenlijke dragers van het proces. Een belangrijk aandachtspunt is hierbij ook dat mensen tot hun recht komen. De leiding en eventuele adviseurs houden zich inhoudelijk afzijdig en beperken zich tot het begeleiden van het proces. Zij zijn *procesbegeleiders* (samenwerkings- of procesmodel).
c. **een groep van bevlogenen** Vooral in situaties van verstarring kan er een groep van bevlogen gemeenteleden naar voren treden die als het ware dwars door alle officiële kaders heen probeert tot vitalisering van de gemeente te komen. Zij wordt ook wel gezien als voorhoede die de gemeente wil *inspireren* (aktiemodel).
d. **leden en leiding samen** Zij zijn samen de dragers van het proces; ieder heeft haar eigen verantwoordelijkheid. Het subjekt-zijn van de leden wordt erkend en gehonoreerd en dus wordt het analyseren van de gegevens en het stellen van prioriteiten gezien als hun zaak. De leiding en eventuele adviseurs hebben als taak deze processen te dienen met hun specifieke kennis van de thematiek die aan de orde is èn van processen en verder ook de leden te inspireren om 'er aan te gaan staan'. Dat betekent dat de leiding in dit model idealiter de rollen van de leiding van de drie eerder genoemde

modellen in zich inkorporeert: die van ekspert, procesbegeleider en inspirator. Het specifieke van dit model zit niet alleen in de kombinatie van deze rollen, maar vooral hierin dat de specifieke kennis en vaardigheden worden gebruikt, niet om de leden passief te maken of hun denkproces voor de voeten te lopen, maar integendeel om dat eigen ontwikkelingsproces te stimuleren en te dienen. Daarom wordt dit model ook wel aangeduid als leermodel. Die intentie leidt er bijvoorbeeld toe dat de leiding die volgens dit model werkt haar expertise niet gebruikt om voor anderen oplossingen te bedenken, maar om hen te helpen de juiste vragen te stellen. Dat doet zij mede door allerlei relevante informatie ter beschikking te stellen.
Het is van belang dat we in het proces van vitalisering bewust en gezamenlijk voor een bepaalde methode kiezen. Naar mijn mening zal die methode moeten harmoniëren met het 'systeem van 5 faktoren'. De methode moet als het ware een illustratie zijn van wat we beogen. En dat impliceert naar mijn mening dat we uitgaan van het leermodel, want daarin wordt recht gedaan aan het subjekt-zijn van de leden, wordt leiding gezien als dienst, worden de doelen samen ontwikkeld. Handelen volgens deze methode impliceert dat we niet alleen werken *aan* het 'systeem van 5 faktoren' maar van de aanvang af ook *vanuit* dit systeem.
Dat sluit zoals gezegd allerminst uit dat in dit proces samengewerkt wordt met mensen die over een specifieke deskundigheid beschikken. Integendeel, dergelijke specialisten kunnen van groot belang zijn. Daarbij denk ik onder meer aan onderzoekers — het doen van onderzoek, het snel verwerken van de gegevens, het zien van verbanden daarin, is niet ieders werk — en vooral ook aan agogisch geschoolden. Laatstgenoemden kunnen van groot nut zijn. Hun specifieke taak kan zijn:
- de groep te helpen de eigen gegevens serieus te nemen; die niet te ontkennen of te bagatelliseren
- te voorkomen dat men onvoldoende tijd neemt om de gegevens te analyseren; er is heel vaak de neiging om direkt naar een oplossing te zoeken
- de leiding te helpen bij het struktureren van het proces
- te helpen bij het opruimen van eventuele hobbels (bijvoorbeeld in de vorm van een training in vergadertechniek)
- het proces dienen met de inbreng van ervaringen van elders.
Het kan van belang zijn een specialist van buiten bij het proces te betrekken, niet alleen als bepaalde deskundigheden in eigen kring niet voldoende aanwezig zijn, maar ook als de eigen leiding zelf zó betrokken is bij de problematiek dat zij daardoor als het ware geheel in beslag wordt genomen. Maar niet genoeg kan worden benadrukt dat zij hun deskundigheid niet moeten gebruiken om de aktie van 'gewone' leden overbodig te maken, maar om die te stimuleren.

10.2.4. Verbreding

In het begin van dit hoofdstuk werd gesteld dat de methode om via onderzoek naar vitalisering van de gemeente te streven (SGD), onder meer als groot voordeel heeft dat in principe alle gemeenteleden — ook de potentiële deelgenoten — in het proces

kunnen worden betrokken; zeker in het onderzoek.
Vervolgens concentreerden wij ons uit praktische noodzaak in eerste instantie op *de kerkeraad*. Hoe belangrijk ook, het proces mag daartoe uiteraard niet beperkt blijven. Daarom is het van belang een dergelijk proces ook in *andere groepen* tot ontwikkeling te brengen, waarbij gewerkt kan worden met een soortgelijk visitatieformulier. Daarin moet natuurlijk wel het een en ander gewijzigd worden maar die veranderingen zijn niet van principiële aard. Daarom nemen wij die ook niet op.
Maar ook díe verbreding is niet voldoende want tenslotte gaat het om de vitalisering van de gemeente. We moeten daartussen overigens vooral geen tegenstelling kreëren, want werken aan het beter funktioneren van allerlei groepen is van belang voor het met meer vreugde en meer effekt kunnen participeren van gemeenteleden. Het verband tussen werken met een groep en werken aan vitalisering van de gemeente is vooral evident bij de kerkeraad. Vitalisering van de kerkeraad heeft immers niet alleen als intentie dat de leden van de kerkeraad hun werk met meer vreugde en effekt doen, maar evenzeer dat de kerkeraad meer in staat zal zijn bezig te zijn met de opbouw van de gemeente tot een vitale gemeenschap. Wat we beschreven hebben is dus niet maar alleen een proces dat van interne betekenis is voor de kerkeraad, maar tegelijkertijd een proces dat direkt relevant is voor de gemeente. Dat blijkt ook uit het proefonderzoek dat we met dit formulier hebben gedaan in een gemeente. Daarbij bleek namelijk dat bij de kerkeraad van die gemeente de afstand tussen 'feit' en 'wens' het grootst was bij: het klimaat in de kerkeraad (vraag 4, 8), elkaar helpen om hun werk te doen (25), samen prioriteiten stellen (47), meer bezig zijn met de opbouw van de gemeente (55), anders omgaan met allerlei groepen (38-41), het karakter van de leiding anders invullen, dat is meer nadruk leggen op leiding als dienst (70) en veel meer aandacht besteden aan het bewaken van de identiteit van de gemeente (71). Bijna allemaal punten die direkt relevant zijn voor de vitalisering van de gemeente. Bij aktieonderzoek dat het IPT nadien verrichtte bleek iets soortgelijks. Wij zullen daar nu niet verder over spreken daar over de wijze waarop met deze en andere visitatie-formulieren is gewerkt, een aparte publikatie zal verschijnen. Hoe het ook zij, vitalisering van de kerkeraad is van belang voor de opbouw van de gemeente.
Toch mogen we ons hiertoe niet beperken want dat zou betekenen dat we ons slechts bezig zouden houden met één punt van het 'systeem van 5 faktoren'. En dat kan niet. Daarom zal het proces verbreed moeten worden tot de *gemeente als geheel*.
We zullen dit niet uitgebreid beschrijven, daar hiervoor dezelfde punten gelden als die welke hiervoor beschreven zijn, zowel wat betreft de fasering als wat de methode aangaat.
En dus is de eerste stap ook nu weer versterking van de motivatie; en dat betekent onder meer de weerstanden serieus nemen. Vervolgens geldt ook voor deze situatie dat zorgvuldig moet worden onderzocht hoe mensen de feitelijkheid beleven en waarnaar zij verlangen. Daarbij zal weer gelet moeten worden op de vijf faktoren die in Deel II zijn beschreven en die we hier in de vorm van zeven algemene visitatievragen nog eens kort samenvatten:
1. Komen in onze gemeente mensen tot hun recht? Worden zij gezien als subjekt en

zijn de procedures daarmee in harmonie? (hoofdstuk 3)
2. Heeft de leiding in de praktijk het karakter van dienst? (hoofdstuk 4)
3. Zijn de relaties stabiel? Of wordt de 'Gemeinschaft', de 'Gesellschaft' of de 'Organization' verabsoluteerd? (hoofdstuk 5.2)
4. Worden mensen thuis opgezocht en gaat het daarbij om hen? (hoofdstuk 5.3)
5. Hebben de verschillende groepen, stromingen en kategorieën een eigen speelruimte en beleven zij samen de 'gemeenschap'? (hoofdstuk 6)
6. Heeft de gemeente konkrete, inspirerende doelen? (hoofdstuk 7)
7. Heeft de gemeente zicht op 'Wie we zijn' en 'Wat onze roeping is?' Zijn de antwoorden die we op de eerste zes vragen gaven daarmee in harmonie? (hoofdstuk 8)

Het is van belang deze vragen verder uit te werken. We hebben dat weer gedaan in de vorm van een gestandaardiseerde vragenlijst ('Visitatieformulier voor de leden van de gemeente')*.

We hebben er naar gestreefd dit formulier zo kort mogelijk mogelijk te houden om zo de kans op respons te vergroten. Dat gaat dan uiteraard ten koste van de volledigheid. De verwerking van de gegevens is bij dit formulier uiteraard ingewikkelder dan bij dat voor de kerkeraad, vooral vanwege het grote aantal. Bovendien is het hier van ekstra belang te zoeken naar verbanden tussen de antwoorden op de vragen en allerlei persoonsgegevens zoals sekse, leeftijd, 'ligging' en de mate van 'participatie'. Dat is vooral ook van betekenis opdat zij die weinig participeren ekstra duidelijk worden gehoord.
De gegevens die zo worden verkregen vormen de basis voor een breed beraad in de gemeente over 'de feitelijke stand van zaken en de vraag wat ons als gemeente te doen staat'. Hoe dat vorm kan krijgen en welke rol daarbij gespeeld kan worden door het huisbezoek, het groothuisbezoek, allerlei groepen, de gemeentevergadering en de kerkdienst kan in het algemeen uiteraard niet gezegd worden, daar veel afhangt van de plaatselijke situatie. Daarbij denken we onder meer aan wat de gemeente meent te kunnen, de procedures die gangbaar zijn, hoe de lopende planning er uit ziet, over welke faciliteiten men beschikt (bijvoorbeeld om een onderzoek te doen), en over welke specifieke bekwaamheden, en welke geschiedenis de gemeente heeft doorgemaakt. Ook dat laatste beïnvloedt wat kan en niet kan.
Dat zijn allemaal vragen die slechts ter plaatse bekeken kunnen worden.

* Dit formulier is tegen een geringe vergoeding verkrijgbaar bij het IPT-VU

Epiloog

Wie na lezing konkludeert dat werken aan de vitalisering van de gemeente ingewikkeld is, heeft stellig gelijk. Maar eenvoudiger kan het niet. Daarmee heb ik natuurlijk niet de beschreven methode op het oog; er zijn meer wegen die naar Rome leiden. Ik bedoel er wel mee dat vitalisering vraagt om een aanpak die aandacht heeft voor de vijf faktoren, in hun onderlinge samenhang. De praktijk wijst de noodzaak daarvan ook uit. Daaruit blijkt immers dat het geen zin heeft óf aan deze, óf aan die faktor te werken. Dat ligt ook voor de hand, want die faktoren veronderstellen elkaar.
Werken aan vitalisering van de gemeente is dus ingewikkeld. Dat moet vooral niet ontkend worden.
Maar dit moet ook weer niet overdreven worden, want tot op zekere hoogte gaat het in al deze faktoren om één fundamentele faktor: mensen zien als subjekt en er dus op gespitst zijn dat mensen tot hun recht komen. Dát is het geheim van een positief klimaat, een stimulerend leiderschap en een vitaliserende struktuur. Dit zelfde gezichtspunt maakt het ook mogelijk te komen tot inspirerende doelen en taken en bepaalt in beslissende mate of we een antwoord zullen vinden op de centrale vragen 'Wie zijn we?' en 'Wat is onze missie?'. Naar mijn mening kan dit aandacht hebben voor mensen als subjekt, voor hen ruimte scheppen, ook worden aangeduid met het zware, veel misbruikte woord, liefde. Zó simpel is het en tegelijk zó ingewikkeld. De opgave is dan de konsekwenties daarvan te doordenken voor de praktijk van de gemeente: de besluitvorming, de doelformulering, de stijl van leiding-geven, enzovoorts.
Natuurlijk is er daarnaast ook kennis en kunde nodig, evenals geloof, ook in de zin van vertrouwen in de zinnigheid van gemeenteopbouw. Ik hoop dat dit uit het voorgaande voldoende duidelijk is geworden. Niettemin is het eigenlijke, dragende punt het eerste: de liefde. Maar dat is tenminste al zo'n 2000 jaar bekend (I Kor. 13:2).

Lijst van aangehaalde literatuur

Adam, Ingrid, Eva Renate Schmidt, *Gemeindeberatung*, Gelnhausen/Berlin 1977
Adams, John, zie bij Philo Franssen
Andel Azn, C.P. van, "De plaats van de verstandelijk gehandicapten in de gemeente: object of subject?", in: C.P. van Andel Azn, A. Geense, L.A. Hoedemaker (red.), *Praktische theologie. Een bundel opstellen over plaats en praktijk van de christelijke gemeente*, aangeboden aan prof. dr. P.J. Roscam Abbing bij zijn afscheid als hoogleraar te Groningen, 's-Gravenhage 1980
Andriessen, H., G. Heitink, *Het wordt kil in de kerk*, Pastoraal-theologische en pastoraal-psychologische overwegingen, 's-Gravenhage 1985
Argyris, C., "Selections from organization of a bank", in: J.A. Litterer (ed.), *Organizations II*, New York 1969[2]
Argyris, Chris, *The applicability of organizational sociology*, Cambridge 1974

Bakker, J.T., K.A. Schippers, *Gemeente: vindplaats van heil?*, Kampen z.j.
Barrett, C.K., *Kerk, ambt en sacramenten in het nieuwe testament*, 's-Gravenhage 1988
Barth, K., *Die Kirchliche Dogmatik IV/3.2.*, Zollikon-Zürich 1959
Bäumler, Ch., "Gemeindeaufbau", in: *Praktische Theologie Heute*, München 1974
Bem, Daryl J., *Beliefs, attitudes and human affairs*, Belmont 1970
Berkhof, H., *Christelijk geloof*, Nijkerk 1973
Blake, Robert R., Jane S. Mouton, *De Grid*. Sleutel tot excellent leiderschap, Utrecht 1986
Blei, K., "De Nederlandse Hervormde Kerk in 1988", in: *Kerknieuws*, 23-12-1988
Bolweg, J., "Medezeggenschap: een onvermijdelijk organisatieprobleem", in: *M&O*, 1984-6
Bonhoeffer, Dietrich, *Verzet en overgave*, brieven en aantekeningen uit de gevangenis, Baarn 1972
Boonstra, C.A., "Bezoekerswerk in een oude stadswijk", in: *Ouderlingenblad*, 60 (1983), 704
Boonstra, C.A., *Kaarten krijgen een gezicht*, een analyse van bezoekerswerk in een kerk van een oude stadswijk, doctoraalscriptie praktische theologie, Vrije Universiteit Amsterdam 1984
Bowers, D.G., J.L. Franklin, *Survey-Guided Development I*: Data-based organizational change, La Jolla (Cal.) 1977
Brinkman, M.E., "Pluraliteit in de leer van de kerk?", in: J.M. Vlijm (red.), *Geloofsmanieren*. Studies over pluraliteit in de kerk, Kampen 1981
Burns, Tom, G.M. Stalker, *The Management of Innovation*, Tavistock Publications 1971

Dekker, G., *Godsdienst en samenleving*. Inleiding tot de studie van de godsdienstsociologie, Kampen 1987
Derksen, N., *Eigenlijk wisten we het wel, maar we waren het vergeten*, een onderzoek naar parochieontwikkeling en geloofskommunikatie in de parochies van het aartsbisdom Utrecht, Kampen 1989
DesPortes, Elisa L., *Congregations in change*. A project test pattern book in Parish Development, New York 1973
Dietterich, Paul, Russell Wilson, *A process of local church vitalization*, the Center for Parish Development, Chicago 1976
Dietterich, Paul M., *Survey-Guided Development For Church Vitalization*, the Center for Parish Development, Chicago 1987
Dingemans, G.D.J., *Een huis om in te wonen*. Schetsen en bouwstenen voor een Kerk en een Kerkorde van de toekomst, 's-Gravenhage 1987
Doorn, J.A.A. van, C.J. Lammers, *Moderne sociologie*, een systematische inleiding, Utrecht/Antwerpen 1976
Dulles s.j., Avery, *Models of the church*. A critical assessment of the church in all its aspects, Hong Kong 1983[5]

Ende, W.M.I. van den, "De territoriale gestalte van de kerk", in: *Terzake I*, Presentie en Pretentie, Utrecht/Baarn 1967
Etzioni, A., *De moderne organisatie*, Utrecht/Antwerpen 1966
Eyden, R. van, R. van Kessel, "Een plaatselijke geloofsgemeenschap en haar ambten", in: *Praktische Theologie*, 14(1988)-4

Felling, A., J. Peters, O. Schreuder, "Gebroken identiteit. Een studie over christelijk en onchristelijk Nederland", in: *Jaarboek Katholiek Documentatie Centrum*, 11(1981)
Fiedler, Fred. E., Martin M. Chemers, Linda Mahar, *Improving leadership effectiveness*, the leader match concept, New York/Chichester/Brisbane/Toronto 1977
Firet, J., "Gemeenschapsvorming in de kerk 1-5", in: *Belijden en Beleven*, Gereformeerd Weekblad, 1960, 40t./m.45
Firet, J., *Het agogisch moment in het pastoraal optreden*, Kampen 1974[2]
Firet, J., "De apostoliciteit van de kerk: structuurprincipe en proces", in: *In rapport met de tijd. 100 jaar theologie aan de Vrije Universiteit 1880-1980*, Kampen 1980
Firet, J., "Het krachtveld van de pastorale dienst", in: *Praktische Theologie*, 9(1983)-5, 461-480
Firet, J., J. Hendriks, *Ik heb geen mens. De anonieme pastorale relatie*, 's-Gravenhage 1986
Firet, J., "Kroniek van de Praktische Theologie", in: *Praktische Theologie*, 12(1986)-5
Firet, J., "Ziekenhuispastoraat en de kommunikatie van het evangelie in een gesekulariseerde wereld", in: *Praktische Theologie*, 15(1989)-1
Franklin, J.L., A.L. Wissler, G.J. Spencer, *Survey-Guided Development III*: A manual for concepts training, La Jolla (Cal.) 1977
Franssen, Philo, "Interview met Sabine Spencer en John Adams", in: *M&O*, 1986-2

Gemeente-zijn in de mondiale samenleving. Pastorale handreiking van de generale synode van de Nederlandse Hervormde Kerk, 's-Gravenhage 1988
Gemeentestruktuur in perspektief. Een handreiking voor gemeenten die hun struktuur willen veranderen of vernieuwen, Leusden 1982
Glatzel, Norbert, *Gemeinde-bildung und Gemeindestruktur*. Ein Beitrag der christlichen Sozialwissenschaften zu einer Kernfrage des christlichen Lebens, Paderborn 1976 Graaf, M.H.K. van der, L.A. ten Horn, *Psychologische aspekten van de organisatie*, Alphen aan den Rijn 1988

Haaren, P.W.M. van, "Sociologische bouwstenen voor sociaal ondernemingsbeleid", in: *M&O*, 1986-mei/juni
Haarsma, F., *Morren tegen Mozes*, Pastoraaltheologische beschouwingen over het kerkelijk leven, Kampen 1981
Haarsma, Frans, *Pastoraat in de stad van de mens*, Baarn 1985
Halman, Loek, Felix Heunks, Ruud de Moor, Harry Zanders, *Traditie, secularisatie en individualisering*. Een studie naar de waarden van de Nederlanders in een Europese context, Tilburg 1987
Häring, H., "De Geest als legitimerende instantie van het ambt", in: *Concilium*, 1979-XV, 76-86
Hartman, Warren J., *Membership Trends*. A study of decline and growth in the united methodist church 1949-1975, Nashville 1976
Hausser, D.L., P.A. Pecorella, A.L. Wissler, *Survey-Guided Development II*: A manual for consultants, La Jolla (Cal.) 1977
Heitink, Gerben, *Pastoraat als hulpverlening*, Kampen 1977
Heitink, Gerben, "Het protestantse huisbezoek vroeger en nu", in: *Praktische Theologie*, 8(1982)-5
Heitink, Gerben, "Motieven voor regelmatig huisbezoek", in: *Praktische Theologie*, 9(1983)-5
Heitink, Gerben, *Om raad verlegen doch niet radeloos*... Ervaringen van aporie bij de beoefening der praktische theologie, Kampen 1988
Hendriks, A., "Huisbezoek in het Nederlandse katholieke pastoraat", in: *Praktische Theologie*, 8(1982)-5
Hendriks, J., A.L. Rijken-Hoevens, *De kerkdienst*, Sociologisch onderzoek naar opvatting en oordeel over de kerkdienst, IPT, Amsterdam 1976
Hendriks, J., A.L. Rijken-Hoevens, *De kerken in meeste vergadering bijeen*, IPT, Amsterdam 1976
Hendriks, J., "Een vlieger oplaten in Middenstad-Zuid. Systematisch werken aan verandering", in: *Praktische Theologie*, 5(1979)-1
Hendriks, J., S. Stoppels, *Uitspraak, Tegenspraak, Samenspraak*. Het profetisch spreken van de kerk als pastoraal handelen, Kampen 1986
Hendriks, J., "De methode van gemeenteopbouw. De weg van het leren?", in: *Praktische Theologie*, 14(1988)-4
Hendriks, J., "De kerk als cognitieve minderheid", in: G. Dekker, K.U. Gäbler,

Secularisatie in Theologisch perspektief, Kampen 1988
Hendriks, J., "Participatie aan het conciliair proces in een gemeente", in: *Praktische Theologie*, 15(1989)-3
Hendriks, J., E.J.P. Jansen, A.L. Rijken-Hoevens, K.A. Schippers, *Kleine Groepen in de Gemeente*,
Eerste deelrapport 'Verslag van de voorstudies', IPT, Amsterdam 1978, 1982[2]
Tweede deelrapport 'Verslag van de praktijkoriëntatie en het vooronderzoek', IPT, Amsterdam 1980
Derde deelrapport 'Verslag van een veldonderzoek',
'Bijlagenrapport', IPT, Amsterdam 1980
Vierde deelrapport 'Eindverslag deel A. De kleine groep en de opbouw van de gemeente. Een praktische theologische studie', Kampen 1987
Vierde deelrapport 'Eindverslag deel B. Studies over interaktie, participatie, leidinggeven en leren', IPT, Amsterdam 1984
Vierde deelrapport 'Eindverslag deel C. Aktieonderzoek als een model voor praktisch theologisch onderzoek', IPT, Amsterdam 1986
Hoekendijk, J.C., *De kerk binnenste buiten*, 's-Hertogenbosch/Utrecht 1964
Hoge, Dean R., David A. Roozen, *Understanding Church Growth and Decline 1950-1981*, New York 1981
Houtepen, A.W.J., "De kerken in concilie over vrede, gerechtigheid, zorg voor de schepping", in: Herbert van Erkelens, *Mogelijkheden en onmogelijkheden van het conciliair proces*, Kampen 1989
Huismans, S.E., "Veranderbaarheid van politieke houdingen bij kerkleden en enkele gevolgen daarvan", in: *Praktische Theologie*, 6(1980)-6
Hull, J., "Belemmeringen in het leerproces van volwassen christenen", in: *Praktische Theologie*, 9(1983)-3
Hull, John M., *What prevents christian adults from learning?*, London 1985

Jansen, Joh., *Korte verklaring van de kerkorde*, Kampen 1952[3]

Kapteyn, Bert, *Organisatietheorie voor non-profit*, Deventer 1987
Kastelein, J., "Organisatiewerkers en organisatieveranderingspotentieel", in: P.A.E. van de Bunt, C.J. Lammers, *Organisatieverandering en organisatieadvieswerk*, Alphen aan den Rijn/Brussel 1980
Keizer, J.A., *Aan tijd gebonden*. Over motivatie en arbeidsvreugde van predikanten, 's-Gravenhage 1988
Kerk in perspektief, rapport van de commissie gemeente-struktuur, Gereformeerde Kerken in Nederland, Leusden 1969
Kerk-zijn in een tijd van Godsverduistering, nota ten dienste van de beleidsbepaling, Nederlandse Hervormde Kerk, Leidschendam 1988
Kessel, Rob van, "De krisis van de christelijke identiteit", in: *Tijdschrift voor theologie*, 1986-4
Kessel, Rob van, *Zes kruiken water*. Enkele theologische bijdragen voor kerkopbouw, Hilversum 1989

Keuning, D., D.J. Eppink, *Management en organisatie*, Leiden/Antwerpen 1986
Keuning, D., *Management: het is 'top...down' en 'bottom...up'*, Leiden/Antwerpen 1987
Kiefer, C.F., P.M. Senge, "Metanoïsche organisaties. Nieuwe experimenten in organisatieontwerp", in: *M&O*, 1986-2
Kilmann, Ralph, *Het vijfhoekig management fundament*, strategie voor bestendiging bedrijfssucces, Amsterdam/Brussel z.j.
Klei, P.O.J. van der, "Waar gaat het om bij het huisbezoek van de pastor?", in: *Praktische Theologie*, 8(1982)-5
Kruijt, J.P., *Gemeenschap als sociologisch begrip*. Een kritiek op Tönnies, Amsterdam 1955

Laeyendecker, L., *Religie en conflict*. De zogenaamde sekten in sociologisch perspektief, Meppel 1967
Laeyendecker, L., "'Gemeenschap' in het zoeklicht", in: *Ministerium*, 3(1969), 21-27
Laeyendecker, L., *Identiteit in diskussie*, Meppel 1974
Lammers, C.J., *Organisaties vergelijkenderwijs*. Ontwikkeling en relevantie van het sociologisch denken over organisaties, Utrecht/Antwerpen 1983
Lehmann, K., "Was ist eine christliche Gemeinde?", in: *Communio*, 1972
Leur, W. van de, "Kanttekeningen bij de verwaarlozing van het opbouwwerk in de andragologie", in: *Tijdschrift voor agologie*, 1980-3/4
Likert, Rensis, *The human organization*, its management and value, New York 1967
Likert, Rensis, Jane Gibson Likert, *New ways of managing conflict*, McGraw-Hill Book Company 1976

Man, H. de, P. Koopman, "Medezeggenschap tussen ideologie en bedrijfspraktijk", in: *M&O*, 1984-6
Management en Arbeid Nieuwe Stijl, Amsterdam/Brussel 1986 (zie ook Peereboom)
Mann, P.H., "The concept of neighbourliness", in: *A.J.S.*, 1954/55-vol. I (september 1954), 163-168
Mastenbroek, W.F.G., "Machtsrelaties in organisaties: problemen en interventies", in: *Leren en leven met groepen*, juni 1981
Mastenbroek, W.F.G., *Excellente organisaties: Partijen of systemen*. Paper voor de sociologendagen, 25 en 26 april 1984
Mastenbroek, W.F.G., G.C. Ezerman, P. van Straaten, *Macht en onmacht in de overlegvergadering*, Alphen aan den Rijn 1985
McGregor, Douglas, *The human side of enterprise*, New York 1960
Meerburg, M.M., "Eenheid en identiteit in een plurale kerk", in: J.M. Vlijm (red.), *Geloofsmanieren*. Studies over pluraliteit in de kerk, Kampen 1981
Menting, C.L., '... *Hij is in vergadering*', Deventer 1976
Meurs, Pauline, "Over medezeggenschap in de organisatiesociologie", in: *M&O*, 1986-mei/juni

Meurs, P.L., "Heeft de OR toekomst?", in: *M&O*, 1984-6
Möller, Christian, *Lehre vom Gemeindeaufbau Band I*: Konzepte, Programme, Wege, Göttingen 1987
Mühlen, H., *Die Erneuerung des christlichen Glaubens*, München 1976^2

Newbigin, Leslie, "Toespraak tot de gezamenlijke vergadering van de Synoden van de Nederlandse Hervormde Kerk en de Gereformeerde Kerken in Nederland op 22 november 1978 in De Blije Werelt te Lunteren", in: *Wereld en Zending*, tijdschrift voor opbouw van de missionaire gemeente, 8(1979)-1, 108
Niebuhr, H. Richard, *The social sources of denominationalism*, New York/London/Scarborough/Ontario 1975
Nijen, J.J. van, "Gemeenteleden als deelgenoten", in: J.M. Vlijm (red.), *Buitensporig geloven*, studies over randkerkelijkheid, Kampen 1983

Ouchi, William G., *Theorie Z*. De winst van de Japanse uitdaging, Alphen aan den Rijn/Brussel 1982

Parvey, Constance F., *The community of women and men in the church*, The Sheffield report, Geneva 1983
Pastoraal Plan Binnenstad Amsterdam, uitgebracht door de bisschoppelijke werkgroep 'Plan Binnenstad Amsterdam', Nijmegen/Utrecht 1969
Peereboom, E. (red.), *Management en Arbeid Nieuwe Stijl*, Amsterdam/Brussel 1986
Peters, Thomas J., en Robert H. Waterman Jr., *Excellente ondernemingen*. Kenmerken van succesvol management, Utrecht/Antwerpen 1982
Pieper, Josef, *De regels van het maatschappelijk spel*, Utrecht/Antwerpen MCMLVI (De eerste druk verscheen in 1933. In 1987 verscheen een geheel herziene herdruk: *Grundformen sozialer Spielregeln*, München.)
Plasman, J., *Medezeggenschap in het geding*. Een bedrijfspastorale, toegepaste sociaal-ethische studie over medezeggenschap, 's-Gravenhage 1988
Ploeg, Piet van der, *Het lege testament*. Een onderzoek onder jonge kerkverlaters, Franeker 1985
Ploeger-Grotegoed, Joke, *Gemeenteleden in het vizier*. Op zoek naar een gemeentemodel waarin participatie van gemeenteleden tot zijn recht komt. Doctoraalscriptie Praktische Theologie, Groningen 1985

Ratzmann, W., *Missionarische Gemeinde*. Ökumenische Impulse für Struktur-Reformen, Berlin 1980
Remmerswaal, Jan, *Inleiding tot de groepsdynamika*, Bloemendaal 1976^2
Riess, Richard, *Seelsorge*. Orientierung, Analysen, Alternativen, Göttingen 1973
Runia, K., *Waar blijft de kerk?*, Kampen 1988
Rijken-Hoevens, A.L., e.a., *Kleine groepen in de Gemeente. Eindverslag deel C*. Aktieonderzoek als een model voor praktisch theologisch onderzoek, IPT, Amsterdam 1986

Schein, Edgar H., *Het organisatieadvies en de manager*, Alphen aan den Rijn 1978
Schillebeeckx, Edward, *Pleidooi voor mensen in de kerk*, Baarn 1985
Schippers, K.A., "De pluriforme geografische gemeente", in: *Evangelisch Commentaar*, 4(1986)-8
Scholten, R.G., "Gedistantieerde kerkelijkheid. De problemen van kerkelijke deelname en niet-deelname", in: *Terzake. Gesprekken van sociologen en theologen over kerkvernieuwing IV*: Kerk buiten de Kerk, Utrecht 1969
Scholtz, H.A.A., "COB/SER-reeks experimenten medezeggenschap ten einde", in: *M&O*, 1984-6
Schreuder, O., "Overpeinzingen bij het gouden kalf", in: *Praktische Theologie*, 6(1980)-3
Schweizer, E., *Gemeinde und Gemeindeordnung im Neuen Testament*, Zürich 1962[2]
Sitter, L.U. de, *Op weg naar nieuwe fabrieken en kantoren*, Deventer 1982
Spencer, S., zie bij Philo Franssen
Stoppels, S., "Geest-gemeente-individuele mens", in: *Bulletin voor charismatische theologie*, 1990-26

Tennekes, J., "Nederland een multi-culturele samenleving?", in: A.W. Musschenga, J. Tennekes (red.), *Emancipatie en identiteit*, Amsterdam 1986
Thung, Mady A., *The precarious organization*. Sociological explorations of the Church's Mission and Structure, 's-Gravenhage 1976
Thung, Mady A., "Godsdienst en maatschappijkritiek: de organisatie van een dilemma", in: G. Dekker e.a., *Kerk, godsdienst en samenleving*, Serie aspekten van de samenleving, Assen 1982
Twijnstra, A., *Maatschappelijk Management*. Ontwikkelingen van de organisatiekunde in een veranderende samenleving, Alphen aan den Rijn 1979
Twijnstra, A., "Democratisering als gereedschap voor de manager", in: *Management totaal*, 1980-november

Veenhof, J., "De pastor als medewerker van God. Zelfstandigheid in pneumatologisch perspektief", in: *Zelfstandig geloven. Studies voor Jaap Firet*, Kampen 1987
Ven, J.A. van der, "Vragen voor een empirische ekklesiologie", in: *Theologie en kerkvernieuwing. Generatieve thema's voor kerkelijk beleid*, Baarn 1984
Ven, J.A. van der, "Wat is pastoraaltheologie? Een analyse van het werk van Frans Haarsma", in: J.A. van der Ven (red.), *Toekomst voor de kerk? Studies voor Frans Haarsma*, Kampen 1985
Versteeg, J.P., *Kijk op de kerk*, de structuur van de gemeente volgens het Nieuwe Testament, Kampen 1985
Vliert, Evert van de, "Een overzicht van praktijk-theorieën over organisatie-ontwikkeling", in: *Leren en leven met groepen*, Alphen aan den Rijn 1978, 1610-1/1610-30

Zuthem, H.J. van, "Uitzicht en uitbouw van medezeggenschap", in: *M&O*, 1984-6
Zwart, C.J., *Gericht veranderen van organisaties I*, theorie en praktijk van het

begeleiden, Rotterdam 1977
Zwart, Cees, "De transcendente organisatie en koerszoekend leiderschap", in: *M&O*, 1986-a-2
Zwart, C.J., "Leiderschap en organisatie op de drempel van de toekomst", in: Hein Stufkens, *Management voor een nieuwe tijd*. Transformatie in bedrijf en organisatie, Rotterdam 1986

DEEL IV

BIJLAGEN

1. Profiel van de kerkeraad

2. De relatie tussen concepten en vragen bij het visitatieformulier voor de kerkeraad

3. Het gebruik van het visitatieformulier

Bijlage 1.
Profiel van de kerkeraad*

Vragenlijst voor gebruik door *leden van de kerkeraad*

TER INLEIDING

DOEL Een kerkeraad is voor het funktioneren van de gemeente van zeer grote betekenis. Hoe beter de kerkeraad funktioneert des te groter is zijn betekenis en met des te meer voldoening verrichten de ambtsdragers hun werk. Het is daarom nuttig als kerkeraad eens met elkaar te spreken over de vraag of de kerkeraad wellicht nog bevredigender kan werken. Om daar een goed gesprek over te hebben is het van belang eerst eens vast te stellen hoe u vindt dat u als kerkeraad funktioneert en tevens na te gaan hoe u graag zou willen funktioneren. Deze vragenlijst wil u helpen daarop een antwoord te vinden.

VERTROUWELIJK De gegevens zijn alleen waardevol als de antwoorden open en eerlijk gegeven worden; en als *iedereen* meedoet.
De antwoorden op de vragenlijst worden verwerkt met de computer, die de gegevens zo samenvat dat niet kan worden nagegaan wie, welke antwoorden heeft gegeven. Om de vertrouwelijkheid van de gegevens te garanderen verzoeken wij u, uw naam *niet* op de vragenlijst te vermelden.

TOELICHTING
Alstublieft graag goed doorlezen

Wij verzoeken u onderstaande vragen te beantwoorden. Het gaat steeds om uw *Persoonlijke Mening*; over wat *U* vindt!

Eerst komen een paar vragen van algemene aard.
Daarna komt de eigenlijke vragenlijst.
In die vragenlijst heeft elke vraag steeds *7 verschillende antwoordmogelijkheden*, die lopen van het ene uiterste tot het andere: van *zeer weinig* tot *zeer veel*.

We vragen u elke vraag twee keer te beantwoorden:

- Eerst: hoe naar uw persoonlijke mening de situatie *momenteel*, *feitelijk* is; u kunt daar een antwoord op geven door het cijfertje *boven* de lijn, dat uw mening het dichtst benadert te omcirkelen.
- Daarna: hoe u persoonlijk graag zou willen dat de situatie *zou zijn*; dat wat u *wenselijk* vindt; u kunt daar een antwoord op geven door het cijfertje *onder* de lijn, dat uw mening het dichtst benadert te omcirkelen.

Enkele illustraties:
Voorbeeld 1. Veronderstel dat de vraag zou zijn:

Hoeveel samenwerking bestaat er tussen de diakonie en de evangelisatiekommissie in uw gemeente?	Feit (1)--- 2 --- 3 --- 4 --- 5 --- 6 --- 7 --- Wens 1 ---(2)--- 3 --- 4 --- 5 --- 6 --- 7

Als u persoonlijk van mening bent dat er momenteel, dus *feitelijk*, heel weinig samenwerking is, of misschien zelfs helemaal geen samenwerking is, dan omcirkelt u het cijfer 1 boven de lijn.
Vindt u het *wenselijk* dat er meer samenwerking ontstaat, dan kunt u dat aangeven door een cijfer onder de lijn te omcirkelen. Als u bijvoorbeeld vindt, dat iets meer samenwerking toch wel wenselijk is, dan omcirkelt u bijvoorbeeld de 2 onder de lijn.

Voorbeeld 2.
Het is natuurlijk ook mogelijk dat er naar uw persoonlijke mening *feitelijk* weinig samenwerking is, hoewel het voorzover u weet niet geheel ontbreekt. U omcirkelt dan bijvoorbeeld de 2 boven de lijn. Vindt u het *wenselijk* dat de diakonie en de evangelisatiekommissie zeer nauw samenwerken, misschien zelfs dat zij alles samen zouden moeten doen, dan kunt u onder de streep bijvoorbeeld de 7 omcirkelen. Uw antwoorden op deze vraag zien er dan als volgt uit:

Hoeveel samenwerking bestaat er tussen de diakonie en de evangelisatiekommissie in uw gemeente?	Feit 1 ---(2)--- 3 --- 4 --- 5 --- 6 --- 7 --- Wens 1 --- 2 --- 3 --- 4 --- 5 --- 6 ---(7)

Tenslotte
Als er een vraag wordt gesteld die niet op uw situatie van toepassing is, dan verzoeken wij u dit aan te geven met n.v.t. (niet van toepassing). Het kan bijvoorbeeld zijn dat u nog te kort lid van de kerkeraad bent om dit te weten, of dat de vraag niet op uw kerkeraad van toepassing is.

VRAGENLIJST

ALGEMEEN GEDEELTE

1 Tot welke kategorie behoort u?
O vrouw
O man

2 In welke leeftijdskategorie valt u?
jonger dan 20
O 20-29 jaar
O 30-39
O 40-49
O 50-59
O 60 of ouder

3 Hoe lang maakt u deel uit van *deze* kerkeraad?
O 6 maanden of korter
O tussen 6 en 18 maanden
O langer dan 18 maanden

4 Bent u al eens eerder lid van een kerkeraad geweest?
O ja
O nee

5 Welk ambt bekleedt u in de kerkeraad?
O predikant
O ouderling
O diaken

6 Bent u lid van het moderamen?
O ja
O nee

7 Bent u, naast uw lidmaatschap van de kerkeraad, lid van een andere groep in de kerk (bijv. evangelisatiekomm., komm. van beheer, vrouwenvereniging, koor, Samen-op-Weggroep)
Zo ja, welke groep?
O ja
O nee

8 Er zijn in de Gereformeerde Kerken verschillende meningen. Aan de ene kant zijn er mensen die vinden dat er tegenwoordig te veel veranderingen binnen de kerken plaatsvinden. Aan de andere kant zijn er mensen, die vinden dat er nog veel meer zou moeten veranderen. Ook is er een groep, die het eens is met de wijze waarop de kerk zich ontwikkelt. En er is een groep voor wie de kerk niet zo belangrijk meer is. Welke van de volgende uitspraken benadert uw mening het meest?:

O ik maak me echt ongerust over het feit dat er op het ogenblik zoveel veranderingen in de Gereformeerde Kerken plaats vinden

O ik maak me niet direkt ongerust, maar vraag me toch wel eens af of er op het ogenblik niet te veel veranderingen in de Gereformeerde Kerken plaats vinden
O ik vind dat de Gereformeerde Kerken zich op het ogenblik op de juiste wijze ontwikkelen, dat er noch te veel noch te weinig veranderingen plaats vinden
O ik vraag me wel eens af of er op het ogenblik niet te weinig veranderingen in de Gereformeerde Kerken plaats vinden
O ik maak me echt ongerust over het feit, dat op het ogenblik de Gereformeerde Kerken niet echt aan vernieuwing toe komen
O ik maak me niet zo druk over de kerk want die interesseert mij niet zo veel.

9 Is uw bereidheid om in de toekomst weer ambtsdrager te worden door uw huidige ambtsdragerzijn toegenomen? O ja O nee

Toelichting op uw antwoord: ....

....

....

(Hierna volgt het 'Visitatieformulier voor de leden van de kerkeraad' (hoofdstuk 10), waarna het formulier als volgt besloten wordt:)

Heel hartelijk dank voor het invullen van deze vragenlijst. We hopen van harte dat dit voor uw werk als kerkeraad van belang zal blijken te zijn.
Wij zijn u ook zeer dankbaar voor alle *kritische* opmerkingen over de vragenlijst. We zullen er terdege rekening mee houden bij het vaststellen van de definitieve vragenlijst.

Het Instituut voor Praktische Theologie
aan de VRIJE UNIVERSITEIT

Bijlage 2.

De relatie tussen Concepten en Vragen
bij het 'visitatieformulier voor de leden van de kerkeraad'

1.	*klimaat*	1.	beeld van mensen als *subjekt* = medeverantwoordelijk	1.	**1,2**
		2.	*procedures*:	2.	
			a. kommunikatie	a.	**3,4,5,6,7**
			b. besluitvorming	b.	**8,9**
			c. doelformulering	c.	**47,48**
			d. invloed van gewone leden	d.	**10,11**
2.1.	*leiding-leden*	1.	stijl	1.	**12**
		2.	funkties:	2.	
			a. helpen	a.	**13,14**
			b. support	b.	**15,16**
			c. goal emphasis	c.	**17**
			d. team building	d.	**18**
		voorwaarden:			
			a. luisteren	a.	**19**
			b. inkasseringsvermogen	b.	**20**
			c. te bereiken	c.	**21**
			d. kompetentie	d.	**22,65**
			e. machtsdeling	e.	**23**
2.2.	*leden-leden*	1.	*funkties*:		
			a. helpen	a.	**24,25,26**
			b. support	b.	**27,28**
			c. goal emphasis	c.	**29**
			d. team building	d.	**30**
		voorwaarden:			
			a. luisteren	a.	**31,32**
			b. inkasseringsvermogen	b.	**33**
			c. te bereiken enz.	c.	**34**
			d. kompetentie	d.	**35,65**
3.	*struktuur*		a. samenstelling	a.	**36**
			b. aanvaarding van andere groepen	b.	**37**

			c. relatie met andere groepen	c.	**38,39,40,41,42**
4.	*doelen/ taken*	4.1.	*doelen*:		
			a. manifest	a.	**43,46**
			b. konkreet	b.	**45**
			c. gedeeld	c.	**44**
			d. inspirerend:	d.	
		doelen in relatie tot:			
			- problemen	-	**49**
			- mogelijkheden	-	**50**
			- gronddoelen	-	**51**
		4.2.	*taken* kerkeraadsvergaderingen:		
			a. duidelijk	a.	**53,58**
			b. interessant	b.	**54,59**
			c. inspirerend:	c.	
		taken in relatie tot:			
			- problemen	-	**57**
			- mogelijkheden	-	**55**
			- gronddoelen	-	**56**
		4.3.	*overige ambtelijke taken*:	4,3	
			a. duidelijk	a.	**60**
			b. interessant	b.	**61**
			c. inspirerend:	c.	
		taken in relatie tot:			
			- problemen	-	**64**
			- mogelijkheden	-	**62**
			- gronddoelen	-	**63**
		4.4.	*waardering*:	4.4	**66**
5.	*identiteit* (toegespitst op ambt)		Wie zijn wij als ambtsdragers en wat is onze centrale opdracht?		**68,69,70,71**
6.	*effekt*		a. plezier	a.	**52,72,73**
			b. effekt	b.	**67,74,75**

Bijlage 3
Het gebruik van het visitatieformulier

Het werken met het visitatieformulier blijkt verrassende gegevens op te leveren, die in de praktijk leiden tot konkreet beleid en tot verbetering in bijvoorbeeld stijl van leiding geven, doelformulering. Dat blijkt uit eigen ervaringen. Daarover zal in 1992 een publikatie verschijnen. Maar die positieve resultaten rollen niet zomaar uit de enquête. Er moet hard en systematisch aan gewerkt worden, gedurende langere tijd.
Om het maximum uit het werken met het visitatieformulier te halen is het van belang een antwoord te formuleren op de volgende zeven vragen.

1. *Waarom* wilt u dit formulier gebruiken? Als het eigenlijke antwoord luidt: 'omdat dit eens iets nieuws is' of 'omdat het wel interessant is voor een ambtsdragersweekend of gemeente-avond', dan gaat de visitatie gegarandeerd de mist in. De visitatie werkt alleen positief als het een fase is, in een opbouwproces! (Zie hoofdstuk 10, met name paragraaf 2.2.)
2. *Wie* in de kerkeraad (of als u een onderzoek in de hele gemeente instelt: Wie in de gemeente) is bereid en in staat de antwoorden van de formulieren te verwerken? Wie heeft daarvoor de tijd en de kennis? Van groot belang is ook kennis van gegevensverwerking m.b.v. een statistisch computerprogramma. Het gaat immers niet alleen om de antwoorden per vraag, maar ook om het opsporen van verbanden! (zie p. 182). Wil het echt tot beleid komen, dan moeten de vragen van het algemeen gedeelte (p. 205 e.v.) en van het eigenlijke visitatieformulier (pp. 175-182) met elkaar in verband gebracht worden.
   Het verwerken van de gegevens is dus een heel werk, dat bovendien snel moet gebeuren, wil de belangstelling niet wegebben.
3. *Hoe* denkt u te werk te gaan?
   — hoe verspreidt u de formulieren? (Dat is natuurlijk vooral een punt als het om een enquête in de gemeente gaat.)
   — hoe krijgt u de formulieren terug? (Als u daarbij anderen denkt in te schakelen – bijvoorbeeld ouderlingen, kontaktpersonen – dan is het zaak tijdig na te gaan of zij dat willen.)
   — hoe blijft de anonimiteit gewaarborgd?
4. *Onder wie* stelt u een onderzoek in?
   Als het om de kerkeraad (of een andere kleine groep) gaat, dan kunnen allen in het onderzoek betrokken worden.
   Gaat het om de hele gemeente dan is de vraag: allen (van welke leeftijd?) of een steekproef?
   Een steekproef uit de gemeente heeft het grote voordeel dat het aantal beduidend kleiner is. Dus brengen we het eerder op er alles aan te doen dat *alle* formulieren

ook weer terugkomen. En dat is van zeer grote waarde, want: een steekproef die voor (bijna) 100% terugkomt levert een veel betrouwbaarder beeld op dan een enquête in de gehele gemeente die slechts voor ± 60% – en dat is al heel mooi – terugkomt. De kans is dan groot dat de stem van bepaalde groepen en kategorieën niet gehoord wordt. Dat maakt de enquête bijna waardeloos; het gaat immers niet alleen om degenen die toch al meedoen, maar ook of in het bijzonder om de *potentiële* deelgenoten.

5. *Wie begeleidt* het proces? Het gaat om een proces dat vijf fasen omvat (zie hoofdstuk 10, met name par. 2.2). Het vergt heel wat wijsheid en ervaring om daaraan systematisch te werken (zie vooral de pp. 183-186). Wie van ons – binnen de gemeente of er buiten – (bijvoorbeeld een consulent gemeenteopbouw of een vormings- en toerustingswerker) – heeft daar verstand van? (zie ook p. 188). Het is van belang dat te regelen voordat we het onderzoek starten.
6. *Wie* bepaalt het beleid? Anders gezegd: Wie trekt de konklusies uit het onderzoek? Om werkelijk tot effekt te leiden moeten alle betrokkenen dit samen doen (zie p. 187 e.v.). Dus respektievelijk de hele kerkeraad en alle gemeenteleden. Maar dan komen er weer nieuwe vragen: Zijn we bereid daar tijd voor uit te trekken? Past dit in de planning, of is het programma al geheel gevuld?
7. *Op welke wijze* presenteert u de resultaten aan de kerkeraad of aan de gemeente? De ervaring leert dat niet iedereen even gemakkelijk tabellen leest. Grafische presentatie, in de vorm van staafdiagrammen, 'taartpunten' etc. kan de toegankelijkheid vergroten. Ook voor de voorbereiding van de presentatie moet in de planning tijd vrijgemaakt worden.

Het is van belang deze vragen goed te overdenken. Beter geen onderzoek, dan een onderzoek dat niet wordt afgemaakt. Want dat heeft allerlei negatieve effekten. Voor gemeenteopbouw geldt altijd deze regel: een aktiviteit leidt tot één stap vooruit of tot twee stappen achteruit. Dat laatste willen wij graag helpen voorkomen. Vandaar deze opmerkingen.

Als u na beraad over deze zeven vragen konkludeert dat het gebruik van het visitatieformulier niet verantwoord is, dan betekent dit niet dat het werken aan vitalisering, dus aan het 'systeem van 5 faktoren' in uw geval niet mogelijk is. Stellig niet. Er zijn immers vele wegen die naar Rome leiden (zie de pp. 168 e.v.).

Tenslotte. Gaat u het formulier gebruiken, dan zullen wij het zeer op prijs stellen indien u een verslag van uw bevindingen aan ons opstuurt. Daarbij gaat het ons vooral om: een samenvatting van de antwoorden en een verslag van uw positieve èn negatieve ervaringen. Wij stellen dit op prijs om andere kerken die ook met dit formulier willen werken van dienst te kunnen zijn. Daarnaast ook om eigen inzichten te verdiepen en te corrigeren.

Instituut voor praktische theologie aan de Vrije Universiteit.
De Boelelaan 1105
1081 HV Amsterdam

Uitgaven van het instituut voor praktische theologie aan de Vrije Universiteit*

no. 1* *Eerstejaars theologiestudenten*, 1970
no. 2* *Kerkbezoek*. De ontwikkeling in het kerkbezoek en de deelname aan het avondmaal, 1970
no. 3* *Voor wie is de preek*. Onderzoek naar enkele sociale en kulturele vooronderstellingen in preken, 1971
no. 4* *Vraag en aanbod*. De ontwikkeling van het aantal predikantsvacatures in de gereformeerde kerken, 1972
no. 5* *Theologiestudenten na twee jaar*. Verslag van een vergelijkend onderzoek van enkele opvattingen van theologiestudenten in 1970-1972, 1973
no. 6* *De kerkdienst*. Sociologisch onderzoek naar opvatting en oordeel over de kerkdienst, 1976[2]
no. 7* *De kerken in meeste vergadering bijeen*. Een beschrijvend onderzoek naar de samenstelling van de generale synode van de Gereformeerde Kerken in Nederland in de jaren 1975 en 1976, 1976
no. 8* *Samen de dienst uitmaken*. Nabeschouwingen over een konferentie over de kerkdienst, 1977
no. 9* *Er zijn nog katechisanten*... Een onderzoek onder predikanten van de Gereformeerde Kerken in Nederland ten aanzien van enkele facetten van de katechese, 1978
no. 10 *Kleine Groepen in de Gemeente*,
* Eerste deelrapport 'Verslag van de voorstudies', 1978, 1982[2]
* Tweede deelrapport 'Verslag van de praktijkoriëntatie en het vooronderzoek', 1980
* Derde deelrapport 'Verslag van een veldonderzoek', 1980
'Bijlagenrapport', 1980
Vierde deelrapport 'Eindverslag deel A. De kleine groep en de opbouw van de gemeente. Een praktische theologische studie', Kampen 1987
* Vierde deelrapport 'Eindverslag deel B. Studies over interaktie, participatie, leidinggeven en leren', 1984
* Vierde deelrapport 'Eindverslag deel C. Aktieonderzoek als een model voor praktisch theologisch onderzoek', 1986
no. 11 Firet, J., J. Hendriks, *Ik heb geen mens*. De anonieme pastorale relatie, 's-Gravenhage 1986 (tevens Praktisch-theologische handboeken no. 53, 's-Gravenhage 1986)
no. 11a* *Bijlagen bij: Ik heb geen mens*. De anonieme pastorale relatie, 1986

* Uitgave in eigen beheer van het Instituut voor Praktische Theologie te Amsterdam.

no. 12 Hendriks, J., S. Stoppels, *Uitspraak - Tegenspraak - Samenspraak*, Het profetisch spreken van de kerk als pastoraal handelen, Kampen 1986
no. 13 Firet, J, *Spreken als een leerling*. Praktisch-theologische opstellen, Kampen 1987
no. 14 Kuiper, F.H., J.J. van Nijen, J.C. Schreuder (red.), *Zelfstandig geloven*. Studies voor Jaap Firet, Kampen 1987
no. 15 Heitink, Gerben *Om raad verlegen, doch niet radeloos*...Ervaringen van aporie bij de beoefening der praktische theologie, Kampen 1988
no. 16 Kuiper, F.H. e.a.; *Met het oog op de leerling,* vragen met betrekking tot leerlingbegeleiding en schoolpastoraat, Kampen 1989